NOVOS RUMOS DA CULTURA DA MÍDIA

INDÚSTRIAS, PRODUTOS, AUDIÊNCIAS

NOVOS RUMOS DA CULTURA DA MÍDIA

INDÚSTRIAS, PRODUTOS, AUDIÊNCIAS

João Freire Filho
Micael Herschmann

organizadores

*M*auad X

Copyright @ by João Freire Filho e Micael Herschmann (orgs.), 2007

Direitos desta edição reservados à
MAUAD Editora Ltda.
Rua Joaquim Silva, 98, 5º andar
Lapa — Rio de Janeiro — RJ — CEP: 20241-110
Tel.: (21) 3479.7422 — Fax: (21) 3479.7400
www.mauad.com.br

Projeto Gráfico:
Nucleo de Arte/Mauad Editora

Revisão:
Mayka Castellano e Ana Julia C. B. Cabral

CIP-BRASIL. CATALOGAÇÃO-NA-FONTE
SINDICATO NACIONAL DOS EDITORES DE LIVROS, RJ.

N848
    Novos rumos da cultura da mídia : indústrias, produtos, audiências / João Freire Filho, Micael Herschmann, organizadores. - Rio de Janeiro : Mauad X, 2007.

    Inclui bibliografia

    ISBN 978-85-7478-237-9

1. Mídia - Aspectos sociais. 2. Computadores e civilização. 3. Cultura e tecnologia. 4. Recursos audiovisuais. 5. Música por computador. 6. Indústria de entretenimento. I. Freire Filho, João. II. Herschmann, Micael, 1964-.

07-3739.   CDD: 302.25
                                    CDU: 316.774

Sumário

Tendências culturais de uma sociedade midiatizada — 7
João Freire Filho e Micael Herschmann

DESAFIOS TEÓRICO-METODOLÓGICOS PARA A INVESTIGAÇÃO
DA NOVA PAISAGEM MIDIÁTICA — **13**

Teoria midiática e cultural na era do liberalismo de mercado — 15
James Curran

Sem mapas para esses territórios:
a cibercultura como campo de conhecimento — 45
Erick Felinto

A celebrização do ordinário na TV:
democracia radical ou neopopulismo midiático? — 59
João Freire Filho

O *Big Brother* como evento multiplataforma:
uma análise dos impasses dos estudos de audiência — 83
Bruno Campanella

PRODUÇÃO AUDIOVISUAL: QUESTÕES POLÍTICAS E ESTÉTICAS — **101**

TV digital, pública e por assinatura em cenário de convergência — 103
Valério Cruz Brittos e Luciano Correia dos Santos

Relações incestuosas: mercado global, empresariado nacional
de radiodifusão e líderes políticos locais/regionais — 121
Suzy dos Santos

O ensaio no documentário e a questão da narração em *off* — 143
Consuelo Lins

CRISE E OPORTUNIDADES PARA A PRODUÇÃO,
CIRCULAÇÃO E CONSUMO MUSICAL   159

**Alguns apontamentos
sobre a reestruturação da indústria da música**   161
Micael Herschmann

Os portais e a segmentação no rádio via internet   189
Marcelo Kischinhevsky

Consumindo música, consumindo tecnologia   213
Gisela Castro

**Categorização dos gêneros musicais na internet – para
uma etnografia virtual das práticas comunicacionais
na plataforma social Last.FM**   227
Adriana Amaral

NOVAS TECNOLOGIAS E DESDOBRAMENTOS DO ENTRETENIMENTO   243

**Mídia locativa e uso criativo em telefones celulares:
notas sobre deslocamento urbano e entretenimento portátil**   245
Fernanda Eugenio e João Francisco de Lemos

Código e luta por autonomia na comunicação em rede   263
Henrique Antoun, Ana Carla de Lemos, André Pecini

***Second Life*: vida e subjetividade em modo digital**   291
Maria Inês Accioly e Fernanda Bruno

Tendências culturais de uma sociedade midiatizada

João Freire Filho e Micael Herschmann

Grandes empresários do mercado da comunicação, do entretenimento e da alta tecnologia são tratados, cada vez mais, como respeitados *gurus* ou *oráculos*, capazes de revelar tendências do complexo, competitivo e instável mundo contemporâneo. Vale a pena recapitular algumas frases polêmicas proferidas na mídia nos últimos anos:

"O Google não é uma companhia real. É um castelo de cartas" (Steve Ballmer, presidente da Microsoft).

"Sistemas de DRM (*digital rights management*) [ferramenta de controle que deveria impedir a pirataria] não funcionam e são ruins para a sociedade: não incentivam a honestidade do usuário" (Steve Jobs, proprietário e fundador da Apple).

"Qualquer propriedade intelectual tem a vida útil de uma banana" (Bill Gates, proprietário e fundador da Microsoft).

"Eu não tenho certeza de que o *blog* é necessariamente a melhor ferramenta para dar uma turbinada em qualquer coisa que seja. As pessoas querem *blogar* por várias razões, e isso pode ou não ser representativo" (Steve Ballmer).

"Se a General Motors tivesse acompanhado a tecnologia como a indústria da informática fez, estaríamos todos dirigindo carros de 25 dólares com 1000 MPG [*miles per gallon*]" (Bill Gates).

"Nós não temos um monopólio. Nós temos participação de mercado" (Steve Ballmer).

"Estou espantado ao ver que as pessoas não percebem que, daqui a cinco anos, todos vão rir do que temos na TV. Como a TV está se adaptando para transmissão pela *web* – e algumas grandes companhias de telefone estão criando a infra-estrutura para tanto – vamos ter esta experiência em conjunto" (Bill Gates).

"A real fonte de riqueza e capital, nesta nova era, não são as coisas materiais. É a mente humana, o espírito humano, a imaginação humana e nossa fé no futuro" (Steve Forbes, editor-chefe da revista *Forbes*).

"O mundo está mudando muito rápido. O grande não derrotará mais o pequeno. A competição será entre o mais veloz e o mais vagaroso" (Rupert Murdoch, dono da Fox e de um vasto conglomerado de comunicação e entretenimento).

"A internet é o coração desta nova civilização, as telecomunicações são o sistema central ou circulatório" (Carlos Slim Helu, presidente do Grupo Carso, que controla a empresa Claro e outros empreendimentos no setor de telecomunicação).

"Há tanta mídia agora com a internet e as pessoas, e é tão fácil e tão barato iniciar um jornal ou uma revista, há simplesmente milhões de vozes e pessoas querendo ser ouvidas" (Rupert Murdoch).

A notável repercussão de tais depoimentos controversos indica que a sociedade vai se dando conta não só da dificuldade de entender as mudanças por que passa o mundo atualmente (em função, entre outras coisas, de uma presença mais efetiva das novas tecnologias digitais e interativas no cotidiano), mas também da relevância da indústria do entretenimento e da *cultura da mídia* na organização da vida social. Em outras palavras, devido ao seu papel condicionante e estruturante, analisar tendências nos processos comunicacionais vem se configurando, cada vez mais, em uma questão fundamental para a sociedade contemporânea.

Entre as indagações que inquietam e mobilizam indivíduos e instituições com diferentes interesses e preocupações sociais, políticas e econômicas, destacam-se: qual é a relevância da comunicação e da cultura (notadamente, da cultura da mídia) no capitalismo atual? Em um mundo globalizado (marcado pela forte presença das grandes empresas no mercado), quais as perspectivas e/ou alternativas de sustentabilidade para os atores sociais e para a produção cultural local/independente? Qual é o grau de controle dos conglomerados transnacionais sobre a vida social? É possível identificar uma relativa autonomia da sociedade contemporânea *midiatizada* ou, na realidade, esta sensação de liberdade do consumidor é muito mais o resultado de práticas e enunciados empresariais que ganharam relevância no imaginário social? Como avaliar os processos de *des e reterritorialização* promovidos pelos usuários e/ou pela audiência? E quanto à eficácia das novas formas de ativismo e comunidades *on-line*? As novas tecnologias tendem a ampliar o controle do *establishment* ou constroem efetivamente *linhas de fuga* agenciadas pelos indivíduos? Quais os ajustes necessários para garantir a validade heurística de teorias e metodologias aplicadas para analisar a vida *off-line*, ao serem transpostas para o novo ambiente *on-line*, em rede e interativo?

A fim de contribuir para o equacionamento deste conjunto de questões instigantes, convocamos parte do corpo docente do Programa de Pós-graduação em Comunicação e Cultura da ECO/UFRJ e pesquisadores de diferentes centros de investigação do país e do exterior para participar desta publicação científica comemorativa[1].

Na abertura da primeira seção da coletânea (focada na problematização dos desafios teóricos e metodológicos encontrados por pesquisadores que se propõem a analisar a nova paisagem midiática), Curran frisa a necessidade de formulação de uma nova teoria da mídia e da cultura que dê conta da intrincada realidade social contemporânea. O autor questiona o abandono de uma perspectiva totalizadora, o tom celebratório da avaliação da articulação entre sociedade e novas tecnologias e as influências dos pressupostos neoliberais sobre as teses desenvolvidas no meio acadêmico. Segundo ele, essas abordagens têm reforçado mitos que ocultam desigualdades sociais profundas no mundo globalizado.

---

[1] Este livro foi realizado com a finalidade, entre outros objetivos, de celebrar os 15 anos de intensa atuação do Núcleo de Estudos e Projetos em Comunicação (Nepcom) da Escola de Comunicação/UFRJ, integrado atualmente por Micael Herschmann, João Freire Filho, Ana Paula Goulart Ribeiro, Suzy dos Santos e Beatriz Jaguaribe.

Em seguida, Felinto discute a possível emergência de um novo marco teórico específico para estudar manifestações culturais na rede. Seu pressuposto é o de que estaríamos diante de uma nova teoria da cibercultura, que tem se traduzido em análises que buscam: a) avaliar as práticas e percepções sociais associadas às tecnologias da informação; b) refletir sobre o conjunto de narrativas ficcionais que é capaz de expressar visões de um mundo *cibercultural*; c) repensar as apreensões teóricas da *tecnocultura* contemporânea.

Na seqüência, Freire Filho e Campanella abordam os discursos comerciais e acadêmicos que gravitam em torno dos novos formatos televisivos, centralizando suas análises especialmente no longevo *reality show Big Brother*, veiculado pelo principal conglomerado de comunicação e cultura nacional. Freire Filho propõe a noção de *neopopulismo televisivo* como a mais apropriada para avançarmos no entendimento da voga de programas que promovem a *celebrização* de pessoas "comuns", "ordinárias", cujo único predicado mais perceptível é a irrestrita disposição para desnudar e exibir sua intimidade na TV. Campanella ressalta, em seu artigo, as dificuldades das teorias da audiência para lidar com certos produtos da indústria do entretenimento que não se constituem apenas em uma mercadoria/produto, mas em uma espécie de "multiplataforma" midiática.

Na segunda parte da coletânea, o enfoque é mais centrado em aspectos da economia política e da configuração estética da produção audiovisual brasileira. Em seus artigos, tanto Brittos e Corrêa dos Santos quanto Suzy dos Santos avaliam os efeitos da concentração empresarial no setor televisivo e as debilidades do marco regulatório vigente no país. Brittos e Corrêa dos Santos tratam especificamente da entrada da TV digital no país, assinalando que a concentração e as desigualdades, historicamente agregadas ao funcionamento da TV no Brasil, tendem a ser transferidas para a nova plataforma digital, mantendo uma estrutura oligopólica no setor. Já Suzy dos Santos discute os impactos da prevalência, no contexto de radiodifusão nacional, de um *coronelismo eletrônico* – isto é, do controle de alguns grupos políticos locais/regionais sobre concessões de TV que constroem uma aliança com grandes grupos de comunicação do país. Fechando esta seção, Lins analisa a desaparição da narrativa em *off* – desencarnada e onisciente – dos documentários que vêm sendo realizados nas últimas quatro décadas e identifica a emergência de uma narrativa que se baseia em entrevistas entre cineastas e personagens e que valoriza as ambigüidades do "real".

Na terceira parte do livro, os artigos buscam, de uma maneira geral, analisar a crise e as oportunidades que se abrem, hoje em dia, para a produção, a circulação e o consumo musical, em função não só da articulação dos artistas/produtores com o público, mas também da crescente popularização e emprego das novas tecnologias. Herschmann reavalia a perda de valor dos fonogramas no mercado e o crescente interesse do público pelos concertos de *música ao vivo*, apontando mudanças estruturais na indústria da música – e do entretenimento – e alternativas capazes de gerar sustentabilidade para as grandes gravadoras e selos independentes. Os três artigos seguintes se preocupam mais em repensar os desafios enfrentados pela indústria, em virtude do crescimento do universo musical na *web*. Kischinhevsky analisa os processos de segmentação do rádio e a formação de expressivos circuitos alternativos, capazes de produzir importantes mediações socioculturais. Castro problematiza as tensões entre os grandes conglomerados de música/entretenimento e os consumidores – conflitos que ganharam destaque com o debate sobre o crescimento da *pirataria* na rede e a legitimidade do sistema atual de *copyright*. Amaral avalia, por sua vez, em que medida o uso de *tags* na rede configura uma prática colaborativa que contribui, de modo relevante, para a formação de gêneros e subgêneros musicais.

Na última parte da coletânea, os autores analisam os agenciamentos realizados pelo *establishment* e pelos usuários das novas tecnologias de comunicação, avaliando os seus desdobramentos sociopolíticos e econômicos. Lemos e Eugênio abordam o diversificado emprego dos celulares e a construção do que eles intitulam de uma "sensibilidade locativa", enfatizando seus reflexos sobre o tipo de sociabilidade e experiência urbana que predomina no mundo midiatizado. Em seguida, contrapondo estratégias desenvolvidas pelo mercado com outras elaboradas por *networks* colaborativos, Antoun, Lemos e Pecini tomam a criminalização das trocas livres de arquivos na rede (notadamente, os audiovisuais) como ponto de partida para repensar não só as tensões entre usuários e grandes empresas, mas também as formas de *ativismo* emergentes na *web*. Fechando esta seção, Acioli e Bruno discutem o sucesso de *games* como o *Second Life*, investigando as possíveis implicações destas modalidades de entretenimento para os indivíduos e a vida social. As autoras estão particularmente interessadas em avaliar em que medida este tipo de jogo interativo potencializaria certos aspectos bastante presentes na subjetividade contemporânea – especialmente, seu caráter modular e performático.

Esta publicação pretende, pois, documentar e analisar criticamente importantes tendências da cultura midiática em que estamos todos imersos, buscando oferecer ao leitor uma compreensão mais clara da complexidade das mudanças tecnológicas e comunicacionais que vêm afetando, de modo significativo, a vida social e política. Devido à abrangência dos objetos e das perspectivas teóricas aqui reunidas, acreditamos que conseguimos construir um panorama razoavelmente claro e aprofundado de um universo desafiador e em constante mutação.

Desafios teórico-metodológicos para a investigação da nova paisagem midiática

Teoria midiática e cultural na era do liberalismo de mercado[2]

James Curran*

Introdução

Os estudos culturais e midiáticos têm desenvolvido uma retórica notável. Periodicamente, proclamam que uma nova "virada" está acontecendo. Pensadores de renome são citados para garantir aos leitores que, caso eles decidam aderir a esta "virada", viajarão em boa companhia ao *resort* intelectual da moda. Há, dizem-nos, uma nova consciência sobre uma grave debilidade do campo teórico ou um acordar coletivo para um novo *insight*. Não aderir a esta nova "virada" expressa um desejo de se manter prisioneiro do equívoco, ou de se desligar do que existe de mais atual no pensamento contemporâneo.

---

* Diretor do Media Research Programme do Goldsmiths College University, em Londres. Autor, entre outros trabalhos, dos livros *Power without responsibility: the press and broadcasting in Britain* (Londres: Routledge, 1997), *De-westernizing media studies* (Londres: Routledge, 2000) e *Media and power* (Londres: Routledge, 2002).

[2] Traduzido do inglês por Bruno Campanella, a partir do original publicado na coletânea *Media and cultural theory* (Routledge, 2006), organizada por James Curran e David Morley.

Freqüentemente, essa retórica é um exercício de propaganda. Sua principal falha é a apresentação do campo teórico como se ele fosse determinado unicamente por uma progressão intelectual do pensamento, ignorando o contexto mais amplo em que esse pensamento se forma. Ao contrário, essa retórica desenvolve uma fábula do progresso intelectual na qual erros e mal-entendidos são com freqüência retificados. Qual é, então, a contextualização necessária para que possamos entender a maneira como os estudos midiáticos e culturais se desenvolveram no último quarto de século, particularmente com referência à Grã-Bretanha (com algumas incursões ocasionais em outros lugares)? Uma resposta curta, e necessariamente seletiva, é que os estudos culturais foram fortemente influenciados por quatro eventos fundamentais, que moldaram as suas preocupações, os seus termos de referência e os seus programas de pesquisa.

Quatro influências principais

Uma influência fundamental foi a histórica vitória da democracia capitalista. Em 1989, o Muro de Berlim caiu. A queda do muro foi o símbolo da rejeição popular ao comunismo na Alemanha Oriental – e, implicitamente, no bloco soviético – pelas pessoas que deveriam se beneficiar dele. Em 1991, a União Soviética se desintegrou e o seu regime comunista foi substituído por uma democracia de mercado autoritária. A China, o único poder comunista remanescente, abraçou a prática das reformas de mercado a partir dos anos 1980, pois, nas palavras de seu líder reformista, Deng Xiaoping, "pobreza não é socialismo: ser rico é glorioso" (Anon, 2004). A China deixou de ser, num sentido econômico, um país comunista.

Esses acontecimentos consolidaram a hegemonia neoliberal da direita. Os anos 1980 foram dominados por governos de direita – Reagan, nos Estados Unidos, Thatcher, na Grã-Bretanha, e os seus equivalentes em diversas outras partes do mundo desenvolvido. A queda do comunismo foi apresentada como o fim da história, a chegada final a um limite permanente (Fukuyama, 1993). Ela supostamente mostrou que o livre mercado era a única maneira viável, produtiva e eficiente de organizar a sociedade. Regimes em que a economia era monopólio do governo falharam, enquanto os seus rivais capitalistas triunfaram. O mercado era a âncora da liberdade e da escolha: a fundação do sistema moralmente superior da democracia liberal. Parte do poder sedutor dessa retórica se originava na maneira espúria como a democracia e o capitalismo desregulado eram apresentados: tal qual gêmeos siameses.

Apesar disso, a democracia social deixou – na visão de alguns – de prover uma alternativa, a despeito dos consideráveis sucessos eleitorais nas décadas de 1990 e 2000. O ponto de partida da democracia social é a redistribuição, por parte do Estado, de recursos dos ricos para os pobres, dos afortunados para os desafortunados, para, com isso, criar uma sociedade mais justa e realizada. Mas, no período do pós-guerra, governos socialdemocratas se viram envolvidos em inúmeras dificuldades: revoltas contra impostos, contradições em suas bases trabalhistas, ascendência do pensamento neoliberal e, acima de tudo, redução na capacidade de administrar suas economias numa era de capitalismo global desregulado. Mesmo os mais bem-sucedidos exemplos de democracia social – mais notadamente, os modelos escandinavos e do Vale do Reno – diminuíram a redistribuição e fizeram maiores acomodações à lógica do mercado no início da década de 2000.

A era pós-Guerra Fria foi, portanto, um período de desorientação e enfraquecimento da esquerda. Este fato foi reforçado na Europa pelas reações complexas e subjetivas à derrota histórica do comunismo. Nos anos 1980, relativamente poucos intelectuais radicais da Europa Ocidental tinham ilusões acerca da União Soviética, um contraste em relação aos seus pares da década de 1930. A maioria dava boas-vindas à queda do comunismo, como uma vitória para a democracia. Mas o eclipse do comunismo também representou o fim de um experimento histórico baseado no desejo de construção de uma sociedade mais igualitária. O seu fim patético pareceu significar, especialmente para uma geração mais antiga e radical, o fim das possibilidades, a limitação daquilo que parecia ser um desejo realizado. Este sentimento foi bem expresso pelo dramaturgo britânico David Edgar (nascido em 1948): "Eu nunca fui", disse ele, "um comunista, assim como nunca vi a União Soviética como sendo do meu time". Porém, "quando o muro (de Berlim) caiu, eu senti que aquela era a morte de ideais com os quais eu tinha um relacionamento" (O'Mahony, 2004: 23).

Outro acontecimento importante que influenciou os estudos culturais e midiáticos ocorreu num momento anterior. Muitos dos seus pioneiros na Grã-Bretanha se tornaram adultos nos anos 1960 e foram profundamente influenciados pela rebelião cultural daquele período. No coração daquela revolta, estava a afirmação do individualismo. Ela foi amplamente interpretada como sendo progressiva, uma vez que tomou a forma de uma explícita rejeição ao nacionalismo, ao racismo, à hierarquia social, à burocracia, ao conformismo e à repressão sexual. Mas, simultaneamente, repudiou o coletivismo representado pela democracia social tradicional. A sua ambigüidade política se tornou mais aparente nos anos 1980 e 1990, quando o individualismo se tornou uma das forças levantadas pela direita para sustentar uma nova hegemonia ideológica (Hall, 1988).

As ambigüidades da revolta cultural dos anos 1960 – a sua retórica progressiva, o seu individualismo, o seu antiestatismo, a sua desconexão com a política parlamentar e o seu idealismo – contribuíram para as ambigüidades dos estudos culturais britânicos, conforme eles foram se desenvolvendo com o tempo. Enquanto essa tradição veio claramente da esquerda e continuou a se identificar com ela, percorreu, nas décadas de 1980 e 1990, uma considerável distância política desde o seu ponto de partida.

O terceiro acontecimento importante foi a ascensão das mulheres. Mudanças estruturais na economia aumentaram a participação feminina entre a força de trabalho paga, numa maior tendência de crescimento pós-1970. Novas legislações criadas em 1970 e 1975 transformaram a discriminação sexual em ato ilegal dentro de uma extensa área na Grã-Bretanha. Acima de tudo, o movimento feminista montou, a partir do final dos anos 1960, um ataque consistente às regras tradicionais de comportamento dos sexos. Enquanto disparidades acentuadas de gênero persistiram em termos de poder e responsabilidades, nos quesitos receita e oportunidades de vida elas foram amenizadas.

Melhoras graduais no posicionamento das mulheres penetraram o mundo acadêmico. Dos trinta membros acadêmicos empregados nos centros pioneiros de estudos midiáticos/culturais nas universidades de Birmingham, Leeds e Leicester, assim como no departamento de mídia do Polythecnic of Central London, no ano de 1976, somente dois eram mulheres. Este desequilíbrio grotesco entre gêneros foi modificado ao longo do tempo. Além disso, a grande maioria dos alunos dos estudos de mídia e cultura eram, desde o início, mulheres. Esses estudos, assim como os de literatura inglesa, eram primariamente uma opção feminina. Estas mudanças inter-relacionadas na sociedade e na academia transformaram os estudos de mídia e cultura. "Gênero" tornou-se uma preocupação central neste campo, num contraste marcante com a situação anterior a 1980.

A quarta influência fundamental foi a intensificação da globalização, a qual contribuiu para que a história das mídias fosse reescrita de modo que a nação passasse a ser retratada como culturalmente construída, em vez de "dada" (Curran, 2002). Esta intensificação também resultou numa visível preocupação com a globalização, num campo anteriormente caracterizado por um alto grau de paroquialismo.

Em resumo, foram quatro as influências importantes que moldaram o desenvolvimento dos estudos de mídia e cultura na Grã-Bretanha dos últimos 25 anos: a ascensão política do liberalismo de mercado, a dinâmica social de um individualismo crescente, a ascensão da mulher e a intensificação da globalização.[3] A primeira dessas influências será o foco principal deste artigo.

Estratégias de saída

Os estudos de mídia e cultura britânicos foram desenvolvidos às margens da vida acadêmica. Os pioneiros da "segunda-onda", nos anos 1970, tinham a tendência de serem não-conformistas, tanto em termos educacionais quanto políticos.[4] Tanto que muitos, conscientemente, procuraram desenvolver uma nova disciplina na Grã-Bretanha, que seria diferente de como ela era definida em outros lugares, especialmente nos EUA.

---

[3] Não segui inúmeras descrições sociológicas (por exemplo, Beck e Beck-Gernsheim, 2002) que vêem a desterritorialização da sociedade como uma característica fundamental do mundo contemporâneo. A tradição é questionada em praticamente todas as eras. Provavelmente, a tradição está menos ameaçada agora do que, por exemplo, na Europa do século XVI, quando crenças e práticas sociais absolutamente fundamentais — que davam sentido à vida — foram desafiadas, e em alguns casos, derrubadas.

[4] Muitos dos pioneiros britânicos dos anos 1960, como Tunstall, McQuail, Blumler, Himmelweit e Halloram, foram fortemente influenciados pela tradição norte-americana da comunicação ligada às ciências sociais, embora eles tendessem a escrever de uma perspectiva de centro-esquerda. A "segunda onda" de pioneiros nos anos 1970, muitos deles influenciados pela tradição dos estudos culturais de Birmingham, tendia a ser mais radical e ligada às ciências humanas. O melhor (e implicitamente histórico) relato dos estudos culturais é fornecido por Turner (2002). Para um retrato histórico do subgrupo dentro dos estudos midiáticos britânicos, ver Curran (2004).

A versão desta nova disciplina que acabou por se estabelecer na Grã-Bretanha no meio da década de 1970 era uma colcha de retalhos intelectual que tomou emprestados conceitos de diferentes disciplinas e tradições, entre elas o marxismo. Entretanto, este legado "marxisante" foi discretamente repudiado por muitos acadêmicos dos estudos culturais e midiáticos nos anos 1980 e início dos 1990. Isto foi conseguido (às vezes, imagina-se, inconscientemente) por meio do apoio, do enfraquecimento e, finalmente, do descarte do trabalho de dois teóricos marxistas independentes.

Stuart Hall introduziu, no campo dos estudos culturais e midiáticos, o trabalho do teórico marxista italiano Antonio Gramsci – escrito principalmente nas décadas de 1920 e 1930 –, em um famoso ensaio (Hall, 1977) com significativas reinterpretações subseqüentes (Hall, 1982 e 1985). Gramsci e aqueles que se apoiaram em seu trabalho enfatizaram que a ordem social é mantida não somente por meio da coerção, mas também por meio de consentimento ativo. Em sociedades hegemônicas, este consentimento é assegurado por uma liderança cultural do grupo social dominante. Como resultado, a maioria das pessoas, involuntariamente, percebe a sociedade dentro do seu horizonte de pensamento. Porém, esta ascendência hegemônica pode ser quebrada pela criação de uma "frente popular" da consciência: pela união de diferentes grupos numa oposição, e pelo desenvolvimento de uma consciência alternativa e coerente da sociedade, que conecte as experiências sociais das pessoas e suas identidades, e que seria expressa por diferentes formas simbólicas.

Esses argumentos forneceram uma maneira de repensar as mídias como um campo de batalha. Ofereceram um novo mapa conceitual das fontes de conflito e oposição na sociedade. E também resultaram na percepção da cultura popular, da música à moda, como uma importante arena de contestação. Durante os anos 1980, a perspectiva gramsciana se tornou praticamente uma nova ortodoxia nas pesquisas dos estudos culturais britânicos. Entretanto, no seu processo de estabelecimento e de ativa reinterpretação, alguns temas foram retirados e outros introduzidos. A ênfase original numa ascendência contestada deu lugar a um foco somente na disputa, e as mídias passaram a ser, cada vez mais, reapresentadas como fóruns abertos (com similaridades próximas a uma concepção pluralista liberal dos meios de comunicação). Gênero e grupos étnicos passaram a um primeiro plano, enquanto as classes sociais saíram de foco. Acima de tudo – e isto representou um rompimento decisivo com a análise original –, a ligação entre a luta cultural e uma estratégia coletiva visando o controle político do Estado, ressaltado pelo próprio Gramsci, quase desapareceu. Em 1990, Gramsci havia sido reinterpretado de uma maneira que pouco se assemelhava ao seu próprio trabalho,[5] e por volta de 2000 ele praticamente deixou de ser citado. Num momento, Gramsci era um admirado guru; no momento seguinte, assim como as estrelas *pop*, ele passa a ser raramente mencionado.

Um fenômeno comparável – embora de uma forma menos extremada – aconteceu em relação ao filósofo e teórico social alemão Jürgen Habermas. Nicholas Garnham (1986, revisado 1990) introduziu o seu trabalho para a comunidade britânica dos estudos de mídia, embora este tenha sido acompanhado anteriormente. Habermas (1989 [1962]) argumentou que o século XVIII viu o desenvolvimento de uma "esfera pública" de debates críticos racionais, sustentados pela imprensa, casas de café e salões da sociedade privilegiada. Esta esfera teria dado origem a uma independente e razoável "opinião pública", que influenciava o governo. Porém, ela foi supostamente colonizada no período subseqüente por um Estado expandido e por poderosos interesses corporativos. Na visão de Habermas, a mídia moderna caiu sob a influência das relações públicas, da publicidade e dos grandes negócios, oferecendo um consumismo raso, um espetáculo político vazio e um pensamento conveniente e pré-empacotado.

Esta análise é um híbrido curioso. A descrição de Habermas da esfera pública do século XVIII era grande devedora da história liberal tradicional, enquanto a sua perspectiva pessimista da mídia moderna foi fortemente baseada no trabalho marxista da Escola de Frankfurt. Garnham utilizou-se seletivamente dessa análise, projetando adiante no tempo a concepção habermasiana da esfera pública do século XVIII, enquanto amenizava o pessimismo da Escola de Frankfurt. Existe, argumenta Garnham, uma esfera pública contemporânea que pode ser mais bem concebida como um espaço entre a economia e o Estado. Ela deve ser palco de uma forma de

---

[5] De fato, Gramsci foi assimilado pelos estudos midiáticos e culturais, desde o início, de maneiras bastante diferentes da interpretação do seu fragmentado trabalho sobre estudos políticos radicais, tipificado por Forgacs (1989).

debate público racional, universalista e inclusivo – um objetivo ampliado por um serviço público de transmissão.

A extrapolação seletiva de Habermas feita por Garnham foi estendida por outros que seguiram a sua trilha. Apesar de Garnham ter retratado a esfera pública como uma tipificação ideal, ela veio a ser discutida como uma realidade. A despeito de Garnham ter acertadamente visto os partidos políticos como componentes centrais da esfera pública, a concepção que se tornou predominante foi a de uma agregação de indivíduos vistos juntos como um só público. O que as pessoas crescentemente captaram de Habermas foi uma visão do serviço de transmissão como uma instituição que trouxe as pessoas para um debate ponderado e recíproco (ver Scannell, 1989) – praticamente o oposto do que Habermas havia proposto no seu trabalho seminal (Habermas, 1989: 171).

Referências a Habermas – algo que foi já considerado em alguns círculos como praticamente um ato religioso a ser cumprido – tornaram-se pouco freqüentes no final da década de 1990. Um número surpreendentemente pequeno de estudiosos de mídia britânicos não notou, nem muito menos discutiu, a sua importante reformulação (radical democrática) da natureza e do papel da esfera pública no contexto contemporâneo (Habermas, 1996). A moda intelectual e os intelectuais conscientes da moda haviam mudado.

Esta estranha apropriação, e posterior descarte, de dois marxistas não-tradicionais, acompanhada por uma interpretação bastante livre dos seus trabalhos, foi uma maneira de acertar contas passadas. Para dois grupos diferentes, porém conectados simultaneamente – um centrado nos estudos culturais (Gramsci) e o outro nos estudos de mídia (Habermas) –, isto representou uma maneira de prestar contas ao marxismo dentro do amplo ambiente da esquerda britânica.

Pós-modernismo

Uma característica positiva da tradição radical pioneira na Grã-Bretanha é que ela tentou relacionar as mídias de massa e cultura popular às dinâmicas de poder da sociedade. Por exemplo, um estudo sobre o pânico moral relacionado ao "furto" foi relacionado a uma análise sinóptica do Estado, da política, da economia, da cultura e das relações sociais britânicas durante um período de quase duas décadas (Hall et al., 1978). Apesar de esse celebrado estudo ter sido, de maneira incomum, intelectualmente ousado, mesmo para os padrões do final dos anos 1970, ele se originou de uma tradição "holística" que tentava pensar o relacionamento das mídias com a sociedade em termos amplos.

Um crescente número de pesquisadores dos estudos de mídia e cultura abandonou essa perspectiva totalizadora durante o conturbado final dos anos 1980 e início dos 1990. Isto ocorreu devido à dificuldade encontrada por eles em dar conta do mundo em rápida mutação em que viviam. Alguns transformaram a sua perplexidade numa virtude intelectual, anunciando os méritos dos trabalhos pós-modernistas (alguns dos quais haviam sido publicados mais de uma década antes). Especialmente influente foi o filósofo francês Jean-François Lyotard, que enfatizava a natureza fragmentada do mundo social, a impossibilidade de se avançar nas afirmações a respeito de uma verdade universal e as limitações de todas as teorias sociais fundadoras e interpretações gerais da história (salvo a do próprio pós-modernismo) (Lyotard, 1984). Outro pós-modernista reverenciado, Jean Baudrillard, proclamou que a circulação em massa de imagens transformou o mundo numa sala de espelhos, levando a uma implosão de sentidos. "O meio e o real", escreveu Baudrillard, "agora formam uma única e indecifrável névoa", resultando na "difusão de polaridades, o curto-circuito dos pólos de todo o sistema diferencial de sentidos, a obliteração das distinções e oposições entre termos, incluindo a distinção entre o meio e o real" (Baudrillard, 1980: 142).

A espessa neblina da linguagem pós-modernista foi acompanhada por assaltos "desconstrutivistas" às posições radicais, os quais deixaram alguns pesquisadores desorientados e confusos. Era difícil desenvolver um senso crítico com relação à sociedade, lamentou um apóstolo de Baudrillard, "no momento em que ninguém está dominando, nada está sendo dominado e não existe razão para um princípio de liberação da dominação" (Poster, 1988: 6).

Se uma das respostas havia sido a perplexidade desradicalizada, outra foi a circunspeção. Foi ponderado que, uma vez que o pensamento "antigo", do marxismo ao feminismo socialista tradicional, fornecia uma bússola pouco confiável para a navegação de um navio em mar aberto, era melhor se manter próximo à costa. "Os perigos da categorização fácil e generalizada", alertou um ensaio influente, "tão característicos das tradições convencionais nas ciências sociais (incluindo teoria e pesquisa de comunicação de massa), são maiores do que os benefícios de um particularismo consistente", num contexto em que o pós-modernismo enfatizou "a irredutível complexidade e insistente heterogeneidade da vida social" (Ang e Hermes, 1991: 323).

Uma figura chave nesse movimento pós-modernista foi um formidável historiador e filósofo social, Michel Foucault (que veementemente negou ser um pós-modernista). A sua poderosa influência nos estudos de mídia e cultura durante os anos 1990 enfraqueceu ainda mais uma perspectiva totalizadora. A eclética pesquisa histórica de Foucault sobre instituições tão díspares quanto hospitais e prisões sugeriu que o poder é constituído por uma multiplicidade de relacionamentos específicos e pelos contextos discursivos em que eles operam. Também sugeriu que a interação entre autoridade e discurso é tanto multifacetada como dinâmica. "Não existe relação de poder", escreveu Foucault, "sem a correlativa constituição de um campo de conhecimento, nem qualquer conhecimento que, simultaneamente, não pressuponha e constitua relações de poder" (Foucault, 1979: 27). Pesquisadores na tradição foucaultiana que buscaram desvendar essa complexidade foram crescentemente atraídos para uma micropesquisa de foco restrito.

O movimento pós-modernista ocorreu no início da década de 1990, no zênite dos estudos culturais, quando pesquisadores buscaram refúgio nas sombras do ceticismo e do particularismo. Registrou não somente a erosão das certezas radicais, como também um crescente senso de impotência num período de ascendência da direita. As pesquisas radicais dos estudos culturais, provenientes da Universidade de Birmingham nos anos 1970, comunicaram um senso de urgência e comprometimento. O pós-modernismo de Baudrillard, por outro lado, subentendia que todo esforço humano era inspirado por ilusão, enquanto o trabalho de Foucault parecia sugerir que o simples desmascaramento das fundações epistemológicas do poder levaria à emancipação do ser humano. O crescimento do pós-modernismo dentro dos estudos culturais representou uma mudança significativa. Ela é mais bem resumida como um movimento da vanguarda para a *avant-garde*, do coletivismo para a política estética.

Amando o mercado

Se uma rota levou ao pós-modernismo, outra levou ao acolhedor populismo. Esta última transição é exemplificada pelo influente livro escrito por Paul Willis (1990), um pioneiro dos estudos culturais de Birmingham e autor de um estudo clássico sobre a juventude de classe operária (Willis, 1977). O seu volume de 1990, *Common Culture*, resultou de um projeto de pesquisa do Gulbenkian, no qual muitos dos grandes e bons dos estudos culturais radicais estavam envolvidos. Vale a pena dar uma breve olhada, uma vez que ele expressa, numa linguagem característica, os temas centrais do populismo cultural.

O seu ponto de partida é a celebração da capacidade e da autonomia do povo, enraizadas nos seus ricos recursos culturais e nas suas práticas sociais do cotidiano. "Existe hoje", escreve Paul Willis, "todo um novo meio social e cultural entremeando sentidos comuns e construções de identidade, que interrompe, deflete, divide ou transforma por fora ou estilhaça a comunicação" (Willis, 1990: 128).

Sobreposto a este contexto, o mercado é visto como libertador. Ele fornece o material bruto que as audiências trabalham e transfiguram como "produtoras ativas de sentido". Mais do que isso, a "anarquia do mercado" abre novas perspectivas. Ele não é restringido pela cultura oficial, ao mesmo tempo que subverte certezas e convenções passadas (Willis, 1990: 129-130 e 138). Também oferece um "material melhor e mais livre para a construção de segurança e coerência" na busca pela auto-atualização (Willis, 1990: 158).

A visão positiva do mercado é contrastada com uma visão mais crítica dos serviços públicos. "De maneira geral, o setor público não pode superar o setor comercial na oferta de recursos simbólicos atrativos e utilizáveis" (Willis, 1990: 131). Certamente, o mercado ultrapassa todas as alternativas em termos de facilitar uma auto-realização. "O encontro da coerência com a identidade", de acordo com Paul Willis, acontece "nos momentos de lazer, não nos de trabalho, através de mercadorias, não de partidos políticos, privadamente, não coletivamente" (Willis, 1990: 159).

Willis é proveniente de uma tradição de extrema-esquerda, desdenhosa da democracia social. Ele nos garante que ainda é comprometido com o "socialismo", porém em uma forma "ainda não concebida", a ser determinada pelas pessoas no futuro. Então, o que desencadeou a sua conversão damasceniana[6] para as virtudes do livre mercado? Uma pista pode ser encontrada na sua orientação antiestatizante e no seu foco na auto-realização do indivíduo – uma vertente da cultura radical dos anos 1960 que provou ser politicamente móvel durante a década de 1980. Outra pista é a sua referência às "paredes, torres e idéias do leste, atualmente caindo por terra", uma alusão à queda do Muro de Berlim no ano anterior. Contudo, mais reveladora, em muitos aspectos, é a sua rejeição a "diversas" alternativas radicais como sendo elitistas e socialmente irrelevantes, além do seu reconhecimento da "inevitabilidade de algumas 'reformas' thatcherianas da década passada" (Willis, 1990: 158-160).

Populismo cultural

Freqüentemente, a tradição populista cultural adotou uma perspectiva tacitamente favorável ao mercado, em lugar do entusiasmo explícito de suas virtudes demonstrado no estilo de Paul Willis. Talvez, o seu expoente mais conhecido dos dias transitórios e moribundos do período da Guerra Fria seja John Fiske. As pessoas, assegurou-nos Fiske, "usam os produtos do capitalismo, enquanto rejeitam a ideologia que eles normalmente carregam" (Fiske, 1987: 261-262). As audiências rotineiramente redirecionam o sentido das mídias de maneiras progressivas e recalcitrantes (Fiske, 1987 e 1991). O poder da audiência, de acordo com esta perspectiva, é como um sistema imunológico protegendo as pessoas de bactérias ideológicas indesejáveis.

As audiências são capazes de impor seu próprio sentido, foi assim explicado, parcialmente devido ao fato de o conteúdo midiático ser freqüentemente passível de interpretações divergentes. A pressão do mercado compele as mídias a se conectarem com as experiências sociais e as preocupações das pessoas, independentemente dos valores dos seus controladores ou dos discursos dominantes da sociedade. Isso pode gerar contradições e tensões nos "textos midiáticos", o que facilitaria uma inter-

---

[6] João Damasceno foi um monge cristão, nascido no século VII em Damasco, que participou ativamente da discussão sobre a iconoclastia. Ele defendia a veneração das imagens como meio de se chegar à divindade (N.T.).

pretação independente da audiência. Acima de tudo, as audiências respondem seletivamente às mídias, ao se apoiarem nos discursos sociais do seu mundo cotidiano.

Essa tese ganhou um novo sopro de vida nos anos 1990, ao ser usada em um debate sobre "imperialismo cultural". Uma orquestração sofisticada apareceu na síntese feita por John Tomlinson das pesquisas existentes (Tomlinson, 1990). Ele sugeriu que o capitalismo global não está promovendo uma monocultura capitalista, pois o sentido simbólico de produtos culturais globalmente distribuídos é transformado através de apropriações culturais locais. Enquanto críticos radicais vêem a Coca-Cola como um símbolo do capitalismo norte-americano, muitos consumidores acham que ela é um produto local. Sem dúvida, pessoas em diferentes países atribuem diferentes propriedades mágicas à Coca-Cola (como na Rússia, onde acreditam que o refrigerante tem efeito anti-rugas, ou no Haiti, onde a Coca-Cola supostamente pode acordar os mortos). De maneira semelhante, os mesmos programas televisivos são entendidos de maneiras divergentes em diferentes partes do globo.

A celebração do poder da cultura popular, enraizada em diversas tradições ao redor do mundo, foi associada a outro tema: o dinamismo da economia midiática global. O argumento é que a noção de que as "mídias são americanas" falha em não perceber que a dominação global de Hollywood na televisão tem sido desafiada por novos centros de produção televisiva ao redor do mundo, que se encarregam de mercados com diferentes línguas (Sinclair *et al.*, 1996). Conglomerados globais também foram forçados a se adaptar às demandas de consumidores locais. Por exemplo, a MTV Europa abandonou a sua tentativa de impor um serviço único para a Europa ocidental e se subdividiu em quatro serviços regionais para dar conta das diferenças nas línguas e gostos musicais. O mercado global é retratado, com eventuais sinais de precaução, como dinâmico, competitivo e responsivo às diferenças.

A conclusão central desse populismo cultural reciclado é a de que a globalização é um desenvolvimento majoritariamente positivo. Ela é um processo "descentrado" que não tem uma *necessária* afinidade com os interesses do ocidente (Tomlinson, 1999: 94). As suas mais importantes conseqüências são o enfraquecimento do preconceito nacionalista e o incentivo a uma nova abertura para outras idéias e pessoas, uma "disposição cosmopolita". A implicação dessa análise – apesar da circunspeção do próprio Tomlinson – é que as velhas preocupações dos anos 1970 sobre o poder imperial dos EUA, ou sobre a crescente doutrinação dos valores do consumidor, expressas, por exemplo, por Schiller (1976), podem receber agora um funeral decente.

Dias felizes

A condição afirmativa da teoria cultural e midiática revisionista foi reforçada pela visão de que o mundo está mudando para melhor a partir de dois outros pontos de vista. Primeiro, a melhora no posicionamento, status e poder econômico das mulheres, que influenciou representações de gênero na mídia. Nos anos 1970, pesquisas de feministas radicais tendiam a argumentar que a mídia geralmente retratava as mulheres de maneira negativa e encorajava a sua identificação com o "coração e a casa" (ver Tuchman, 1978). Nos anos 1980 e início dos 1990, as feministas costumavam chamar a atenção para as ambigüidades nas representações midiáticas da mulher, alegando que elas permitiam uma identificação indireta com mulheres poderosas e "más" (Modleski, 1982) e, ao mesmo tempo, implicitamente "questionavam a posição anômala das mulheres" ou dramatizavam a "tensão entre o posicionamento convencional das mulheres e a busca por oposições" (Landy, 1991: 17 e 485). Para as mulheres, a mídia também poderia ser bastante subversiva.

Recentemente, esta afirmação sobre o "progresso camuflado" deu lugar à alegação de que as representações midiáticas das mulheres melhoraram (apesar de num contexto em que as suas representações continuam tendendo para a negatividade). Assim sendo, um estudo de caso de uma popular revista britânica noticiou que ela oferecia idéias positivas e entendimentos "empoderadores" no que diz respeito ao que significa ser uma mulher contemporânea (McRobbie, 1996); uma análise de um importante jornal diário estadunidense concluiu que, entre 1980 e 1996, a maioria das suas coberturas sobre política feminista havia sido "extremamente positiva" (Constain e Fraizer, 2000: 193); uma análise abrangente julgou que a imagem da mulher na mídia estava se tornando, de uma maneira geral, mais emancipada (MacDonald, 1995); e Jane Shattuc afirmou que *talk shows* televisivos matutinos ou vespertinos envolvendo discussões deram às mulheres da classe trabalhadora uma nova voz, fornecendo alguns dos "mais radicais momentos populares" na história da televisão americana entre os anos de 1967 e 1993 (Shattuc, 1997: 2). Um subtema de muitos desses trabalhos é o de que o mercado encorajou as mídias a responderem às mutantes – e mais liberadas – subjetividades das mulheres.

Em segundo lugar, o advento da internet, da rede e da revolução digital foi aclamado como emancipador. As novas mídias estão expandindo a diversidade das mídias (Compaine e Gomery, 2000). Elas estão promovendo uma cultura de demanda dirigida ao usuário, na qual as pessoas não aceitam mais o que é empurrado a elas por conglomerados midiáticos (Negroponte, 1995). A rede está transferindo poder às pessoas e facilitando a construção de subjetividades emancipadas (Poster, 2001). Está promovendo o ativismo global e novas formas de políticas progressivas (Donk et al., 2004). A internet facilitou novos experimentos empolgantes em "democracia eletrônica" (Tsagarousianou et al., 1998). Ela trouxe à vida uma "vila global *gay*", um paraíso para apoio prático e emocional para minorias sexuais que eram perseguidas ou rejeitadas ao redor do mundo (Gross, 2003). Ela está facilitando a emergência de um mundo conectado e de uma "nova economia" dinâmica (Castells, 2000). Nem todas essas descrições são distorcidas – o último texto citado, por exemplo, é especialmente eloqüente sobre o acesso global desigual aos benefícios das novas tecnologias comunicacionais. Mas o avanço generalizado desse tipo de literatura não deixa espaço para dúvidas de que o nosso sistema midiático tem sido maravilhosamente enriquecido pela adição das novas mídias.

Conseqüentemente, este campo de pensamento mudou do seu posicionamento radical dos anos 1970, por meio de livres adaptações de Gramsci e Habermas e do crescimento do pós-modernismo. Novos temas – o poder da audiência, a melhor representação dos gêneros, os benefícios da globalização e das novas mídias – adquiriram um lugar central. Mesmo permitindo debates, que têm sido negligenciados em nome da brevidade, o humor geral nos estudos de mídia e cultura na Grã-Bretanha (assim como em diversos outros países) se tornou mais afirmativo, mais aprovador do mundo no qual vivemos.

Ganhos e perdas

Faziam essas mudanças parte de uma história em andamento sobre o progresso intelectual, em que os pesquisadores responderam às novas questões e preocupações de um mundo em mudança? Ou o campo se tornou menos crítico, pois passou a ser influenciado pelas premissas de uma era mais conservadora? Em vez de responder diretamente a essas questões (e causar previsíveis respostas polarizadas), talvez seja mais produtivo fazer um balanço dos ganhos e das perdas na evolução da pesquisa midiática e cultural britânica.

No lado dos ganhos, o crescimento do feminismo apontou para um importante ponto cego dos estudos radicais de mídia. A ênfase conferida pela pesquisa midiática dos anos 1980 ao conflito e à autonomia da audiência, ainda que excessiva, freqüentemente corrigiu as simplificações do funcionalismo radical. A crescente atenção dada à globalização na década de 1990 e, mais recentemente, a emergência da pesquisa midiática comparativa abalaram a estrutura do paroquialismo de muitas das teorias de mídia e cultura. A explosão da literatura sobre as novas tecnologias de comunicação iluminou, ao mesmo tempo que criou mitos. A essa pequena lista, poderiam ser acrescentados outros ganhos, mais notadamente os importantes avanços nos estudos de filme e nas maneiras de se analisar o sentido.

Entretanto, também existem perdas significativas. Elas precisam ser apontadas de forma mais completa para que se possam contrabalançar as inúmeras descrições celebratórias do campo. Já foi argumentado que a nova sabedoria exagera o poder popular sobre as mídias, ao mesmo tempo que reduz a influência das mídias sobre o público (Curran, 2002). Isso não precisa ser repetido aqui. Em vez disso, vamos nos concentrar na maneira como a influência neoliberal tem promovido impressões favoráveis do mercado.

O principal corpo de trabalho que submete o mercado ao exame crítico é a economia política midiática radical.[7] Ele é amplamente atacado na Grã-Bretanha com o argumento de que é reducionista (em outras palavras, reduz

---

[7] Bons estudos na tradição da economia política incluem Garnham (1990), Gitlin (1994), Golding e Murdock (1997), McChesney (1999) e Leys (2001). Introduções úteis sobre economia da mídia são fornecidas por Picard (2002), Doyle (2002) e Albarran (1996).

fenômenos complexos a explicações econômicas simplistas). Esse freqüente "aviso de cuidado" tem ajudado a marginalizar esse tipo de trabalho e a desencorajar pesquisadores de até mesmo abordar a questão central levantada: a economia crítica tem alguma contribuição para o estudo das mídias e da cultura popular? A resposta dada pela maior parte da literatura britânica dos estudos culturais é simplesmente "não". Entretanto, ela deveria ser "eu não sei", uma vez que a maioria dos pesquisadores dos estudos culturais na Grã-Bretanha, com algumas exceções inspiradoras, como Hesmondhalgh (2002), não sustenta uma dimensão econômica nos seus trabalhos.

Um alento parcial tem vindo dos EUA, numa inversão irônica da história. Os estudos de mídia britânicos se definiam originalmente como oposição à natureza acrítica das pesquisas de mídia dos Estados Unidos (ver Curran et al., 1977). Apesar disso, os EUA são agora o principal abrigo dos estudos de mídia críticos familiarizados com aspectos econômicos. O aumento das dificuldades da tradição reformadora da "Hutchins Comission", que buscou implantar uma cultura de interesse público nas indústrias midiáticas americanas, gerou um volume crescente de literatura acadêmica de protesto. Os argumentos principais são o fato de que o "hipercomercialismo" estaria enfraquecendo o poder decisório e a autonomia dos jornalistas americanos; diminuindo o padrão dos profissionais; enfraquecendo a qualidade editorial através dos cortes de custos; e levando a um jornalismo cada vez mais inadequado, negligente com a sociedade americana.[8]

Somente um argumento ilustrativo desta agora extensa literatura deve ser suficiente. A crescente pressão para o cumprimento das "expectativas de ganho do mercado", no contexto da desregulamentação e da crescente competição, contribuiu para o aumento acentuado da cobertura televisiva de crimes nos anos 1990, pois esta era mais barata e, ao mesmo tempo, popular (Hamilton, 2004; Bennett, 2003b; Seib, 2002). Entre 1992-1993 triplicou a cobertura de crimes nas TVs de rede nacional (Patterson, 2003a: 89). Por volta de meados da década de 1990, os crimes violentos foram

---

[8] Recentes e esclarecedoras publicações nesta tradição incluem Hamilton (2004), Bennett (2003b), Shanor (2003), Kovach e Rosenstiel (1999 e 2003), Seib (2002), Croteau e Hoynes (2001), Sabato et al. (2000), Glasser (1999), McChesney (1999) e, de uma maneira mais teórica, Baker (2002).

responsáveis por dois terços de todas as notícias locais de TV em 56 cidades (Klite et al., 1997). Essa maior dosagem diária de crime contribuiu para um aumento espetacular na proporção de americanos que disseram ser a criminalidade o maior problema enfrentado pela nação, apesar de os níveis de criminalidade estarem diminuindo (Patterson, 2003b; Lowry et al., 2003). Os noticiários locais de TV também tendiam a se concentrar de maneira descontextualizada em crimes violentos realizados por negros, de maneira a alimentar apelos por retribuições punitivas (Iyengar, 2000). Enquanto podemos apontar diversos fatores (tanto culturais quanto políticos) como responsáveis pelo aumento do crime na TV, o aspecto econômico teve um papel significativo nesta tendência.

Uma falta de vontade de confrontar questões de mercado também responde pelo entendimento unilateral da globalização que domina as pesquisas de mídia e cultura. A ortodoxia que prevalece adota um entendimento antropológico amplo de "cultura" como meio de vida. No entanto, ela raramente vai além de considerações superficiais a respeito da natureza assimétrica do mercado global, apesar de este afetar profundamente a vida das pessoas. Ao mesmo tempo que a integração do mercado global gerou uma maior riqueza, os seus ganhos têm sido distribuídos desigualmente. No final dos anos 1990, a quinta parte mais rica da população mundial possuía 86% do PIB mundial, enquanto a quinta parte mais pobre possuía somente 1% (Programa de Desenvolvimento das Nações Unidas (Pnud) 2003 [1999]: 425). Esta diferença entre os ricos e os pobres do mundo cresceu dramaticamente na década de 1990. Se isso foi o ápice de uma tendência de longo prazo na direção da polarização da riqueza dentro do mundo, assegurada pela globalização, é uma questão complexa e ainda muito debatida.[9] Mas o que não é seriamente contestado é que aqueles vivendo na extrema pobreza aumentaram em termos absolutos durante a década de 1990, apesar do cres-

---

[9] O crescimento das economias do Sudeste Asiático, especialmente aquelas de Taiwan e da Coréia do Sul, seguido pelo rápido crescimento da China, assim como da Índia, vai contra as versões simplistas da tese da "polarização" global. A perspectiva adotada depende da categoria utilizada, durante um período de tempo, e também fundamentalmente no que pode ser atribuído à globalização como sendo distinto de outras influências. Para um debate esclarecedor, veja Wade e Wolf (2003) e a observação subseqüente de Wolf (2004) e Held (2004).

cimento sustentável da economia global (Stiglitz, 2002; Pnud, 2003; Wade e Wolf, 2003, entre outros). As instituições de governança global fracassaram na maneira de encarar adequadamente a desigualdade global – porque eram dominadas pelas nações ricas, aderiram às regras e premissas que favoreciam essas nações, fortemente influenciadas pelas elites financeiras ocidentais e não responsabilizadas de maneira democrática (Stiglitz, 2002; Sklair, 2002; Hutton, 2003).

Mas esta não é a globalização que libera novas forças políticas numa escala global, alerta a uma nova política (meio ambiente, direitos humanos, paz e pobreza mundial), conectada pelas novas tecnologias de comunicação, transcendendo as limitações do nacionalismo, ligando o local ao global e forjando as novas bases de ações comuns e objetivos sociais? Este é um argumento constantemente repetido dentro do campo. É um argumento importante, para o qual existe alguma evidência. Mas esta perspectiva afirmativa também precisa levar em consideração contra-argumentos.

Em primeiro lugar, o crescimento dos mercados financeiros globais não-regulados tem enfraquecido a efetividade econômica nacional e, por conseqüência, o poder democrático das pessoas (Leys, 2001; Panitch e Leys, 1999; Strange, 1996). Em segundo, a sociedade civil global está atualmente subdesenvolvida, subdividida, pouco representativa e com uma influência limitada nas estruturas do poder militar e econômico (Keane, 2003; Sklair, 2002). Certamente, o que pode parecer é que estamos passando por uma fase de transição de resultado incerto, em vez de termos o futuro positivo assegurado por alguns teóricos culturais. Uma forma de governo nacional com poder democrático e uma tradição progressiva de democracia social estão enfraquecendo.

Apesar disso, novas formas de poder democrático e uma nova política progressiva continuam sem florescer completamente, num contexto de uma cada vez mais forte influência global corporativa e financeira e do crescimento de um império norte-americano "informal". Talvez um sistema de governança complexo, e ainda em desenvolvimento, venha a permitir um maior controle democrático e contribuir para o bem-estar da humanidade (Held, 2004). Mas isso é algo que ainda precisa se concretizar, e algo por que temos que lutar. Não é um corolário automático da globalização.

Em outras palavras, a globalização tem características negativas – um mercado global injusto e o enfraquecimento da democracia – que devem ser colocadas lado a lado com suas características positivas, identificadas nas análises da "globalização cultural". Além disso, deve-se acrescentar que uma visão unilateral similar tem prevalecido na literatura referente às novas mídias, que tem abdicado de maiores críticas para celebrar as novas possibilidades tecnológicas. Esta perspectiva tende a minimizar as restrições sociais, dando como garantidas a arquitetura e as convenções da internet e da *web*, que foram historicamente moldadas por valores da ciência acadêmica, da contracultura norte-americana e do serviço público europeu. Entretanto, esse legado pré-mercado está sendo agora desafiado por atividades colonizadoras de conglomerados midiáticos estabelecidos e pelo diversificado crescimento do comércio pela internet, apoiado por novos desenvolvimentos tecnológicos, pela legislação nacional e pela regulação global (Schiller, 2000; McChesney, 1999; Lessig, 1999, 2001; Curran e Seaton, 2003). A natureza histórica desta competição e suas implicações centrais para o desenvolvimento futuro do ciberespaço não podem ser mais importantes. Apesar disso, ela tem sido ignorada, pois até mesmo a idéia de que o mundo virtual tem uma economia política é estranha à maioria dos estudos das novas mídias.

Negociando hegemonia

O domínio ideológico do liberalismo de mercado também penetrou as pesquisas culturais e midiáticas, ao influenciar na maneira como a sociedade é entendida. O liberalismo de mercado vê a sociedade primordialmente como um agregado de cidadãos, em vez de ter uma visão mais abstrata em termos de grupos sociais. É reforçada a idéia de que as pessoas vivem em sociedades abertas, livres das amarras associadas às classes sociais, pois o mercado é uma força equalizadora que promove a igualdade de oportunidades em prol da eficiência. Trabalho duro, talento e empreendedorismo são recompensados, dentro de sociedades de mercado, como uma forma de promover a criação de riqueza, no interesse de todos.

Alguns desses temas soaram como uma revisão ocorrida nas pesquisas midiáticas e culturais. A visão marxista tradicional do conflito entre classes sociais, definido pelos seus relacionamentos dentro do sistema de produção, passou a ser cada vez mais rejeitada, principalmente com o argumento de que ela deixou de levar em conta a natureza diferenciada e complexamente estratificada da sociedade contemporânea. Também se afirmou que a classe social e o mundo do trabalho se tornaram fontes de identidade social menos significativas. Freqüentemente, essa revisão deu ênfase ao fluxo social e à mudança: a maior fragmentação da sociedade, o fortalecimento das múltiplas identidades sociais, a reconfiguração dos horizontes mentais e espaciais como conseqüência da globalização e a erosão da tradição. O indivíduo que se autodefine ganhou uma grande visibilidade no contexto de tal reconcepção, assim como o gênero, a etnicidade e a sexualidade passaram a substituir a classe como forma de conceitualizar aqueles indivíduos ou grupos desprivilegiados. Essa maneira de ver o mundo ecoou temas neoliberais, ao focalizar na liberdade de escolha, na fluidez social e na obsolescência da perspectiva de classe. Entretanto, ela também incorporou temas críticos, derivados das teorias feministas e de homossexuais, que não eram parte da tradição do mercado liberal. Desta maneira, "negociou", em vez de reproduzir uma visão neoliberal da sociedade.

Essa reorientação ignorou uma grande acumulação de evidência empírica que mostra que a classe social ainda influencia fortemente a distribuição de oportunidades de vida, experiências e recompensas nas sociedades avançadas contemporâneas. Países da OCDE[10], incluindo tanto a Grã-Bretanha quanto os Estados Unidos, não são sociedades de fato abertas e fluidas. A mobilidade social – definida entre gerações ou dentro de uma mesma geração, entre classes sociais ou "grupos de renda" (definição usualmente empregada por economistas) – é restrita (Devine e Waters, 2004; Aldridge, 2004; Heath e Payne, 2000; Savage e Egerton, 1997, entre outros). A movimentação é maior no meio da pirâmide e menor na base e no topo. O movimento ascendente aumentou em termos absolutos, pois a classe operária se contraiu, e a classe média se expandiu. Mas a mobilidade social relativa – ou seja, as chances de uma pessoa em um grupo social alcançar outro – tem sido muito mais estável. Na Grã-Bretanha, as chances de uma criança de classe média permanecer na classe média são aproximadamente quatro vezes maiores do que aquelas de uma criança da classe operária se tornar

---

[10] Organização para Cooperação e Desenvolvimento Econômico. (N.T.)

classe média (Roberts, 2001: 194), com alguns dados projetando disparidades ainda maiores.

As razões para a restrição na mobilidade social são complexas. O conceito de classe social é associado a múltiplos fatores – auto-estima, confiança, expectativa, senso de controle sobre o próprio destino, uso da "norma culta" da língua, desenvolvimento cognitivo (refletido em pontuações obtidas em testes), realização acadêmica, habilidades sociais, conexões sociais, acesso à informação, acesso a dinheiro e crédito. Essas influências tendem a se auto-reforçar, criando uma dinâmica discernível desde muito cedo na vida da pessoa.

A retórica moral do "trabalho duro, talento e empreendimento" é, portanto, extremamente enganosa, pois mascara a estrutura fundamental da influência da classe social. Apesar disso, ela é invocada para dar justificações espúrias para as grandes disparidades na distribuição de renda e riqueza. Por exemplo, nos EUA, os 20% mais ricos ganham nove vezes mais do que os 20% mais pobres (Hutton, 2003: 187). A diferença de classe também gera outras formas de desigualdade. Na Grã-Bretanha, pessoas que realizam trabalhos que exigem pouca ou nenhuma especialização são mais suscetíveis, do que aquelas de níveis gerenciais ou profissionais, a morrerem mais cedo; a perderem seu emprego; a serem vítimas de crime; e a terem crianças bastante doentes (Aldridge, 2004).

As desigualdades também cresceram muito rapidamente, especialmente em países onde políticas e atitudes neoliberais se tornaram enraizadas (Castells, 2000; Kelsey, 2005). Como conseqüência, disparidades no nível de renda aumentaram durante o último quarto de século nos EUA, resultando em ganhos médios dos trabalhadores de "colarinho azul" ainda menores durante os anos 1980 e parte dos 1990 (Hutton, 2003: 188). Na Grã Bretanha, em 1976, a renda daqueles no nonagésimo percentual era 2,9 vezes superior em relação àqueles no décimo percentual, porém esta proporção subiu para 4,1 vezes até o ano de 2001. No mesmo período, o número de famílias com renda abaixo dos 40% do meridiano aumentou em 220% (Aldridge, 2004: 6).

Em resumo, os estudos de mídia e cultura foram seduzidos pelo discurso do liberalismo de mercado no que diz respeito à omissão da classe social. Colaboraram na perpetuação de mitos que mascaram privilégios *herdados* e que legitimam a desigualdade. Também se afastaram da efetiva investigação do papel desempenhado pelas mídias no aumento das desigualdades nas sociedades liberais de mercado.

Todos os sistemas de mercado geram desigualdade. Essas desigualdades são suavizadas pela redistribuição de dinheiro e recursos autorizados pelo Estado democrático. A escala e a natureza dessas "transferências sociais" são determinadas pela política. Qual o papel das mídias nas políticas dos últimos vinte anos, que sancionaram um aumento acentuado das diferenças de classe? Apesar de alguns feixes ocasionais de luz (ver Hall, 1988; Deacon e Golding, 1994), é muito difícil responder a esta questão no que diz respeito à Grã-Bretanha. Isto porque a maioria dos pesquisadores dos estudos midiáticos e culturais, com algumas distintas exceções como Murdock (2000) e Skeggs (1977), parou de se interessar por diferenças de classe e mostrou um interesse muito limitado em qualquer tipo de política pública. Preocupações com políticas pessoais sobrepujaram o interesse em políticas organizadas, enquanto o reconhecimento social passou a ser visto como mais importante do que a redistribuição de renda feita pelo Estado.[11]

Retrospecto

Inúmeras narrativas *ad hoc* sobre o desenvolvimento dos estudos de mídia e cultura proclamam um novo *insight*, programa ou "virada". Normalmente, estas narrativas servem a elas mesmas. Tendem também a ser apenas versões de idéias que não tentam relacionar o desenvolvimento intelectual a um contexto mais amplo. Ao contrário, contam uma simples história de progresso, na qual o conceito de erro é confundido com o de iluminismo.

A contextualização das pesquisas midiáticas e culturais oferece um cenário mais complexo. Por um lado, mudanças na sociedade promoveram importantes novas idéias e programas no campo teórico. Desta maneira, o surgimento do feminismo ajudou a estabelecer o gênero como preocupação central nas pesquisas midiáticas e culturais. A maior efetividade na auto-organização de grupos de minorias sexuais e étnicas encorajou um renascimento da teoria pluralística que chamava a atenção para a

---

[11] Para ver uma tentativa de conectar estas duas preocupações, ver Curran, Gaber e Petley (2005).

heterogeneidade da sociedade e também para as diferenças dentro desses grupos minoritários. A intensificação da globalização causou o questionamento de visões paroquiais vindas do Ocidente quanto a valor cultural e teoria midiática e promoveu um novo interesse por questões relacionadas ao transnacionalismo, à desterritorialização e à erosão da identidade nacional.

Por outro lado, mudanças mais amplas na sociedade também geraram pontos cegos nas pesquisas midiáticas e culturais (um tema enfatizado neste artigo). Nos últimos 25 anos, idéias neoliberais adquiriram uma maior ascendência na Grã-Bretanha do que em qualquer outro momento desde o final do século XIX. Essa hegemonia promoveu, dentro dos estudos midiáticos e culturais, uma visão tacitamente positiva dos mercados, como se eles fossem um mecanismo *neutro*, harmonizando a oferta e a demanda, percepção esta que se mostrou simplista e enganadora. Resultou também na subestimação da classe social como fator de influência na sociedade contemporânea e fez com que a ligação entre um aumento na desigualdade de classes e as mídias e as culturas populares fosse negligenciada. O neoliberalismo entrou na corrente sangüínea dos estudos midiáticos e culturais, sem que isso fosse praticamente notado por nós.

Em resumo, o posicionamento do desenvolvimento das pesquisas em relação a um contexto social e político mais amplo tende a enfraquecer simples descrições de *insight* e sabedoria acumulada. Ao contrário, encoraja a construção de uma perspectiva mais distanciada e melhor, de maneira a se registrarem as perdas, assim como os ganhos. O segundo ponto fundamental que esta revisão histórica ressaltou foi a natureza recente dos estudos midiáticos e culturais, orientados por modismos. Um campo que se orgulha de ser inovador e diferente emerge como uma área de produção de conhecimento conformista. Esta tendência de "caçar em bando" está se tornando cada vez mais enraizada. Na próxima ocasião em que uma "virada" coletiva for proclamada, penso que menos pessoas deveriam se juntar à caravana que se dirige ao novo destino aprovado e declarado. Provavelmente, será mais interessante se alguns decidirem viajar na direção oposta.

Referências bibliográficas

ALBARRAN, Alan. *Media economics*. Ames, IO: Iowa University Press, 1996.

ALDRIDGE, Stephen. *Life chances and social mobility*: an overview of the evidence. Cabinet Office, Prime Minister's Startegy Unit (30 March). Disponível em: www.strategy.gov.uk/files/pdf/lifechances-socialmobility.pdf. Acessado em 2004.

ANG, Ien; HERMES, Joke. Gender and/ in media consumption. In: CURRAN, James; GUREVITCH, Michael (eds.). *Mass media and society*. Londres: Edward Arnold, 1991.

ANON. Deng Xiaoping quotes and quotations. Disponível em: www.brainyquote.com/quotes/authors/d/deng-xiaoping.html 2004.

BAKER, C. Edwin. *Media, markets, and democracy*. Nova York: Cambridge University Press, 1980.

BAUDRILLARD, Jean. The implosion of meaning in the media and the implosion of social in the masses. In: WOODWARD, Kathleen (ed.). *The myths of information*. Londres: Routledge, 1980.

BECK, Ulrich; BECK-GERNSHEIM, Elizabeth. *Individualization*. Londres: Sage, 2002.

BENNETT, Lance. New media power: the internet and global activism. In: COULDRY, Nick; CURRAN, James (eds.). *Contesting media power*. Lanham, MA: Rowman & Littlefield, 2003a.

_____. *News*. Nova York: Longman, 2003b.

CASTELLS, Manuel. *End of millenium*. Oxford: Blackwell, 2000.

COMPAINE, Benjamin; GOMERY Douglas. *Who own the media?* Mahwah, NJ: Lawrence Erlbaum, 2000.

COSTAIN, Anne; FRAIZER, Heather. Media portrayal of 'second wave' feminist groups". In: CHAMBERS, Simone; COSTAIN, Anne (eds.). *Deliberation, democracy and the media*. Lanham, MA: Rowman & Littlefield, 2000.

CROTEAU, David; HOYNES, William. *The business of media*. Thousand Oaks, CA: Pine Forge, 2001.

CURRAN, James. *Media and power*. Londres: Routledge, 2002.

_____. The rise of the westminster school. In: CLABRESE, Andrew; SPARKS, Colin (eds.). *Toward a political economy of culture*. Lanham, MA: Rowman & Littlefield, 2004.

CURRAN, James et al. (eds.). *Mass communication and society*. Londres: Arnold, 1977.

CURRAN, James; SEATON, Jean. *Power without responsibility*. Londres: Routledge, 2003.

CURRAN, James et al. *Culture wars: the media and the British left*. Edimburgo: Edinburgh University Press, 2005.

DEACON, David; GOLDING, Peter. *Taxation and representation*. Londres: John Libbey, 1994.

DEVINE, Fiona; WATERS, Mary. (eds.). *Social inequalities in comparative perspective*. Oxford: Blackwell, 2004.

DONK, Win Van de et al. *Cyberprotest*. Londres: Routledge, 2004.

DOYLE, Gillian. *Understanding media economics*. Londres: Sage, 2002.

FISKE, John. *Television culture*. Londres: Routledge, 1987.

_____. Postmodernism and television. In: CURRAN, James; GUREVITCH, Michael (eds.). *Mass media and society*. Londres: Arnold, 1991.

FORGACS, David. Gramsci and Marxism in Britain. *New Left Review*, vol. 176, 1989.

FOUCAULT, Michel. *Discipline and punish*. Harmondsworth: Penguin, 1979.

FUKUYAMA, Francis. *The end of history and the last man*. Harmondsworth: Penguin, 1993.

GARNHAM, Nicholas. The media and the public sphere. In: GOLDING, Peter; MURDOCK, Graham; SCHLESINGER, Phillip (eds.). *Communicating politics*. Leicester: Leicester University Press, 1986.

GITLIN, Todd. *Inside prime time*. Londres: Routledge, 1994.

GLASSER, Ted. (ed.). *The idea of public journalism*. Nova York: Guilford, 1999.

GOLDING, Peter; MURDOCK, Graham. *Political economy of the media*. Vol. 1 e 2. Cheltenham: Elgar, 1997.

GROSS, Larry. The gay global village in cyberspace. In: COULDRY, Nick; CURRAN, James (eds.). *Contesting media power*. Lanham, MA: Rowman & Littlefield, 2003.

HABERMAS, Jürgen. *The structural transformation of the public sphere*. Cambridge: Polity, 1989.

_____. *Between facts and norms*. Cambridge: Polity, 1996.

HALL, Stuart. Culture, the media and the "ideological effect". In: CURRAN, James; GUREVITCH, Michael; WOOLLACOTT, Janet (eds.). *Mass Communication and Society*. Londres: Arnold, 1977.

_____. The rediscovery of "ideology": the return of the repressed in media studies. In: GUREVITCH, Michael et al. (eds.) *Culture society and the media*. Londres: Methuen, 1982.

_____. Signification, representation, ideology: Althusser and the poststructuralist debates. *Critical Studies in Mass Communication*, vol. 2, 1985.

_____. *The hard road to renewal*. Londres: Verso, 1988.

HALL, Stuart et al.. *Policing the crisis*. Basingstoke: Macmillan Education, 1978.

HAMILTON, James. *All the news that's fit to sell*. Princeton, NJ: Princeton University Press, 2004.

HEATH, A.; PAYNE, C. Social mobility. In: HALSEY, A.H.; WEBB, Josephine (eds.). *Twentieth-century British social trends*. Basingstoke: Macmillan, 2000.

HELD, David. *Global covenant*. Cambridge: Polity, 2004.

HELD, David et al.. *Global transformations*. Cambridge: Polity, 1999.

HESMONDHALGH, David. *The cultural industries*. Londres: Sage, 2002.

HUTTON, Will. *The world we're in*. Londres: Abacus, 2003.

IYENGAR, Shanto. Media effects: paradigms for the analysis of local television news. In: CHAMBERS, Simone; COSTAIN, Anne. (eds.). *Deliberation, democracy and the media*. Lanham, MA: Rowman & Littlefield, 2000.

KEANE, John. *Global civil society?* Cambridge: Cambridge University Press, 2003.

KELSEY, Jane. *The New Zealand experiment*. Auckland: Auckland University Press, 1995.

KLITE, Paul et al. Local TV news: getting away with murder. *Press/ Politics* vol. 2, n. 2, 1997.

KOVACH, Bill; ROSENTIEL, Tome. *Ward speed*. Nova York: Century Foundation, 1999.

_____. *The elements of journalism*. Londres: Atlantic Books, 2003.

LEYS, Colin. *Market-driven politics*. Londres: Verso, 2001.

LOWRY, Dennis et al. Setting the public fear agenda: a longitudinal analysis on network TV crime reporting, public perceptions of crime, and FBI crime statistics. *Journal of Communication*, março, 2003.

LYOTARD, Jean-François. *The postmodern condition*. Manchester: Manchester University Press, 1984.

McCHESNEY, Robert. *Rich media, poor democracy*. Urbana, IL: Illinois, 1999.

MacDONALD, Melody. *Representing women*. Londres: Arnold, 1995.

McROBBIE, Angela. "More!: new sexualities in girls' and women's magazines'". In: CURRAN, James et al. (eds.) *Cultural studies and communications*. Londres: Routledge, 1996.

MANNING, Paul. *News and news sources*. Londres: Sage, 2001.

MODLESKI, Tania. *Loving with vengeance*. Hamden, CT: Arch Books, 1982.

MURDOCK, Graham. Reconstructing the ruined tower: contemporary communications and questions of class. In: CURRAN, James; GUREVITCH, Michael (eds.). *Mass media and society*. Londres: Arnold, 2000.

NEGROPONTE, Nicholas. *Being digital*. Londres: Hodder & Stoughton, 1995.

O'MAHONY, John. David Edgar. *Guardian* (Seção de Resenhas), 20 de março, 2004.

PANITCH, Leo; LEYS, Colin. *Global capitalism versus democracy*. Rendlesham: Merlin, 1999.

PATTERSON, Thomas. *The vanishing voter*. Nova York: Vintage, 2003a.

_____. The search for a standard: markets and media. *Political communication*, vol. 20, 2003b.

PICARD, Robert. *The economics and financing of media companies*. Nova York: Fordham University Press, 2002.

POSTER, Mark. Introduction. In: POSTER, Mark. (ed.) *Baudrillard: Selected writings*. Stanford, CA: Stanford University Press, 1988.

_____. *What is the matter with the internet?* Minneapolis: University of Minnesota Press, 2001.

ROBERTS, Ken. *Class in modern Britain*. Basingstroke: Palgrave, 2001.

ROE, Keith; MEYER, Gust de. Music Television: MTV-Europe. In: WIETEN, Jan et al. (eds.) *Television across Europe*. Londres: Sage, 2000.

SABATO, Larry et al. *Peep show*. Lanham: Rowman & Littlefield, 2000.

SAVAGE, Mike; EGERTON, Muriel. Social mobility, individual ability and the inheritance of class inequality. *Sociology*, vol. 31, 1997.

SCANNELL, Paddy. Public service broadcasting and modern public life. *Media Culture and Society*, vol. 11, n. 2, 1989.

SCHILLER, Dan. *Digital capitalism*. Cambridge, MA: MIT Press, 2000.

SEIB, Phillip. *Going live*. Lanham: Rowman & Littlefield, 2002.

SHANOR, Donald. *News from abroad*. Nova York: Columbia University Press, 2003.

SHATTUC, Jane. *The talking cure*. Nova York: Routledge, 1997.

SINCLAIR, John et al. (eds.) *New patterns in global television*. Oxford: Oxford University Press, 1996.

SKLAIR, Leslie. *Globalization*. Oxford: Oxford University Press, 2002.

SKEGGS, Beverly. *Formation of class and gender*. Londres: Sage, 1997.

STIGLITZ, Joseph. *Globalization and its discontents*. Londres: Penguin, 2002.

STRANGE, Susan. *The retreat of the state*. Cambridge: Cambridge University Press, 1996.

TOMLINSON, John. *Globalization and culture*. Londres: Routledge, 1999.

TSAGAROUSIANOU, Rosa; TAMBINI, Damian; BRYAN, Cathy. (eds.). *Cyberdemocracy*. Londres: Routledge, 1998.

TUCHMAN, Gaye. Introduction: the symbolic annihilation of women by the mass media. In: TUCHMAN, Gaye *et al*. (eds.) *Hearth and home*. Nova York: Oxford University Press, 1978.

TURNER, Graeme. *British cultural studies*. Londres: Routledge, 2002.

United Nations Development Programme. Patterns of global inequality. [Human Development Report 1999]. In: HELD, David; McGREW, Anthony (eds.). *The global transformations reader*. Cambridge: Polity, 2003.

WADE, Robert; WOLF, Martin. Are global poverty and inequality getting worse? In: HELD, David; McGREW, Anthony (eds.). *The global transformations reader*. Cambridge: Polity, 2003.

WILLIS, Paul. *Learning to labour*. Londres: Saxon House, 1977.

_____. *Common culture*. Milton Keynes: Open University Press, 1990.

WOLF, Martin. *Why globalization works*. New Haven: Yale University Press, 2004.

Sem mapas para esses territórios:
a cibercultura como campo de conhecimento[12]

*Erick Felinto**

Deslocamento, mobilidade e desterritorialização tornaram-se palavras-chave no jargão acadêmico dos estudos sobre a cultura contemporânea e suas tecnologias de telepresença. Junto ao indefectível "não-lugar", de Marc Augé (1994), essas expressões e outras correlatas apontam para uma sensação de não-pertencimento típica do cotidiano pós-moderno, no qual reina o que poderíamos denominar um *pesadelo cartográfico*[13]. Não é à toa que, segundo Bauman, a figura do turista funciona como emblema perfeito da experiência pós-moderna: "Eles realizam a façanha de não pertencer ao

---

* Professor do Programa de Pós-graduação em Comunicação da Universidade Estadual do Rio de Janeiro, presidente da Associação Nacional de Programas de Pós-Graduação em Comunicação (Compós) e coordenador do NP "Tecnologias da Informação e da Comunicação" da Intercom. É autor dos livros *A religião das máquinas – ensaios sobre o imaginário da cibercultura* (Porto Alegre: Ed. Sulina, 2005) e *Passeando no labirinto: textos sobre as tecnologias e materialidades da comunicação* (Rio Grande do Sul: EdipucRS, 2006).

[12] Trabalho apresentado na XXX Intercom, realizado em Santos em 2007.

[13] É isso também que explica a obsessão do pensamento teórico com a metáfora do mapa e das classificações. Sintomáticas, nesse sentido, são as imagens da confusa enciclopédia chinesa e da precessão do mapa sobre o território que abrem, respectivamente, *As Palavras e as Coisas* e *Simulacros e Simulações*, ambas inspiradas, coincidentemente, no mais "pós-moderno" dos autores (Cf. Farias, 1992), Jorge Luis Borges.

lugar que podem estar visitando (...) O nome do jogo é mobilidade" (1998: 114). Se no alvorecer da modernidade era natural o assombro com as vastidões dos territórios misteriosos, inexplorados e não mapeados, hoje o que nos inquieta é o desconforto de habitar uma "mediasfera" complexa e ainda a espera de seus corajosos cartógrafos.

É esse, precisamente, o sentimento que perpassa o documentário *No Maps for these Territories* (2000), de Mark Neale, em que assistimos a uma longa entrevista inteiramente filmada no interior de um automóvel em movimento. O entrevistado é William Gibson, célebre autor da novela de ficção científica *Neuromancer* (1984), cuja perplexidade com a existência contemporânea e seu inseparável componente tecnológico é capturada no pano de fundo de intermináveis estradas e ruas de uma paisagem simulacral[14]. Essa impressão de desorientação é particularmente expressiva num domínio de conhecimento que tenta se constituir como um saber a respeito das tecnologias digitais e seus impactos sobre as sociedades contemporâneas, a cibercultura.

É certo que se trata de expressão consagrada pelo uso. A palavra já começa inclusive a fazer parte do linguajar cotidiano. Multiplicam-se exponencialmente as obras em que o termo aparece sem, contudo, qualquer preocupação de explicitar seu sentido. Mais perturbadora ainda é a impressão de que a cibercultura constituiria, efetivamente, um domínio bem recortado do conhecimento e que estaria à nossa disposição uma teoria não *explicitamente enunciada*, mas *implicitamente anunciada* nos tratados sobre a tecnocultura contemporânea. Como afirma Jakub Macek:

> Em boa parte da reflexão sobre as tecnologias de informação e comunicação, o termo cibercultura pode ser identificado como uma das expressões que são freqüente e flexivelmente utilizadas sem um sentido explícito. Geralmente, ele se refere (como indica o prefixo) a questões culturais relacionadas a "ciber-tópicos", ou seja, a cibernética, a computadorização, a revolução digital, a ciborguização do corpo humano, etc, e sempre envolve pelo menos uma conexão implícita com uma antecipação do futuro (...). Contudo, qualquer entendimento mais explí-

---

[14] Durante boa parte do tempo, trata-se de projeções sobre as janelas do veículo, transformando o lado de fora do automóvel em uma vasta tela televisiva.

cito do referente da cibercultura varia de autor para autor, e, na verdade, encontra-se, no mais das vezes, ausente (2005: 1).

Não existem mapas para esses territórios, e as tentativas tímidas de cartografá-los correm sempre o risco de perder-se em uma selva inóspita de ambigüidades e caminhos que não levam a parte alguma. Nesse sentido, o que sucede com o termo cibercultura não é muito diferente do que se passa com o vocábulo "comunicação". Concordamos todos que a comunicação existe, mas ou aceitamos uma definição tácita e imprecisa ou buscamos configurar limitações excessivas e insuficientes. Desse modo, é bastante oportuna a aproximação que Francisco Rüdiger estabelece entre as situações da comunicação e da cibercultura[15]: entidades que apontam para uma "desintegração historial" do objeto (correlata à desintegração, ainda mais visível, do sujeito) no contexto do pensamento contemporâneo (2002: 181 e ss.). Se o tema do objeto ainda insiste em retornar e produzir incômodo, é porque sentimos inflexivelmente o seu enfraquecimento progressivo no cenário das epistemologias pós-modernas.

Contudo, simplesmente desistir da possibilidade de um objeto – qualquer que seja sua natureza – parece-me algo excessivamente radical, especialmente numa situação em que não existe consenso forte sobre a fragmentação das formas de saber tradicionais. O que cabe ressaltar, porém, é a natureza proposicional e tentativa (e transitória) de qualquer objeto próprio de um domínio complexo como o das tecnologias digitais de comunicação e seus impactos socioculturais. O objeto é uma ficção útil, tanto do ponto de vista epistemológico quanto do político-institucional. Nesse último aspecto, vale dizer que não existe consenso em nosso meio quanto à pertinência da cibercultura no horizonte dos estudos de comunicação. Por certo, existem "temas ciberculturais" que podem parecer muito mais apropriados aos domínios da antropologia ou da sociologia, por exemplo. É o caso do tema do ciborgue e das discussões sobre o pós-humanismo[16]. Pode-se argumentar que é

---

[15] Como diz o autor, "a emergência da cibercultura talvez seja correlata à do pensamento comunicacional" (2002: 202).

[16] Mas é importante notar que esses assuntos têm sido trabalhados com competência e profundidade por estudiosos do campo da comunicação. Ver, por exemplo, Sibilia (2002) e Santaella (2003).

estratégico para a comunicação apropriar-se desses temas, já que eles provavelmente desfrutarão de popularidade cada vez maior no âmbito das instituições acadêmicas e de pesquisa. Por outro lado, como desenvolvi anteriormente em outro trabalho (Felinto, 2006a), creio haver bons motivos para legitimar epistemologicamente tais assuntos no campo da comunicação.

De todo modo, o objetivo primordial deste artigo não é discutir a pertinência comunicacional das discussões sobre os variados tópicos da cibercultura, mas, sim, sugerir instrumentos para uma cartografia inicial desse território virginal. Essa cartografia terá de partir, necessariamente, de um diagnóstico do conjunto dos estudos e abordagens correntes sobre a cibercultura. Nesse sentido, Macek oferece uma contribuição importante, ao mapear a literatura do campo. Para ele, o conceito de cibercultura tem sido entendido em quatro sentidos fundamentais: 1) cibercultura como projeto utópico; 2) cibercultura como interface cultural da sociedade de informação; 3) cibercultura como práticas culturais e estilos de vida (uma noção propriamente "antropológica") e 4) cibercultura como uma teoria da nova mídia. No primeiro caso, situam-se principalmente os autores e escritos ligados ao momento histórico da emergência do conceito. Um momento marcado pelas subculturas *hacker* e *cyberpunk*, no meio das quais desenvolve-se uma visão da cibercultura como promessa de "regeneração futurística da sociedade" através do computador e das tecnologias informacionais (2005: 3). Poder-se-ia acrescentar que essa é a dimensão mais "ficcional" da cibercultura, não tanto porque suas expectativas sejam irreais (e parecem bem sê-lo), mas, sim, porque se desenvolve sob o influxo de certa narrativa de ficção científica e da percepção de um esfumaçamento das fronteiras entre ficção e teoria[17]. Típica dessa noção de cibercultura é uma espécie de retórica sobre a singularidade do momento atual, que, contudo, sempre aparece como preâmbulo de um porvir prometido. As linhas iniciais de *Cyberia*, de Douglas Rushkoff (autor mencionado por Macek), constituem um caso exemplar:

---

[17] É o que transparece na proposta de Steven Shaviro, quando afirma, a respeito de seu último trabalho: "Neste livro, tento escrever teoria cultural como se fora ficção científica, de modo a confrontar-me com um mundo que parece, ele mesmo, encontrar-se no limiar de ser absorvido pelo jogo dos filmes e novelas de ficção científica" (2003: ix).

Cyberia é sobre um momento muito especial em nossa história recente – um momento quando tudo pareceu possível. Quando uma subcultura inteira – como um garoto numa rave experimentando realidade virtual pela primeira vez – enxergou o tremendo potencial de casar as últimas tecnologias computacionais com os sonhos mais íntimos e as mais antigas verdades espirituais ([1994] 2002: vii).

No segundo conceito de cibercultura, encontramos uma noção chave para a compreensão do fenômeno cibercultural. Nessa visão, representada por autores como Manovich e Morse, a noção de informação é central, já que a cibercultura constituiria uma *interface (eminentemente visual) entre cultura e tecnologia* (Macek, 2005: 4). Se a informação, com o seu extremo nível de abstração, é o que permite o desenvolvimento de uma nova *clavis universalis*, de uma linguagem universal tecnológica, a cibercultura será aquilo que permitirá a "visibilidade" social dessa linguagem, sua tradução em uma forma cultural e imagética. Como venho buscando demonstrar (por exemplo, em Felinto, 2006a e 2006b), essa noção de informação como código capaz de dar conta de toda realidade (dos sistemas informáticos aos sistemas vivos) constitui o centro da experiência cultural do mundo "ciber". Ela é herdeira – como podemos entender a partir da competente história da cibercultura empreendida por Fred Turner – da chamada "metáfora computacional", expressão cunhada pelo editor da revista *Wired*, Kevin Kelly, mas cujas origens mais remotas estariam na cibernética de Wiener. "Para Wiener, o mundo (...) era composto de sistemas conectados por mensagens, e em certa medida também *feito* delas" (Turner, 2006: 22, grifos meus). A metáfora computacional implica uma tradução de toda a realidade em dados numéricos, em informações capazes de serem lidas e interpretadas pelos sistemas digitais. Viveríamos, assim, numa *cultura informacional* caracterizada essencialmente por uma espécie de mito da *unidade* (tudo se comunica, pois tudo é basicamente informação) (Coyne, 2001).

O terceiro conceito de cibercultura é o que entende o termo como expressão das formas de vida, práticas e problemas antropológicos ligados às tecnologias digitais. A idéia fundamental, nas palavras de Arturo Escobar, é que "as tecnologias fazem surgir um mundo" (*bring forth a world*) (apud Macek, 2005: 5). Note-se que essa vertente "antropológica" é talvez a que mais se preocupa, de fato, com o tema das biotecnologias (e conseqüentemente com tópicos como os do ciborgue e do pós-humanismo). Mas também é em seu âmbito que se situam as investigações de cunho etnográfico, dedicadas a analisar comportamentos e interações sociais em fóruns de discussões ou *chats* na internet. Tal conceito permite perceber – como fica patente, por exemplo, no trabalho de Simone de Sá – a empregabilidade de metodologias de origem antropológica (etnografias ou "netnografias", para usar um neologismo da pesquisadora) no campo dos estudos comunicacionais sobre os novos meios. É essa compreensão da cibercultura que dá relevo, precisamente, à *dimensão cultural* dos fenômenos tecnológicos.

Finalmente, a quarta perspectiva envolve uma dimensão de *reflexividade*. Em outras palavras, é aquela que entende o termo "cibercultura" como uma teorização a respeito das tecnologias informacionais. Essa compreensão toca num aspecto extremamente importante da experiência cibercultural. Afinal, como explica Macek, "a cibercultura é profundamente auto-reflexiva, pois as teorias são parte de suas narrativas (ciberculturais) e essas narrativas então vêm inspirar teorias emergentes" (2005: 7). Esse é o entendimento que me interessa particularmente, pois toma a cibercultura como um campo ou objeto de conhecimento. É também a quarta compreensão da cibercultura que, em certo sentido, a caracteriza como uma espécie de saber próprio do contemporâneo, já que sua indefinição constitutiva aponta para a "desintegração historial" do objeto do conhecimento. As definições que utilizam essa visão caracterizam-se pela imprecisão e amplitude de seus termos. A cibercultura seria aquilo que estuda todos os "vários fenômenos sociais associados com a internet e outras novas formas de comunicação em rede" (Manovich, 2003: 16); a cibercultura "começa a emergir como um tema interdisciplinar de estudo acadêmico" (Sylver, 1996: 1). Por vezes, a cibercultura é freqüentemente identificada como o estudo de todos os fenômenos ligados à internet – e, por vezes, os termos *cibercultura* e *ciberespaço* se tornam sinônimos (Bell e Kennedy, 2002). Em outras abordagens, ela é ainda mais ampla, dedicando-se inclusive à análise dos processos de hibridação entre os homens e suas tecnologias (Tofts, 2003).

Se é fácil confundir a noção de cibercultura com o conjunto de práticas e realidades culturais ligadas às novas mídias com sua noção de reflexão teórica sobre essas práticas e realidades, isso talvez se deva, ao menos em parte, à sua vocação pós-moderna. Como afirma Steven Connor, "os debates críticos sobre o pós-modernismo constituem o próprio pós-modernismo" (1992: 25). A reflexividade é um traço elementar tanto da cibercultura como da pós-modernidade. Mais que isso, essa característica da cibercultura evoca o tema contemporâneo do esfumaçamento das fronteiras entre experiência e teoria. A noção tipicamente moderna de distância crítica parece estar em decadência, e a figura do observador distanciado já não se sustenta. A inflação pós-moderna dos discursos também colaborou para o rompimento de outra fronteira importante: a que existia entre as narrativas teóricas e as narrativas ficcionais. Perdida a primazia da teoria como *metanarrativa* explicadora, ela passa a ser apenas mais um discurso entre outros. No caso da cibercultura, essa ficcionalização da teoria (e da própria realidade) é evidente:

> A cibercultura pode ser vista como um ponto de encontro das obras de ficção com os discursos, conceitos e teorias do social e das ciências naturais, bem como da engenharia, que permeiam, moldam e transformam umas às outras (Macek, 2005: 7).

A ficção científica passa a constituir, portanto, uma questão fundamental dos estudos culturais sobre a sociedade tecnológica. Mais que narrativa sobre um futuro possível, ela hoje se apresenta como reflexão sobre o presente e sua assustadora irrealidade. Nesse sentido, não surpreende que a ficção científica constitua objeto central de textos programáticos da cibercultura, como o *Manifesto Ciborgue* (Haraway, 2000), assim como tema de estudos dedicados aos aspectos políticos da tecnociência e dos projetos biopolíticos (Foster, 2005).

A classificação de Macek é competente e fundada numa abordagem histórica da cibercultura. Parte das diferenças entre aquilo que ele chama de *"early cyberculture"* (as visões iniciais, mais utópicas e *contraculturais*, sobre o impacto das novas mídias) e *"contemporary cyberculture"*. Contudo, essa distinção – apesar de válida, já que representa a passagem da cibercultura de uma posição de certa marginalidade ao *mainstream* cultural – pode dar origem a alguns equívocos. Tudo aquilo que Macek chama de "núcleo" das narrativas ciberculturais (ou "narrativas digitais", para usar a expressão de Coyne, 2001) já pode ser encontrado nos inícios da cibercultura. Além disso, Macek preocupou-se em tomar como fonte de suas definições apenas os discursos dos estudiosos e especialistas na cibercultura. Minha proposta é recortar um campo dividido, por um lado, entre as visões "de senso comum" – a percepção social mais ampla dos fenômenos tecnológicos contemporâneos – e suas apreensões acadêmico-reflexivas; e, por outro lado, entre o horizonte das práticas e experiências de vida e o da produção discursiva. Em lugar de quatro definições, prefiro sugerir três, a partir de sugestões elaboradas em trabalho anterior (Felinto, 2006b):

Noções de Cibercultura	1. Cibercultura como domínio das comunicações, práticas e percepções sociais ligadas às tecnologias informacionais	2. Cibercultura como conjunto de narrativas ficcionais que expressam uma visão de mundo "cibercultural"	3. Cibercultura como campo das apreensões teóricas a respeito da tecnocultura contemporânea e meios digitais de comunicação
Detalhamento	Comportamentos e formas discursivas em salas de discussão e *chats*; mecanismos de construção identitária na internet...	Ficção científica pós-moderna; cinema e literatura; as especulações utópicas a respeito de um futuro cibercultural...	A "literatura acadêmica" sobre cibercultura; a produção dos "teóricos ciberculturais"...

É evidente que tal classificação cumpre um papel eminentemente metodológico. Muitos usos do conceito de cibercultura (senão a maioria) partem de uma combinação entre duas ou mais visões. Parte da produção textual de um autor como Pierre Lévy, por exemplo, pode ser situada tanto na terceira quanto na segunda noção. Mais que isso, como sugeri anteriormente (Felinto, 2005), uma porção significativa de toda a literatura acadêmica sobre a cibercultura apresenta expressivos traços de ficcionalização e mitologização. As teorias da cibercultura se revelam freqüentemente mais como narrativas sobre um futuro possível (e desejável) do que um diagnóstico do estado presente das tecnologias e das sociedades informatizadas.

Essas três definições de cibercultura envolvem, de maneira direta ou indireta, problemas que podem legitimamente caracterizar-se como da alçada da comunicação. Se essa conexão é mais evidente no espaço da primeira noção, já que ali estão compreendidas as práticas comunicacionais possibilitadas pela internet, ela não é menos válida no domínio das outras duas conceituações. No caso da segunda definição, podemos justificar um interesse comunicacional, antes de tudo, pelo caráter cada vez mais massificado das narrativas ficcionais que expressam uma visão de mundo "cibercultural". Filmes da grande indústria cinematográfica, como *Matrix* (1999), vêm constituindo objetos de estudo relevantes para os comunicólogos, em função dos circuitos de consumo massivo e das comunidades de interação engendrados em seu entorno[18]. A cibercultura, com seu imaginário *"hype"*, sua valorização do design e do objeto *"state of the art"* (elementos presentes em *Matrix* e nos produtos derivados da franquia, como *videogames*, roupas e brinquedos), tem engendrado diversos fenômenos importantes do ponto de vista dos estudos de comunicação e de consumo.

A última definição me interessa particularmente. Se usarmos o termo nesse terceiro sentido, teremos, antes de tudo, de admitir que a "reflexão cibercultural" contempla problemas de ordem muito diversa. Um livro como *Life on the Screen: Identity in the Age of the Internet* ([1995]1997), da psicóloga e socióloga Sherry Turkle, não parece criar embaraço quanto à sua classificação acadêmica. Dado que seu foco de estudo são as interações sociais através da internet e o problema das identidades *on-line*, sua relevância para a comunicação se faz evidente. Contudo, o interessante estudo do crítico literário Thomas Foster, *Souls of Cyberfolk: Posthumanism as Vernacular Theory* (2005), poderia nos trazer algum incômodo taxonômico. Ele nos leva a retomar a pergunta: o que os temas do ciborgue ou do pós-humanismo têm efetivamente a ver com a comunicação? Creio que essa questão admite várias respostas, de diferentes graus de complexidade. Para permanecer apenas no horizonte das justificativas menos complexas, diria, por um lado, que todos esses assuntos podem (e freqüentemente devem) ser abordados a partir de uma *perspectiva comunicacional*. É precisamente o que faz Foster quando relaciona o tema do pós-humanismo a questões de consumo massivo, ao universo das histórias em quadrinhos e às representações midiáticas de raça e conflitos raciais. Por outro lado, se admitimos que a cibercultura – apesar da diversidade de tópicos e problemas que engloba – apresenta uma espécie de núcleo cultural-discursivo mais ou menos constante, então não se deve menosprezar a contribuição desse tipo de estudo para uma compreensão mais integral de uma *subcultura* marcada, antes de tudo, pelo ideal da comunicação.

---

[18] Também sobre a ficção científica em forma literária, existem muitos precedentes de estudos a partir de perspectivas comunicacionais. Um exemplo já clássico é Sodré (1973), que utiliza a noção, discutível, mas ainda em voga, de "literatura de massa".

De fato, minha hipótese é que a parte mais essencial desse núcleo cultural-discursivo da cibercultura repousa numa espécie de *mitologia da comunicação total*. No horizonte da cultura "ciber", o maior imperativo social é a comunicação. Como diria Lucien Sfez, com acento algo apocalíptico, "a comunicação tornou-se a Voz única; só ela pode unificar um universo que perdeu no trajeto qualquer outro referente" (1992: 21). No domínio da cibercultura, em última instância, tudo se converte em comunicação e informação, sendo o pós-humano o ser "conectivo" por excelência.

Por fim, ainda na categoria das práticas sociais ligadas às novas mídias, seria possível enquadrar um conjunto de temas cuja conexão com a comunicação também não parece ser imediatamente evidente. Falo da arte digital, dos usos estéticos das tecnologias informacionais. Em nosso meio, já existe, a bem da verdade, certa tradição de associar tais problemas ao campo da comunicação, conforme demonstram alguns trabalhos de André Parente, Kátia Maciel e Ivana Bentes, por exemplo. Mas é principalmente no âmbito dos *Medienwissenschaft* (estudos de mídia) alemães que podemos encontrar interessantes e legítimas conexões entre a chamada "arte-mídia" e a comunicação. As questões das materialidades da comunicação, dos efeitos fisiológicos e dos afetos produzidos pelos diferentes meios têm constituído objeto de pesquisas importantes na Europa e na América do Norte. Essa abordagem resgata o campo da comunicação de sua submissão, quase irrestrita, aos estudos e metodologias de natureza hermenêutica. Mesmo considerando a importância e o resgate de pensadores "materialistas" da comunicação, como Benjamin e McLuhan, é inegável que até hoje se prestou muito pouca atenção aos aspectos materiais e não-hermenêuticos dos processos comunicacionais. A maioria esmagadora de nossas metodologias e abordagens se baseia em alguma espécie de análise de conteúdo, com pouca ou nenhuma atenção à configuração propriamente tecnológica dos meios de veiculação. O estudo dos efeitos materiais dos meios encontrou, nesse sentido, um ambiente extremamente favorável nas investigações sobre a "arte-mídia" e na *Medientheorie* germânica. Esse renovado interesse pelo problema da "medialidade", antecipado por um pensador como Vilém Flusser, faz-se evidente no título de um volume recente editado por Christian Filk, Michael Lommel e Mike Sandbothe: *Sinestética da Mídia: Contornos de uma Estética Midiática Fisiológica (Media Synaesthetics: Konturen einer Physiologischen Medienästhetik)* (2004). A arte-mídia põe em relevo tais questões, já que é próprio da experiência estética dirigir a atenção do sujeito para a configuração material da mensagem. Além disso, as mídias digitais parecem amplificar essa questão ao colocarem em evidência temas como o da relação do corpo com as tecnologias. Por outro lado, autores como Siegried Zielinski (2006) destacam o papel das experiências da arte tecnológica no desenvolvimento de novas interfaces que são, posteriormente, incorporadas aos nossos corriqueiros aparatos comunicacionais.

É certo que um mapeamento da cibercultura exige mais que a delimitação dos campos proposta acima. Ela exige estabelecer um inventário das metodologias de pesquisa, de seus temas e "subtemas", de seu cânone de referências. Uma investigação de tal natureza, mais que uma sistematização do conhecimento, implica o desenvolvimento de uma *crítica da crítica*. Somente uma observação de segundo grau, um olhar de conjunto sobre os diferentes olhares pode fornecer bússola para a selva de interpretações, definições e temas que cercam o universo digital. Em uma formação cultural como a cibercultura, na qual práticas, estéticas e narrativas encontram-se tão profundamente interconectadas, esse exercício de mapeamento dos discursos assume importância fundamental. Em certo sentido, ele nos ensina que desenhar o mapa também é desenhar o território.

Para isso, a equiparação entre cibercultura e ciberespaço, realizada por autores como David Bell (2003), oferece uma pista relevante. A cibercultura é um "espaço" saturado pelas tecnologias digitais, no qual as formas de vida e comunicação são continuamente modeladas pela lógica e pela materialidade das novas mídias. O termo *mediascape* ("paisagem midiática"), já consagrado no linguajar teórico dos estudos de mídia, poderia, assim, dar lugar à expressão *cyberscape*, curiosamente um anagrama de *cyberspace*. Desse modo, retornamos à metáfora inicial do território e do mapa. Se é tão difícil mapear a cibercultura, é porque estamos *inteiramente em seu interior*, mergulhados cotidianamente num ambiente de próteses tecnológicas e num imaginário tecnocultural cada vez mais pregnante.

Entretanto, uma cartografia da cibercultura provavelmente deverá começar por relativizar uma distinção que está se tornando padrão em nosso meio: aquela que se estabelece entre as comunicações ditas "tradicionais" e massivas e as "novas" tecnologias. É certo que a passagem de modelos analógicos para digitais envolve a transformação não apenas de operadores tecnológicos, mas também de paradigmas culturais. Todavia, é uma outra disciplina recente, a "história das mídias" (*Mediengeschichte*) que sugere cautela com todo discurso que cheire a revolução ou ruptura radical. Essa disciplina ensina que as noções de evolução e ruptura constituem perigosas ilusões históricas. É nesse sentido que Zielinski propõe uma (an)arqueologia das mídias, baseada em processos descontínuos e numa complexa dinâmica de repetição-inovação (2006). É por isso que a distância entre o *mediascape* e o *cyberscape* deve ser provavelmente menor do que aparenta. Nossa cultura aprendeu a existir em uma realidade largamente midiatizada, e os novos meios digitais vieram incrementar esse processo de desrealização.

Daí o papel essencial que o imaginário vem desempenhar na contemporaneidade. Como afirma Gray Kochhar-Lindgren em um livro sintomático da estranha tecnocultura espectral que habitamos:

> À medida que nos encaminhamos mais decisivamente para os pós-humanos que somos, teremos de elaborar uma tecnopoética, uma mitopoética que tomará em conta, sem nunca inteiramente dar conta, tanto do racional quanto de seus múltiplos outros. Teremos de aprender novamente a sonhar, a pensar e a escrever. Como se isso fosse possível (2005: 9)[19].

E se dermos crédito aos argumentos de Neil Badmington, o pós-humanismo começou a ser gestado já com Marx e Freud (2000: 4). A cibercultura é, nesse sentido, herdeira de diversas questões da modernidade. Elaborar uma cartografia da cibercultura significa também, portanto, desenhar linhas de tempo, paisagens temporais estranhas que conectam épocas distantes e se enraízam no secular projeto tecnológico do Ocidente.

Referências bibliográficas

AUGÉ, Marc. *Não-lugares*: introdução a uma antropologia da supermodernidade. Campinas: Papirus, 1994.

BADMINGNTON, Neil (ed.). *Posthumanism*. Hampshire: Palgrave, 2000.

---

[19] Chama atenção especialmente o título da obra: *Technologics*: Ghosts, the Incalculable, and the Suspension of Animation (ver referência completa na bibliografia final).

BAUMAN, Zygmunt. *O mal-estar da pós-modernidade*. Rio de Janeiro: Jorge Zahar, 1998.

BELL, David; KENNEDY, Barbara (eds.). *The cybercultures reader*. London: Routledge, 2002.

BELL, David. *An introduction to cybercultures*. London: Routledge, 2003.

CONNOR, Steven. *Cultura pós-moderna:* introdução às teorias do contemporâneo. São Paulo: Loyola, 1992.

COYNE, Richard. *Technoromaticism*: digital narrative, holism and the romance of the real. Cambridge: MIT Press, 2001.

FARÍAS, Victor. *La metafísica del arrabal – el tamaño de mi esperanza:* un libro desconocido de Borges. Madrid: Anaya & Mario Muchnik, 1992.

FELINTO, Erick. *A religião das máquinas:* ensaios sobre o imaginário da cibercultura. Porto Alegre: Sulina, 2005.

_____. Posthuman.com: cibercultura e pós-humanismo como temas comunicacionais. In: Anais do XV Encontro Anual da Associação Nacional dos Programas de Pós-graduação em Comunicação, realizado na Unesp Campus Bauru, São Paulo, 2006.

_____. Os computadores também sonham? Para uma teoria da cibercultura como imaginário. In: *INTEXTO*. Revista eletrônica, ed.15. Porto Alegre: UFRGS, 2006b. Disponível em http://www.intexto.ufrgs.br/.

FILK, Christian et al. *Media synaesthetics*: konturen einer physiologischen medienästhetik. Köln: Herbert von Halem, 2004.

FOSTER, Thomas. *The souls of cyberfolk*. Minneapolis: University of Minnesota Press, 2005.

HARAWAY, Donna. Manifesto ciborgue. In: DA SILVA, Tomaz Tadeo (org.). *Antropologia do ciborgue*. Belo Horizonte: Autêntica, 2000.

KOCHHAR-LINDGREN, Gray. *Technologics:* ghosts, the incalculable, and the suspension of animation. New York: Suny Press, 2005.

MACEK, Jakub. Defining cyberculture, 2005. Disponível em: http://macek.czechian.net/defining_cyberculture.htm.

MANOVICH, Lev. *The language of new media*. Cambridge: MIT Press, 2001.

_____. New media from Borges to HTML. In: WARDIP-FRUIN, Noah; MONTFORT, Nick. *The new media reader*. Cambridge: The MIT Press, 2003.

RÜDIGER, Francisco. A desintegração historial vis-à-vis à emergência da cibercultura e do pensamento comunicacional. In: WEBER, M. Helena *et al*. *Tensões e objetos da pesquisa em comunicação*. Porto Alegre: Sulina, 2002.

RUSHKOFF, Douglas. *Cyberia:* life in the trenches of hyperspace. Manchester: Clinamen Press, 2002 [1994].

SANTAELLA, Lucia. *Culturas e artes do pós-humano:* da cultura das mídias à cibercultura. São Paulo: Paulus, 2003.

SFEZ, Lucien. *Crítica da comunicação*. São Paulo: Loyola, 1994.

SHAVIRO, Steven. *Connected, or what it means to live in the network society*. Minneapolis: University of Minnesota Press, 2003.

SIBILIA, Paula. *O homem pós-orgânico:* corpo, subjetividade e tecnologias digitais. Rio de Janeiro: Relume-Dumará, 2002.

SILVER, David. Teaching cyberculture: readings and fieldwork for an emerging topic of study. In: *Computers and texts*. n° 12, jul. 1996. Disponível em: http://users.ox.ac.uk/~ctitext2/publish/comtxt/ct12/silver.html.

SODRÉ, Muniz. *A ficção do tempo:* análise da narrativa de science-fiction. Petrópolis: Vozes, 1973.

TOFTS, Darren. On mutability. In: TOFTS, Darren et al. (orgs.). *Prefiguring cyberculture:* an intellectual history. Cambridge: The MIT Press, 2003.

TURKLE, Sherry. *Life on the screen*. New York: Touchstone 1997 [1995].

TURNER, Fred. *From counterculture to cyberculture:* Stewart Brand, the whole earth and the rise of digital utopianism. Chicago: The University of Chicago Press, 2006.

ZIELISNKI, Siegfried. *Deep time of the media:* toward and archaeology of seeing and hearing by technical means. Cambridge: MIT Press, 2006.

A celebrização do ordinário na TV: democracia radical ou neopopulismo midiático?

*João Freire Filho**

Os "pseudo-eventos humanos", as "vedetes do espetáculo" a que se referiram Daniel Boorstin e Guy Debord, nos anos 1960, cresceram e multiplicaram-se. Hoje, parecem ter o dom da onipresença. Desdobrável, a celebridade contemporânea promove a sua marca em desfiles de moda, feiras náuticas e automobilísticas, pré-estréias, noites de autógrafos, shows, rodeios, festas de caridade ("Faz parte da minha divulgação!", esclareceu, apressada, a cantora Kelly Key (apud Sá, 2004: 53), sites e revistas especializadas, programas de TV e precoces autobiografias. Sua vida, aliás, é sempre um livro aberto – "O melhor exemplo de que vivemos na era das celebridades é Adriane Galisteu. Quando a casa dela é assaltada, primeiro ela chama a *Caras* e, depois, a polícia", caçoou o novelista Silvio de Abreu,

---

* Professor adjunto na Escola de Comunicação da Universidade Federal do Rio de Janeiro, onde é vice-coordenador do Nepcom e coordena a Linha de Mídia e Mediações Socioculturais do Programa de Pós-graduação. É jornalista e doutor em Literatura Brasileira pela Pontifícia Universidade Católica do Rio de Janeiro. Edita a *E-Compós* (Revista da Associação Nacional dos Programas de Pós-graduação em Comunicação). Pesquisador do CNPq, publicou diversos artigos e livros, individuais e em parceria, entre eles: *Comunicação & música popular massiva* (com Jeder Janotti Júnior, Edufba, 2006), *Construções do tempo e do outro: representações e discursos midiáticos sobre a alteridade* (com Paulo Vaz, Rio de Janeiro: Mauad X, 2006) e *Reinvenções da resistência juvenil: os estudos culturais e as micropolíticas do cotidiano* (Rio de Janeiro: Mauad X, 2007).

em entrevista ao *Jornal do Brasil* (Caderno B, 12/01/2002, p. 1). Sempre solícita, Galisteu integrava, meses depois, a lista dos 84 eleitos pelo fotógrafo Rogério Faissal para a exposição *WC: famosos no banheiro*, insuperável amostra da avidez por flagrantes ou encenações da intimidade dos ícones midiáticos.

Quando almejam se distinguir estrategicamente do grosso da concorrência, os veículos da *imprensa séria* se encarregam, eles mesmos, de denunciar os excessos da "era da industrialização da celebridade desprovida de mérito" (*O Globo*, Segundo Caderno, 20/11/2000, p. 1-2), disfarçando, com um riso nervoso, a generalizada cumplicidade editorial com o eterno retorno de "uma lista bem sucinta das mesmas tolices, anunciadas apaixonadamente como novidades importantes", ao passo que "só raramente se anunciam, e com breves pinceladas, as novidades importantes de fato, referentes ao que efetivamente muda" (Debord [1988] 2006: 1600).

Às vezes, o respeitável nome de pensadores e teóricos é invocado em vão, para dar maior credibilidade à *investigação jornalística*: "O que aparece é bom, o que é bom aparece. A máxima sugerida pelo livro *Sociedade do espetáculo* – prognóstico feito pelo francês Guy Debord na década de 60 para um 'tempo que prefere a imagem à coisa, a cópia ao original' – se reveste de atualidade num sonho coletivo: virar celebridade, viver um personagem público", deplorou a *IstoÉ*, numa reportagem especial motivada pelos resultados de uma pesquisa exclusiva: 40% dos 414 entrevistados assumiram a ambição de sair do anonimato! Em presença de dados tão alarmantes, quem poderia recriminar a autora da matéria por ter se confundido, atribuindo a Debord as palavras de Feuerbach, citadas na epígrafe de *A sociedade do espetáculo*? ("Tudo por um flash", 10/12/2003, p. 56-60).

Na verdade, a bombástica pesquisa da *IstoÉ* traz à tona uma revelação nada espantosa, expressão de um desejo aparentemente cada vez mais factível. O traço distintivo da atual "cultura da celebridade" é a magnitude com que ela contempla os homens sem qualidades, sem talentos, sem conquistas, cujo único predicado mais perceptível é a irrestrita disposição para desnudar e exibir sua intimidade nos novos formatos televisivos – os "shows da realidade", que convertem em espetáculo mercadológico espaços domésticos e relações pessoais vinculadas historicamente à esfera privada, mantendo a vida cotidiana de atores não-profissionais sob rigoroso escrutínio e intervenção menos ou mais discreta.

Em sua crítica às celebridades ("pessoas conhecidas por sua notoriedade"), Boorstin ([1961] 1992) enfatizara como a "ação enérgica" dos assessores de imprensa ajudava a projetar na mídia e a manter em evidência as estrelas do cinema, os *entertainers* e os desportistas, apesar da sua falta de "virtudes sólidas".[20] Desde o final do século passado, porém, a televisão se tornou mais proativa na *inseminação artificial da fama*, não se contentando apenas em dirigir os seus holofotes para nomes emergentes em outros domínios. Além de continuar lançando suas bênçãos magnificantes sobre personalidades em ascensão na moda, no esporte e no entretenimento, a TV passou – literalmente – a gerar e gerenciar suas próprias *celebridades instantâneas*, já devidamente formatadas para atuarem como si mesmas num *reality show* e serem ocasionalmente exploradas em outros veículos e empresas do grupo detentor dos direitos do programa.

Os mais otimistas preferem avaliar as mudanças na "cultura da celebridade" como índice de uma democratização tanto no acesso ao espectro televisivo quanto na dinâmica do reconhecimento público. Os *reality shows* nos deixam, de fato, com a impressão de que as portas da mídia estão escancaradas e de que os benefícios da fama – ser identificado como alguém único e importante e, eventualmente, "viver da própria imagem", transcendendo a monotonia do trabalho e do cotidiano plebeus – se encontram, agora, ao alcance das pessoas "normais", comuns, ordinárias. O *frisson* em torno do processo de seleção de candidatos para programas como o *Big Brother Brasil* e o perfil demográfico dos escolhidos (com seu respeito protocolar por padrões mínimos de representatividade racial e regional) ajudam a validar a noção de que a visibilidade midiática (tonificadora da auto-estima, legitimadora da personalidade e validadora da existência) está acessível a todos, sem exceção, rendendo dividendos ainda maiores para os que conseguirem se manter em alta, durante um pouco mais de tempo, no mercado das celebridades (fa-

---

[20] "Dois séculos atrás, quando aparecia um grande homem, as pessoas se indagavam qual a missão que Deus reservara para ele; hoje, nós queremos saber quem é o seu assessor de imprensa. Shakespeare, de maneira análoga, dividia os grandes homens em três classes: aqueles que nascem grandes, aqueles que atingem a grandeza e aqueles a quem se atribui grandeza. Nunca lhe ocorreu mencionar aqueles que contratam *experts* em relações públicas e assessoria de imprensa para fazê-los parecerem grandes" (45).

zendo graça ou servindo de piada em programas humorísticos; aceitando convites para posar sem roupa ou recusando convites para atuar em filmes pornôs; submetendo-se a cirurgias plásticas; namorando pessoas famosas ou separando-se delas...). Àqueles que não foram eleitos para o confinamento voluntário na casa do *BBB* resta, ainda, um consolo: assistir aos seus vídeos de inscrição em outros programas da TV Globo ou do canal Multishow, caso o material enviado se destaque pela estupidez hilária, pelo disparate desopilante.

É tentador encarar a ascendência dos *nouveaux célèbres* como uma espécie de concretização paroxística das teses sobre a notoriedade enunciadas por Machado de Assis, muito antes dos outros teóricos da fama abordados aqui. No conto "A teoria do medalhão" ([1881] 1994), um pai oferece didaticamente ao filho (prestes a completar 22 anos) uns tantos conselhos sobre como se tornar "grande e ilustre, ou pelo menos notável", como se levantar "acima da obscuridade comum" (288). O termo "medalhão" encerra, tal qual registra o *Houaiss*, uma acepção positiva ("indivíduo importante; figura de projeção") e uma conotação menos lisonjeira ("profissional de destaque/ indivíduo posto em posição de destaque, mas sem mérito para tal"). É sobre este último sentido que recai a peculiar ironia machadiana, sugerindo que o requisito essencial para vingar como medalhão é a completa ausência de substância: "Uma vez entrado na carreira, deves pôr todo o cuidado nas idéias que houveres de nutrir para uso alheio e próprio. O melhor será não as ter absolutamente" (289); "Foge a tudo que possa cheirar a reflexão, originalidade, etc., etc." (295). A "compostura" exigida pelo posto não deveria ser confundida com um reflexo ou uma emanação do espírito; guardava apenas uma dimensão superficial, "do corpo, tão-somente do corpo" (289). Imaginação? Jamais – o certo era fazer "correr o boato de que um tal dom é ínfimo" (295). Como o povo tem um faro delicado para distinguir o "medalhão completo" do "medalhão incompleto", era necessário dedicar-se, com afinco, a um "regime debilitante" do intelecto; a um metódico apequenamento do vocabulário e da opinião, reduzindo-os a frases-feitas e clichês incrustados na memória coletiva. O desafio, em síntese, era aprender como "convocar a atenção pública", sem transcender nunca os "limites de uma invejável vulgaridade" (294). Nada de "ações heróicas ou custosas"; para prosperar como medalhão, o mais recomendável era recorrer aos "benefícios da publicidade", gerando e propagando notícias a respeito de si mesmo – um gesto de camaradagem aqui, um acidente de trânsito acolá... Valia a pena, também, ceder à pressão dos amigos interessados em perpetuar suas feições num retrato ou busto, exposto em recinto público. No dia da inauguração, além de parentes, conhecidos e uma ou duas "pessoas de representação", convinha não se esquecer dos repórteres dos jornais; caso algum contratempo os impedisse de comparecer, que mal haveria em que a notícia da festa fosse redigida pelo próprio homenageado? Com tamanha dedicação e certa paciência, chegar-se-ia, afinal, à "terra prometida" da notabilidade:

> Começa nesse dia a tua fase de ornamento indispensável, de figura obrigada, de rótulo. Acabou-se a necessidade de farejar ocasiões, comissões, irmandades; elas virão ter contigo, com o seu ar pesadão e cru de substantivos desadjetivados, e tu serás o adjetivo dessas orações opacas, o *odorífero* das flores, o *anilado* dos céus, o *prestimoso* dos cidadãos, o *noticioso* e *suculento* dos relatórios (294).

A abordagem ficcional de Machado de Assis (toda estruturada na forma de diálogos) reduz a pó as idealizações a propósito da existência, no passado, de uma perfeita e necessária harmonia entre reconhecimento público e merecimento superior. Sua exposição pormenorizada das estratégias de conquista de prestígio social no Império evidencia as possibilidades subjacentes, em antigos sistemas de distinção, para o triunfo da mediocridade, a consagração da "inópia mental". A obsessão contemporânea com a imagem se equipara, no universo da crítica machadiana, à preocupação com a paramentação retórica, igualmente oca e destinada ao impacto imediato ("um jorro súbito de sol"), embora o escritor já faça referência ao fenômeno, vastamente discutido hoje em dia, da articulação somática da subjetividade, da exibição epidérmica de *valores interiores* no *outdoor* do "corpo, tão-somente do corpo".

A julgar pela cartilha da autopromoção imperial, vulgaridade e inépcia eram atributos que precisavam ser sistematicamente cultivados pelo candidato a figurão; nas novas celebridades, tais características parecem aflorar de modo mais espontâneo. Não podemos esquecer, todavia, da suspeita angustiante que paira rotineiramente sobre as disputas do *Big Brother Brasil*: estaria algum dos participantes afetando exagerada caipirice, tentando parecer ainda mais jeca do que efetivamente é, realçando artificialmente a própria boçalidade, como uma forma matreira de angariar a simpatia ou cumplicidade da audiência?

A sensação de continuidade entre os dois períodos abordados não deve induzir, porém, ao erro de um juízo anti-histórico. No microcosmo dramatizado por Machado de Assis, o manejo da "imagem pública", orientado pela astúcia paterna, se servia da imprensa e de certas estratégias de vulgarização visando tanto à conquista da notoriedade quanto da respeitabilidade no âmbito mais restrito das altas rodas política e social, com suas regras peculiares de aferição da distinção e monitoramento das aparências; na conjuntura atual, a fabricação de uma "imagem para o público", norteada pela mídia com base em parâmetros ainda mais abismais de mediocrização, almeja à celebridade maciça, não necessariamente acompanhada da respeitabilidade.

Diante da excepcional banalidade das "novas vedetes" dos *reality shows*, Jean Baudrillard vislumbra o espectro de uma "democracia radical". A expressão é empregada em *Telemorfose* (2004) de maneira sarcástica e desencantada, sem vestígios da inflexão positiva e esperançosa com que ascendeu na ciência política nos anos 1980, como proposta teórica de aprofundamento das "democracias convencionais" — isto é, de reformulação dos sistemas de competição representativa, através da construção de uma prática política compromissada com a participação mais ampla dos indivíduos nas tomadas de decisão de interesse público. No terreno da crítica pós-marxista, as apropriações da noção de "democracia radical e plural" notabilizada por Ernesto Laclau e Chantal Mouffe abarcam tanto a aspiração de uma radicalização de ideais e valores presentes, mas não desenvolvidos, no capitalismo liberal quanto de extensão das lutas democráticas para um campo de relações de opressão e exploração negligenciadas pela ortodoxia marxista (Laclau e Mouffe 1985; Mouffe 1988, 1990, 1992). Já na formulação antiutópica de Baudrillard, o conceito de "democracia radical" aparece como sinônimo de uma extrema *desonra ao mérito*, sustentada pelo fim de todo critério de valoração; em outras palavras, trata-se da "ilusão democrática" elevada a seu mais alto grau: "o da exaltação máxima por uma qualificação mínima" (39).

A concepção baudrillardiana de "democracia radical" se presta muito facilmente a interpretações mais literais e conservadoras, condizentes com o asco aristocrático do compatriota Baudelaire ([1856] 1990) diante da "zoocracia" americana ("tirania das bestas") e os protestos de Ortega y Gasset ([1926] 1987) contra a revolução da vulgaridade na "hiperdemocracia", o regime político em que massas (outrora conhecedoras de seu papel numa "saudável dinâmica social") se tornavam protagonistas, passando a impor suas aspirações e seus gostos. Mesmo quando respeitada ao máximo sua modulação irônica, não deixa de ser inquietante a falta de cerimônia com que a análise de Baudrillard reifica a audiência dos *reality shows*, rechaçando *a priori* – com impaciente desprezo – as investigações em profundidade das forças ideológicas, econômicas e políticas que operam na fabricação e disseminação daqueles artefatos midiáticos e moldam as condições sociais e históricas da sua recepção.

Tal niilismo hermenêutico é problemático, a meu ver, na medida em que nos impede de avaliar de que forma a construção ideológica e a mediação discursiva da *celebridade* (como espetáculo, como mercadoria) vêm sendo conduzidas e capitalizadas pela televisão – o principal espaço midiático de consagração, responsável por instaurar ou revalidar precários critérios de "qualidade", "competência", "merecimento", amiúde tratados com subserviência ou reverência em múltiplas esferas sociais (a contingência mercadológica alçada à regra áurea do juízo moral, ético e estético...).

Em vez de democracia radical, creio que a noção de *neopopulismo televisivo* é mais apropriada para avançarmos no entendimento da voga dos novos formatos, incluindo a sua intrigante *celebrização do ordinário* (em que a fama é vendida como uma expectativa universal). Na esfera das ciências sociais, *populismo* remete, em linhas muito gerais, a uma estratégia de mobilização das massas e de restauração da "soberania popular" caracterizada por um estilo de comunicação e uma retórica política altamente emocional, visceral; soluções simplistas são apresentadas para problemas complexos, numa linguagem acessível que apela para o bom-senso do povo e denuncia o intelectualismo das classes dominantes. No campo das políticas públicas, governantes carismáticos tendem a privilegiar iniciativas oportunistas que visam à pronta satisfação do eleitor, em detrimento de ações administrativas mais ponderadas e eficazes, a longo prazo. Com base na premissa de que a prática política deve ser a imediata expressão da vontade geral do povo, são favorecidas modalidades mais diretas de democracia, como referendos e plebiscitos, no lugar dos convencionais arranjos institucionais intermediários e representativos.

O objetivo final de todo projeto populista é, como se sabe, forjar uma imediata identidade entre o governante e a vontade essencial do povo. Mas quem constitui "o povo", afinal, para os populistas? Conceituado como uma formação homogênea e indivisível, como um corpo coletivo portador de anseios, opiniões e interesses transparentes e comuns, o povo ora é identificado, em termos socioeconômicos, como a classe trabalhadora, ora é definido, de um ponto de vista etnológico, como o segmento que melhor preserva o espírito e a unidade da raça ou da nação. O monolítico perfil populista do *povo* determina os antagonistas a serem combatidos: o grande poder econômico, a elite cultural, os estrangeiros, as minorias, entre outros.

Conforme observa Mudde (2004: 546), os populistas clamam expressar a voz dos oprimidos, a quem prometem emancipar, tornando-os cientes da sua opressão, sem mudar, no entanto, os seus valores ou seu "modo de vida" tradicionais. Neste ponto, diferem dos socialistas clássicos, preocupados em reeducar e elevar os trabalhadores, a fim de libertá-los de sua "falsa consciência". Para os populistas, ao contrário, a consciência do povo, geralmente denominada "senso comum", é a base de toda boa gestão política.

Manifestações da ideologia populista pontuam toda a história da nossa televisão, marcada pelo predomínio do sistema privado e pela inexistência de uma cultura de TV pública (Freire Filho, 2004, 2005, 2006). Não se pode aplicar ao nosso contexto, sem restrições, a divisão conceitual entre *paleo* e *neotelevisão*, adotada por acadêmicos europeus em reposta à introdução dos canais comerciais e às pressões políticas e mercadológicas impingidas pelo novo ambiente regulador neoliberal às tradicionais emissoras públicas (Freire Filho, 2007a). Mesmo no caso da indústria televisiva brasileira, é possível distinguir, porém, um redesenho dos discursos e das práticas populistas. A emergência do *neopopulismo*, no fim dos anos 1990, está vinculada às novas estratégias de incorporação das demandas e da presença do telespectador comum, enaltecido como astro e co-produtor interativo dos novos formatos.

Ao público supostamente enfadado de apenas ratificar, com o indefectível bordão "Ele merece! Ele merece!", o parecer dos jurados dos *shows* de calouros foram oferecidas possibilidades mais diretas de intervenção. As mudanças na estrutura do *reality show* musical *Fama* resumem bem o *Zeitgeist* neopopulista: após o insucesso relativo das duas primeiras edições (cujos candidatos a cantores profissionais não escaparam, em regra, da obscuridade), a TV Globo decidiu reforçar, em 2004, a integração da audiência com o caça-talentos. A principal medida implementada foi "um aumento significativo na participação do público": caberia aos telespectadores, e não mais a um júri especializado, avaliar e eliminar os participantes, por intermédio do telefone e da internet – "A opinião de jurados nem sempre combina com a do público, já que eles vêem aspectos mais técnicos, e os telespectadores votam baseados na emoção, na empatia com os concorrentes. Com o voto popular, o objetivo é criar uma identidade maior com o programa", explicou Boninho, diretor da "academia musical" onde postulantes ao estrelato residem, fazem aulas de canto e dança e sentem saudade de casa ("Globo tenta levantar carreira de 'Fama'". *Folha de S. Paulo*, Ilustrada, 30/05/2004, p. 3).

O *sistema eleitoral* já era usado, com estupendo sucesso comercial, no similar *American Idol*, exibido no Brasil pelo canal pago Sony (onde se consolidara como o programa mais assistido pelo público de 18 a 49 anos, no horário das 20h). "Mais do que um programa de calouros, a idéia é que a série funcione como o grupo de discussão mais público do mundo, espécie de teste para descobrir que cantores se saem melhor junto à audiência", comentou Kate Aurthur, no *New York Times*. Revoltada com os palpites infelizes dos telespectadores, a colunista de TV norte-americana propunha que se permitisse aos jurados não somente opinar, mas também proteger candidatos contra as eventuais injustiças do "voto popular":

> Afinal, por que *American Idol* deixa seu destino nas mãos do público? Quem são essas pessoas e em que baseiam seus votos? Serão conhecedores de música? Fãs votando pelo participante com quem compartilham uma cidade natal? Meninas de 12 anos encantadas com um concorrente? ("Público 'toma controle' de *American Idol*". *Folha de S. Paulo*, Ilustrada, 30/05/2004, p. 3).

Seguindo um *script* previsível, a "crítica cultural" nativa também lastimou a consolidação do imprudente gosto das massas como timoneiro dos destinos da programação. Em suas aparições ao vivo, Pedro Bial (mestre de cerimônias de todas as edições do *BBB*) desdenhou, vez ou outra, desta indignação intelectual, deixando no ar insinuações sutis de esnobismo ou hipocrisia – ou, como se diria no idioma de Bourdieu, de ostentação meramente especulativa de "capital cultural".

A CELEBRIZAÇÃO DO ORDINÁRIO NA TV:
DEMOCRACIA RADICAL OU NEOPOPULISMO MIDIÁTICO?

Com suas insondáveis cotas de sinceridade e embuste, as convencionais exaltações do *gosto ilustrado ferido* mais mistificam do que esclarecem o fenômeno do *neopopulismo televisivo*. Basta examinar "os títulos" da supracitada matéria do *New York Times* ("Televisão; um excesso de democracia", na versão original em inglês; "Público 'toma controle' de *American Idol*", na livre tradução da *Folha*), para sentir os ecos do mais poderoso mantra ideológico da nova ordem midiática. Tanto os seus detratores quanto os seus defensores mais convictos agem como se acreditassem que o público assumiu soberanamente o controle do conteúdo da programação – sem qualquer dirigismo, sem a intervenção indesejável (ou a oposição almejada) de nenhuma força extramercado.

Aberto às mais imaginativas interpretações e manipulações, o elusivo fenômeno do *neopopulismo televisivo* se consubstancia de duas formas: em primeiro lugar, através da já aludida ascensão à ribalta televisiva de pessoas anônimas (destituídas de conhecimentos legitimados, feitos heróicos ou aptidões artísticas), acolhidas em sua condição ordinária. Ao contrário do que ocorria predominantemente nos programas 'mundo-cão' estabelecidos nos anos 1970 (e revividos em pleno *horário nobre*, com grande estardalhaço, no final da década de 1990, sob o comando de Gilberto "Leão" Barros e Carlos "Ratinho" Massa), não é mais obrigatório exibir deformidades físicas ou prantear misérias econômicas extraordinárias para figurar diante das câmeras; a encenação do grotesco (sempre sujeita a imprevistos, desordens, referências às "injustiças sociais" e ameaças de censura) cede espaço, nos novos *talk shows*, à revelação bem-comportada de histórias de vida, à discussão mais razoavelmente comedida de atribulações pessoais e relacionamentos humanos.

Programas como *Casos de Família* (exibido a partir de maio de 2004 pelo SBT, de segunda a sexta-feira, às 16h30m) e *Encontro Marcado* (exibido a partir de agosto de 2005 pela Rede TV, de segunda a sexta-feira, às19h) não pretendem cumprir o papel de assistente social ou pronto-socorro; constituem uma simulação de consultório emocional, onde o apresentador e o psicólogo de estúdio (*expert* que veio ocupar o lugar dos advogados e médicos tão assíduos em *O Povo na TV*, *Ratinho Livre* e adjacências) distribuem conselhos pontuais sobre como lidar com sentimentos, perdas, fracassos e frustrações, sempre em consonância com a sensibilidade terapêutica e o *ethôs* da auto-ajuda da governamentalidade neoliberal – busca do autoconhecimento, reforço da auto-estima, pensamento positivo, responsabilidade individual e bem-estar pessoal (Freire Filho, 2007b).[21]

No entendimento de alguns pesquisadores (Gamson, 1999; Livingstone e Lunt, 1994; Shattuc, 1994), os novos *talk shows* legitimam a voz do "cidadão comum", promovendo um incremento da possibilidade, da confiança e

---

[21] Em sua home page, *Casos de Família* ("um novo conceito na discussão de temas do cotidiano") é anunciado como "um talk show diferente que retrata a vida de cidadãos comuns com realidade e sensibilidade. Diariamente, o programa traz temas do cotidiano que vão ressaltar as emoções dos participantes presentes no palco, da platéia convidada e dos telespectadores que estão em casa, resgatando valores sem apelar para provocações ou escândalos. Os protagonistas de cada uma das histórias relatadas, (sic) são pessoas anônimas que revelam seus sentimentos com sinceridade e verdade. Além dos convidados, a platéia também participa ativamente do programa com opiniões e perguntas sobre as histórias relatadas. A intenção é orientar e até mesmo solucionar os casos apresentados contando com a participação de um profissional especializado em comportamento. A experiente jornalista Regina Volpato *[ex-âncora do canal de notícias Band News]* conduz o bate-papo com uma postura sóbria e imparcial. Usando o bom senso, ela opina, interage com a platéia e conversa sobre os casos com o especialista convidado pelo programa" (http://www.sbt.com.br/casos_familia/programa/). Já o apresentador Luiz Gasparetto — "espiritualista e terapeuta" — define, nos seguintes termos, a sua função em *Encontro Marcado*: "O que posso dizer é que sou alguém chamando a sua atenção para os tesouros que existem no seu interior; sou talvez o amigo que lhe dá ferramentas úteis para você enxergar dentro de si; um amigo que torce por você e sabe que quanto mais você melhorar, mais próspero o ambiente se tornará para todos usufruírem dele. Nada do que digo me pertence, embora tenha minha forma particular de dizer. O conhecimento pertence a todos. É a prática que prova a veracidade das idéias. Acredito que todo real problema que alguém possa ter, (sic) reside no fato de não saber usar as ferramentas que a natureza lhe deu. Não existem defeitos nos homens. O que existe é ignorância em usar os próprios atributos. Acredito que se alguém pode fazer algo por você, é você mesmo e que a minha ou qualquer outra ajuda pode ser fundamental, mas nunca definitiva. A minha idéia é armá-lo de recursos para que você seja o seu próprio instrutor e se auto-ajude, optando por educar-se pela inteligência, deixando de lado o aprendizado pela dor. Seja inteligente. Desenvolva o seu próprio mestre interior. Você é o grande laboratório e arquiteto da sua vida. Nela, só você pode saber o que é verdade ou não, o que serve ou não, o que realmente acontece com você. Estudar esses assuntos pode ser um processo de mudança, muitas vezes, radical da sua experiência. Não é meu interesse cavocar (sic) feridas e traumas de infância e nem de vidas passadas, não quero dar valor ao lixo que você acumulou, mas valorizar e ampliar suas aptidões e virtudes, favorecendo a auto-ajuda" (http://www.redetv.com.br/siteredetv/grupos/programas/encontromarcado/index.htm).

da competência de expressão de indivíduos de classe social, raça, gênero e *background* cultural reputados como inferiores. Ao desestabilizarem o papel do *expert* como a única autoridade aceitável no debate público, contribuíram na mudança da visão habermasiana da mídia como o domínio de uma elite política para um modelo de negociação entre diversos públicos. Baseados em entrevistas com a platéia e os telespectadores de uma gama variada de *talk shows* (de Phil Donohue a Oprah Winfrey), Livingstone e Lunt (1994), argumentam, por exemplo, que os "programas participativos" (nos quais se turvam as fronteiras consagradas pelos noticiários entre narradores, tema e público) adotam uma "posição antielitista" (102), enfraquecendo o *ethôs* patriarcal iluminista e a autoridade da televisão; em seu lugar, o indivíduo comum e suas experiências são valorizados como a informação mais válida e autêntica.

Invertendo a máxima de Gramsci, diria que é preciso muito "otimismo da razão" para enxergar um efetivo potencial *empoderador* ou emancipatório no autodesvelamento induzido e conduzido por *talk shows* como *Casos de Família*, *Encontro Marcado* e congêneres internacionais, que empacotam e vendem "sentimentos autênticos" e "confissões emotivas". A atuação neste formato de programa é pré-moldada e regida pela classificação prévia do drama particular a ser debatido ("Ela sai com ele mesmo sabendo que ele tem outra"; "Tenho medo que minha filha engravide de novo"; "Meu marido se comporta como um general"; "Ela é viciada em TV"; "Ela não sai do salão de beleza"; "Minha mãe atrapalha meu casamento"; "Só me envolvo com homens problemáticos", "Meu filho não me respeita"; "O ciúme destrói minha vida"; "Crises de tensão pré-menstrual"; "Minha família não aceita o meu trabalho"; "O ex-marido dela está sempre por perto"...) e pela categorização dos participantes sob rótulos supinamente estereotipados (a esposa "possessiva", "gastadora", "relapsa", "frígida" ou "superexigente"; o marido "infiel", "avaro", "beberrão" ou "superexigente"; a "viúva melancólica"; a "desquitada desiludida do amor"; a sogra "intrometida" ou "incompreendida"; o filho "rebelde", "ingrato", "acomodado", "hiperativo" ou "ermitão", e por aí vai).

Nesses fóruns – nos quais o determinismo emocional eclipsa a causalidade econômica –, "traumas", "manias" e "complexos" psicológicos suplantam ou redefinem discursivamente questões e conflitos sociais como sexismo, racismo, falta de moradia, educação e trabalho. Na seleção comercialmente criteriosa das histórias de vida a serem relatadas (sob a orientação e o enquadramento complacente, mas cuidadoso, do anfitrião), privilegiam-se experiências pessoais capazes de despertar o interesse e a identificação cúmplice ou condolente do público, graças ao seu caráter individual e autêntico e, ao mesmo tempo, modelar e representativo. Em *Casos de Família*, a palavra final, ainda que breve, fica sempre destinada à apresentadora ou ao "especialista em comportamento", encarregados de recompor, com um pouco mais de coerência argumentativa, as falas ordinárias anteriores, e de sintetizar as soluções individuais para "melhorar a vida" dos participantes – sem parecerem demasiadamente professorais ou sentenciosos em seus aconselhamentos.

Os novos *talk shows* faturam em cima dos presumidos déficits afetivos ou emocionais da audiência, ancorados numa estrutura de produção de baixíssimo custo – afinal, o seu elenco de estrelas é composto por atores amadores, cuja performance, ainda por cima, dispensa cenários requintados. Embora conte com "gente como a gente" no palco e na platéia do estúdio, falta a este formato de programa outro apelo característico do neopopulismo televisivo: a *interatividade*, alardeado clímax da construção do envolvimento ativo entre as pessoas comuns fora da tela e a esfera catódica. Conjugada com velhas e novas tecnologias, a televisão supostamente deixa de lado a "pureza unilateral" da sua comunicação (Debord, [1988] 2006: 1596), para se tornar a plataforma democrática de múltiplos diálogos, colaborações e inter-relações, restituindo ao antigo pólo receptor a condição plena de sujeito.

Para Tincknell e Raghuram (2002), a emergência da *interatividade televisiva* demanda uma completa revisão do conceito de *receptor ativo*, elaborado na esfera dos estudos culturais com base em contínuas e distintas aplicações do modelo "codificação/decodificação" de Stuart Hall. A fim de salientar que a decodificação das mensagens dos meios de comunicação de massa não é homogênea, Hall (1980) havia esboçado três "posições hipotéticas" a partir das quais a leitura do discurso televisivo poderia ser construída:
a) a *posição "dominante-hegemônica"* (o telespectador se apropria, de forma direta e integral, do sentido conotativo de um determinado programa e decodifica a mensagem nos termos do código de referência em que ela foi

codificada, harmonizando-se, assim, com a "leitura preferencial" configurada pelos profissionais da mídia); b) a *posição "negociada"* (mistura de elementos adaptativos e oposicionistas, esta posição reconhece – num plano geral e abstrato – a legitimidade das definições dominantes dos acontecimentos, reservando-se, entretanto, o direito de flexioná-las – em casos restritos e localizados – para acomodá-las aos seus interesses mais *corporativos*); c) a *posição "oposicionista"* (o telespectador compreende as inflexões literal e conotativa de um discurso, mas decodifica a mensagem de forma totalmente contrária, dentro de um quadro de referência alternativo).

O objetivo de Hall (1994: 260) era, em suas próprias palavras, delinear um modelo de circuito comunicativo que não fosse "determinista" e nem tampouco "sem determinação" – ou seja, que não hipertrofiasse ou negligenciasse o poder daqueles que detêm o controle dos "aparatos de significação do mundo". No plano da codificação da mensagem, seu esquema enfatiza, sobretudo, as maneiras mediante as quais as instituições midiáticas buscam granjear consentimento para leituras efetuadas dentro da ideologia dominante. No que concerne ao momento da decodificação, Hall sustenta que a "leitura negociada" é, provavelmente, a postura majoritária na sociedade; conceituada como atípica, a "decodificação oposicionista" é abordada, apenas, no último parágrafo de seu ensaio seminal – para o autor, uma leitura contestatória só pode ser alcançada, de forma plena, quando nos tornamos "sujeitos revolucionários", inteiramente autoconscientes e esquematicamente organizados (idem: 263).

Distanciando-se das teorias mais implacáveis da manipulação ideológica, o modelo da codificação/decodificação livrava a audiência das garras asfixiantes do determinismo midiático; todavia, no âmbito das preocupações pós-estruturalistas com o "livre jogo dos significantes", a indicação de três posições de decodificação figurava como uma tentativa de impor uma ordem excessivamente restritiva nos processos mais abertos, flexíveis de construção de sentido (Tudor, 1999: 130). O relativismo cultural e as indeterminações estruturais pós-modernas, somadas à institucionalização dos *cult studs* nas universidades estadunidenses nos anos 1980, concorreram para o incremento de modalidades mais extremas de celebração da capacidade de as subculturas, os grupos inferiorizados e, posteriormente, o cidadão (consumidor) comum rejeitarem as definições e categorias normativas promovidas pelas culturas da mídia e do consumo, produzindo sentidos divergentes e oposicionistas até dos bens mais espúrios.

Todavia, mesmo nas derivações mais populistas dos estudos culturais anglo-americanos, o texto persiste como o determinante primário do significado:

> De fato, a idéia da audiência ativa permaneceu alicerçada no pressuposto de que a atividade se constitui num engajamento intelectual *com* um texto, em vez de uma intervenção *em* um texto, envolvendo a recusa de significados dominantes e a produção de significados novos e oposicionistas. Tal interação era, portanto, entendida primeiramente como tendo lugar no momento da recepção, de modo que quaisquer mudanças em seus significados eram produzidas num nível extrínseco, em vez de ocorrer em seus constituintes formais. E na medida em que a "audiência" era conceituada como estando em casa, sentada no sofá, em vez de em outro lugar qualquer, a localização da produção de tais textos permanecia separada da localização da sua recepção. Não importa quão ativa a audiência pudesse ter sido em sua resposta ao e na produção de sentidos sobre o texto, ela não podia intervir nele (Tincknell e Raghuram, 2002: 200).

Os artefatos midiáticos interativos prometem alongar, por sua vez, o raio de ação da audiência – tecnologicamente dotada, agora, da estimada capacidade de influenciar, quase de forma imediata, o desenvolvimento das "tramas" ou "histórias" dos *reality shows*, inserindo-se ativamente, assim, no processo produtivo do conteúdo ou do texto televisivo.

No caso do infatigável *Big Brother Brasil*, as formas de interação idealizadas pelas organizações Globo incentivam a audiência a intervir nos rumos do programa, agindo basicamente de duas maneiras: a) decidindo qual entre duas tarefas semanais ridículas e/ou desconfortáveis será imposta aos confinados (usar nariz de palhaço, orelhas de burro, bigodes de português ou pajear animais imaginários...); b) votando pela eliminação semanal de um concorrente e pela consagração final daquele *brother* com melhor desempenho midiático – isto é, com maior capacidade para provocar atrito, libido, compaixão e/ou humor (ainda que involuntário) e com maior competência para encarar, com aparente "espontaneidade" e "autenticidade", a vigilância ininterrupta das câmeras.

A despeito da aura democrática radical do *BBB*, o processo de seleção dos competidores não conta com qualquer interferência popular direta. Trata-se de uma etapa essencial do desenvolvimento deste tipo programa, conforme ratifica Peter Bazalgette, manda-chuva da progenitora holandesa Endemol: "Há três fatores cruciais na produção do *Big Brother*: escolha do elenco, escolha do elenco, escolha do elenco" (Bazalgette, 2005: 152). No Brasil, a definição do *casting* ocorre após várias etapas de entrevistas com candidatos supostamente pinçados a partir dos vídeos de inscrição; testada em 2005 e 2006, a idéia de permitir o ingresso aleatório de dois participantes, por meio de sorteio de cupons pagos, foi descartada em 2007. A fim de assegurar o conflito dramático, os alívios cômicos, a atmosfera de romance e a ocorrência de tensões sexuais, não podem faltar, no agrupamento dos enclausurados, um competidor de temperamento mais irascível ("a *barraqueira*"), outro de índole notadamente simplória ("o/a caipira"), um sujeito metido a gaiato, além dos protótipos de galã e musa. Embora o rol dos escolhidos contemple classes, gêneros, raças e, mais esporadicamente, orientações sexuais distintas, tal diversidade social se converte apenas em ingredientes do desempenho midiático dos competidores – "O concorrente da classe trabalhadora vence porque não parece inteligente o suficiente para ser dissimulado; o homossexual vence porque incorpora honestidade emocional" (Wayne, 2003: 152). Para o público, o *ecumenismo social* no *Big Brother* funciona, portanto, de maneira contraditória: por um lado, o programa oferece múltiplos pontos de identificação; por outro, encoraja a conversão da base social e política para aquela identificação num julgamento da performance midiática individual.

A edição de 2007 do *BBB* evidenciou a preferência da produção por jovens de espírito festivo ("os *baladeiros*"), um tipo ou uma personalidade mais gabaritada para galvanizar outros jovens (segmento mais instável do público consumidor, de acordo com os especialistas em marketing), além de uma vasta fatia do público situada numa faixa etária superior. Se as celebridades existem para representar os estilos de vidas e as qualidades humanas admissíveis e cobiçáveis, conforme argumentou Debord ([1967] 2006), nada mais lógico que elas sejam majoritária e exuberantemente jovens, dentro de uma sociedade que cultua, com fervor, o ideal da juventude (seus padrões corporais, de beleza e de moda) – uma obsessão expressa, em inglês, por neologismos como *kidult, adultescent* (eleita pelos editores do *Webster New World College Dictionary* "a palavra do ano de 2004"), *rejuvenile, grup*, entre outros termos que servem para rotular os indivíduos de meia-idade que continuam atrelados a tendências, gostos, comportamentos, atividades e artefatos da "cultura juvenil". Profissionais de marketing da indústria do entretenimento logo se aperceberam das vantagens de ajustar as campanhas promocionais de produtos normalmente associados aos jovens para cativar também o novo e rentável mercado *imaturescente*:

> Programas de televisão e filmes de ação contínua e comédia grosseira estão atraindo, agora, não apenas o seu usual público jovem, mas igualmente mães, pais e profissionais que mimam a sua criança interior. Jogos e linhas de roupa estão revelando também este apelo mais amplo, deixando Peter Pan orgulhoso (http://www.encyclopedia.com/doc/1G1-124859479.html).

É difícil exagerar, a propósito, a importância mercadológica de um *reality show* como o nosso jovial *Big Brother*, cujo vasto potencial econômico se fundamenta na capacidade de explorar a convergência das suas diferentes mídias de transmissão (televisão aberta, televisão paga, *pay-per-view*, internet e telefonia celular) e na vocação para criar novas fontes de receita, para além da tradicional venda de espaço publicitário.

Ao longo dos seus aproximadamente três meses de duração, o *Big Brother Brasil* se multiplica em vários produtos derivados. Na própria TV, são exibidos o *BBB Só Para Maiores*, nas madrugadas da Globo, e o *Eliminação BBB*, no canal Multishow. O *site* oficial (hospedado no portal Globo.com) contém descrições freqüentemente atualizadas dos acontecimentos dentro da casa (ilustradas por fotografias e vídeos), os diários dos competidores, enquetes e salas de bate-papo para os fãs, além da possibilidade de acesso à versão ao vivo do programa, com duas câmeras não disponibilizadas pelo *pay-per-view*. Segundo Campanella (2007), o aumento na afluência ao portal Globo.com incitada pelo *Big Brother* é uma das grandes apostas comerciais do conglomerado de mídia:

> Estratégias bem-sucedidas, como a vinculação da criação de uma conta de e-mail no portal Globo.com para que se possa enviar uma fita de

testes para participar do Big Brother, ou a possibilidade do fã do programa ter um *link* de seu *blog* selecionado para fazer parte do *site* oficial do *reality show*, desde que este *blog* esteja hospedado na ferramenta de *blogs* 8P – que faz parte da Globo.com –, demonstram uma preocupação do grupo em aproveitar a popularidade do programa para aumentar o acesso do público ao seu portal.

Paralelamente à integração do consumidor, o *Big Brother* também propicia a intensa incorporação do anunciante em seu conteúdo. Através dos testes de memória, resistência e sorte, os participantes do programa não disputam apenas posições hierárquicas dentro da casa ("líder da semana" ou "anjo"), mas também prêmios ofertados pelos patrocinadores (televisões, aparelhos de som, computadores, carros etc.).[22] Eventos especiais como sessões de embelezamento, esquetes teatrais e *shows* de música ajudam a divulgar cosméticos e artistas nacionais e estrangeiros; não raro, as atrações exibidas pertencem à própria Globo ou a empresas e profissionais vinculados ao grupo de mídia. Até a decoração interna da casa do *BBB* é comercialmente estruturada – enquanto edições anteriores do programa tiveram os móveis fornecidos por empresas interessadas em expor e vender o seu estoque, a edição de 2007 se concentrou na divulgação de produtos do próprio grupo Globo: um dos quartos temáticos dos competidores, por exemplo, foi inspirado no ambiente rústico de *Dois Filhos de Francisco*, co-produzido pela Globo Filmes. "Como conseqüência", observa

---

[22] Após adivinhar o peso de uma sacola de alimentos, Sammy, competidor do *Big Brother Brasil 5*, foi presenteado com uma franquia do Bon Grillê (a maior rede de *fast food* de grelhados do país), numa ação de *merchandising* que custou R$ 700 mil (incluindo a loja). Na opinião de especialistas em franchising, a escolha de um franqueado de forma aleatória em rede nacional contribuíra para difundir o conceito equivocado de que franquia é um "negócio garantido", que pode ser administrado por "qualquer um". Para o diretor do Bon Grillê, no entanto, a iniciativa comercial foi um sucesso: "Queríamos uma idéia de impacto, para tornar a marca e o instituto da franquia mais conhecidos no Brasil. Sammy vai receber treinamentos, vamos ajudá-lo. Nos primeiros seis meses, vamos fazer a gestão para ele" ("Bon Grillê oferece loja franqueada no 'BBB5'", *Folha de S. Paulo*, Negócios, 20/03/2005, p. 28).

Campanella (2007), "a rotina dos participantes do Big Brother se mistura a um *merchandising* contínuo, ao qual a audiência não tem como escapar".[23]

A presença e o fluxo incessante de novidades do mercado e as provas semanais baseadas em palpites sobre os preços promocionais de utensílios das lojas anunciantes – objetos de desejos extasiados e colóquios eufóricos – nos levam, também, a relativizar um dos *tópos* do discurso dos produtores do *reality show*: os participantes do programa não estão, como se papagueia a todo instante, inteiramente afastados de qualquer estímulo ou notícia do "mundo exterior", isolados de todo contato com a "vida lá fora". A circulação e a celebração contínua dos valores e dos artefatos da cultura do consumo não são apenas bem-aceitas no interior da casa do *BBB*, como constituem a essência do dia-a-dia dos participantes do programa, ancorado na competição ostensiva por dinheiro e celebridade e em relações de amor ou camaradagem instrumentais, voltadas estrategicamente para os mesmos fins; em discussões sobre as mercadorias em trânsito e as aquisições que serão permitidas com a fama vindoura; além da exposição propagandística de dotes corporais à beira da piscina, na academia de ginástica e no ofurô.

Como se não bastasse o possante e oniforme *merchandising* veiculado na TV Globo, o *tecnoespetáculo* do *BBB* gera ainda inúmeras fontes alternativas de receita por intermédio da venda da versão 24 horas em *pay-per-view* (condicionada, por sua vez, à compra de algum pacote da NET), da comercialização de espaço publicitário no site oficial e no canal Multishow (realizada de forma independente dos contratos fechados pela TV Globo), da participação no montante arrecadado com ligações e mensagens de tex-

---

[23] Em 2004, o *Big Brother Brasil* dividia com *Celebridade*, novela das oito da época, o título de campeão de *merchandisings* da Globo. Uma pesquisa do Datafolha (realizada com 628 pessoas em São Paulo) revelou, porém, que para os anunciantes interessados em ações comerciais dentro dos próprios programas o *reality show* era mais eficaz do que o folhetim, tanto no que se refere à taxa de retenção quanto à taxa de lembrança (ou "*recall*") das propagandas. "Aparentemente, o 'Big Brother' é mais eficiente porque na novela o merchandising se perde na ficção, fica camuflado. No 'BBB', ele é bem mais explícito", especulou Alessandro Janoni, diretor de produtos do Datafolha ("'BBB' é mais eficiente do que 'Celebridade'", *Folha de S. Paulo*, Ilustrada, 24/04/2004, p. 12).

to da audiência (através de parcerias firmadas com operadoras de telefonia celular e fixa), do licenciamento de produtos, como o jogo para computador Big Brother Brasil, e da venda de roupas, acessórios e utensílios domésticos (camisetas; bonés; bolsas; *nécessaires*; mochila; avental; faqueiro; copo; caneca) com a marca do programa, encontráveis na Loja BBB do site oficial.

Tal qual resumiu, com perspicácia, Wayne (2003: 147): "Televisão interativa significa essencialmente várias companhias interagindo com o bolso do público". Os níveis de vigilância e manipulação da audiência são planejados cuidadosamente, conforme admitiu Chris Short, chefe dos serviços interativos da Endemol: "Nós estamos tentando ficar cada vez mais hábeis na maneira como movemos o nosso público de uma plataforma para outra" (idem, ibidem).

Não se pode desprezar, ainda, o potencial comercial das celebridades fabricadas *ex nihilo* por um *reality show* como o *BBB*, utilizadas estrategicamente para elevar os índices de audiência de programas de auditório e outras atrações da TV Globo – numa maratona de exploração da fama repentina que inclui, também, bate-papos obrigatórios no *chat* da Globo.com e eventuais sessões de fotos eróticas no site Paparazzo. Os mais midiaticamente talentosos são aproveitados como repórter, apresentador ou ator, corroborando a tese de Debord ([1988] 2006: 1599) sobre o "arremedo do fim da divisão do trabalho" dentro de um movimento geral de desaparecimento de toda competência genuína:

> Quando a posse de um "status midiático" adquire importância infinitamente maior do que o valor daquilo que se é capaz realmente de fazer, é normal que este status seja transferível com facilidade e confira o direito de brilhar, da mesma maneira, em qualquer lugar.

Além da TV Globo, outras emissoras brasileiras criaram mecanismos para explorar a mina de ouro da interatividade. O Alô Band e o Portal de Voz do SBT, lançados em julho de 2004, permitem que o usuário se informe e opine sobre a programação, conheça as fofocas do dia, converse ao vivo com ou deixe recado para apresentadores, concorra a prêmios e participe de jogos ou de *chats* com convidados (profissionais das áreas de saúde, beleza, moda) e outros telespectadores, desembolsando o valor de uma ligação local para celular (Band) ou de chamada de longa distância para celular mais impostos (SBT).

Os mecanismos de interação não servem, contudo, apenas para a arrecadação fácil e imediata de dinheiro, fornecendo também informações importantes acerca das opiniões e simpatias da audiência – sentimentos, predileções e aspirações às quais os produtores buscam responder de maneira cada vez mais ágil e flexível. Trata-se, em síntese, de uma pesquisa de mercado rápida, eficiente e remunerada. O que equivale a dizer que, na maioria dos casos, a mobilização da promessa da interatividade funciona, de fato, como um mero álibi para modos desiguais e opacos de obtenção de informação (Andrejevic, 2002a, 2002b, 2006). Numa das ironias características da nova economia interativa, o trabalho de aquisição de informação e de monitoramento abrangente é descarregado sobre os ombros dos consumidores, em nome do seu próprio *empoderamento* – isto é, da ampliação da sua capacidade de impor os seus desejos e as suas necessidades individuais ao mercado.

A proximidade da consolidação, em nosso país, da TV digital – com as suas já internacionalmente alardeadas possibilidades de produtos e serviços interativos (um pacote ornamentado por conceitos esfuziantes como "comunicação de mão-dupla", "escolha", "produção", "controle", "*input*" e "*feedback*" (Van Dijk e Vos, 2001: 446)) – dará um novo influxo, sem dúvida, às litanias teóricas e comerciais sobre o aumento grandioso do (reprimido) caráter democrático da televisão e do "empoderamento da audiência".

Além de destrinchar as falácias e mitificações em torno do "admirável mundo novo da TV digital" em ascensão, compete aos pesquisadores da área de comunicação social formular parâmetros críticos para a compreensão do *neopopulismo televisivo* já confortavelmente instalado entre nós. Ao que tudo indica, o até então eficiente quadro de referência focado na "comunicação do grotesco" (Mira, 1995; Sodré, [1972] 1992; Sodré e Paiva, 2002) não é mais capaz de elucidar plenamente as novas formas de incorporação e (des)articulação do *popular* na TV.[24] Infelizmente, tais mudanças significati-

---

[24] A passagem do *populismo* ao *neopopulimo televisivo* pode ser ilustrada, de maneira sintética, pela trajetória profissional do apresentador Ratinho: dos polêmicos *190 Urgente* (CNT/Gazeta, 1996), *Ratinho Livre* (Rede Record, 1997) e *Programa do Ratinho* (SBT, 1998-2006) ao bem-comportado e "interativo" *Você é o Jurado* (SBT, 2007), "um programa de calouros diferente de tudo o que você já viu, pois quem escolhe quem se saiu melhor durante o programa é o próprio telespectador" (http://www.sbt.com.br/voceeojurado/programa.asp).

vas nas estratégias de programação tendem a ser desconsideradas pelos recentes debates públicos acerca da "qualidade" da televisão brasileira – centralizados, com tediosa regularidade, na elusiva questão do bom gosto (com o "padrão global de qualidade" servindo tacitamente como paradigma do desejável, ou pelo menos aceitável, em termos de moralidade e estética).

Referências bibliográficas

ANDREJEVIC, Mark. The work of being watched: interactive media and the exploitation of self-disclosure. *Critical Studies in Media Communication*, vol. 19, n° 2, p. 230-248, 2002a.

_____. The kinder, gentler gaze of Big Brother: reality TV in the era of digital capitalism. *New Media & Society*, vol. 4, n° 2, p. 251-270, 2002b.

_____. The discipline of watching: detection, risk, and lateral surveillance. *Critical Studies in Media Communication*, vol. 23, n° 5, p. 391-407, 2006.

BAUDELAIRE, Charles. Edgar Poe, sa vie et ses oeuvres. In: NATTA, Marie-Christine (org.). *Sur Edgar Poe*, p. 95-103. Paris: Editions Complexe, 1990 [1856].

BAUDRILLARD, Jean. *Telemorfose*. Rio de Janeiro: Mauad, 2004.

BAZALGETE, Peter. *Billion dollar game*. Londres: Time Warner Books, 2005.

BOORSTIN, Daniel. *The image*: a guide to pseudo-events in America. Nova Iorque: Vintage Books, 1992 [1961].

CAMPANELLA, Bruno. Investindo no Big Brother Brasil: uma análise da economia política de um marco da indústria midiática brasileira. *E-Compós*, edição 8, abril de 2007. Disponível em: http://boston.braslink.com/compos.org.br/e-compos/adm/documentos/pdf. Acesso em maio 2007.

DEBORD, Guy. *La société du spectacle*. In: DEBORD, Guy. *Oeuvres*, p. 765-859. Paris: Gallimard, 2006 [1967].

_____. *Commentaires sur La société du spectacle*. In: DEBORD, Guy. *Oeuvres*, p. 1593-1646. Paris: Gallimard, 2006 [1988].

FREIRE FILHO, João. The fate of literary culture in the age of television spectacle. *Journal of Latin American Cultural Studies*, vol. 13, n° 3, p. 301-314, 2004.

_____. Memórias do mundo-cão: 50 anos de debate sobre o "nível" da TV no Brasil. In: VASSALLO DE LOPES, Maria Immacolata e BUONNANO,

Milly (orgs.). *Comunicação social e ética*: Colóquio Brasil-Itália, p. 164-180. São Paulo: Intercom, 2005.

_____. Escribiendo la historia cultural de la televisión en Brasil: aspectos teóricos e metodológicos. *Signo y Pensamiento*, vol. XXV, p. 26-36, 2006.

_____. O debate sobre a qualidade da TV no Brasil: da trama dos discursos à tessitura das práticas. In: BORGES, Gabriela e REIA-BAPTISTA, Vítor (orgs.). *Discursos e práticas de qualidade na televisão da Europa e América Latina*. Faro: Ciccoma, 2007a (no prelo).

_____. Poder de compra: pós-feminismo e consumismo nas páginas da revista *Capricho*. In: ARÁUJO, Denize et al. (eds.). *Imagem, visibilidade e cultura midiática*, p. 113-140. Porto Alegre: Sulinas, 2007b.

GAMSON, Joshua. Taking the talk show challenge: television, emotion, and public spheres. *Constellations*, vol. 6, n° 2, p. 190-205, 1999.

HALL, Stuart. Encoding/decoding. In: HALL, Stuart et al. (eds.), *Culture, media, language*: working papers in cultural studies, 1972-1979, p. 128-138. Londres: Hutchinson, 1980.

_____. Reflections upon the encoding/decoding model: an interview with Stuart Hall. CRUZ, Jon e LEWIS, Justin (eds.). *Viewing, reading, listening*: audience and cultural reception, p. 253-274. Boulder: Westview Press, 1994.

LACLAU, Ernesto; MOUFFE, Chantal. *Hegemony and socialist strategy*: towards a radical democratic politics. Londres: Verso, 1985.

LIVINGSTONE, Sonia; LUNT, Peter. *Talk on television*: audience participation and public discourse. Londres: Routledge, 1994.

MACHADO DE ASSIS, Joaquim Maria. Teoria do medalhão. In: *Obra completa*. Volume II, p. 288-295. Rio de Janeiro: Aguilar, 1994 [1881].

MIRA, Maria Celeste. *Circo eletrônico* – Sílvio Santos e o SBT. São Paulo: Loyla/Olho D'Água, 1995.

MOUFFE, Chantal. Radical democracy: modern or postmodern? In: ROSS, Andrew (ed.). *Universal Abandon?*, p. 31-45. Mineápolis: University of Minnesota Press, 1988.

_____. Radical democracy or liberal democracy? *Socialist Review*, vol. 20, n° 2, p. 57-66, 1990.

MOUFFE, Chantal (ed.). *Dimensions of radical democracy*: pluralism, citizenship, community. Londres: Verso, 1992.

MUDDE, Cas. The populist Zeitgeist. *Government and Opposition*, vol. 39, n° 4, p. 542-563, 2004.

ORTEGA Y GASSET, José. *A rebelião das massas*. São Paulo: Martins Fontes, 1987 [1926].

SÁ, Xico. *A divina comédia da fama*. Rio de Janeiro: Objetiva, 2004.

SHATTUC, Jane. *The talking cure*: TV talk shows and women. Londres: Routledge, 1997.

SODRÉ, Muniz. *A comunicação do grotesco* – introdução à cultura de massa brasileira. Petrópolis, RJ: Vozes, 1992 [1972].

SODRÉ, Muniz; PAIVA, Raquel. *O império do grotesco*. Rio de Janeiro: MAUAD, 2002.

TINCKNELL, Estella; RAGHURAM, Parvati. Big Brother: reconfiguring the "active" audience of cultural studies?. *European Journal of Cultural Studies*, vol. 5, n° 2, p. 199-215, 2002.

TUDOR, Andrew. *Decoding culture*: theory and method in cultural studies. Londres: Sage, 1999.

VAN DIJK, Jan; VOS, Loes de. Searching for the Holy Grail: images of interactive television. *New Media & Society*, vol. 3, n° 4, p. 443-465, 2001.

WAYNE, Mike. *Marxism and media studies*: key concepts and contemporary trends. Londres: Pluto Press, 2003.

O *Big Brother* como evento multiplataforma: uma análise dos impasses dos estudos de audiência

*Bruno Campanella**

Introdução

Desde o aparecimento das primeiras mídias de massa, tais como o rádio e a televisão, a academia tem se preocupado em tentar compreender as influências e articulações entre os meios de comunicação e o indivíduo. Ao longo de décadas, inúmeras pesquisas foram realizadas adotando diferentes premissas acerca da relevância do produtor, do conteúdo, do receptor, assim como dos contextos social, cultural e econômico.

Apesar de já existir dentro do meio acadêmico algum consenso quanto às possibilidades e limitações destes elementos constitutivos do processo de comunicação, o desenvolvimento de novas tecnologias digitais tem trazido questões que devem ser incorporadas a estas discussões. A internet, a televisão em *pay-per-view*, o *iPod* e a telefonia móvel são apenas alguns exemplos de plataformas que têm desempenhado um papel fundamental no processo de convergência midiática, em que um mesmo conteúdo é produzido para ser consumido de diferentes formas. Estes produtos de caráter

---

* Mestre pela Goldsmiths College University de Londres e doutorando do Programa de Pós-graduação em Comunicação da Universidade Federal do Rio de Janeiro.

híbrido disputam a atenção de uma audiência que pode agora acessá-los nas mais diversas situações do cotidiano.

Utilizando o exemplo de um conteúdo multiplataforma em particular, o programa de *reality show Big Brother*[25], este trabalho pretende problematizar alguns dos novos desafios enfrentados pelos estudos de audiência contemporâneos. Apesar de já existirem discussões abordando este tema (Jones, 2004; Roscoe, 2004; Tinknell & Raghuram, 2002), nenhuma delas problematiza de maneira mais concreta os dilemas introduzidos por este tipo de conteúdo para a definição de premissas chaves relativas à audiência.

Muitas análises do programa *Big Brother* acabam tratando-o como mais um *reality show* feito para a televisão, pois mesmo que reconheçam a importância das outras plataformas, não a problematizam. Estas outras plataformas (TV paga, *pay-per-view*, telefonia celular e internet) são abordadas como sendo complementares à versão em TV aberta, que é tida como a "original". O que se pretende, enfim, é questionar esta premissa, para que se possa avançar mais concretamente nas implicações deste novo tipo de produção para os estudos de audiência.

Os estudos de audiência e os seus problemas

Embora não seja o objetivo deste artigo fazer uma revisão das principais linhas teóricas já desenvolvidas no que diz respeito aos estudos de audiência, até porque existem trabalhos que já cumpriram tal tarefa de maneira bastante completa (Gomes, 2004; Jensen & Rosengren, 1990; Morley, 1992), acreditamos ser importante, dentro da nossa discussão, pensar algumas questões levantadas por estes estudos e de que maneira elas se articulam com os novos desafios apresentados pelos conteúdos multimidiáticos.

Muitas das teorias de audiência surgidas a partir dos anos 1950 nasceram como uma espécie de resposta ao paradigma criado pela Escola de Frankfurt, pioneira em sua preocupação com a crescente massificação da cultura e dos

---

[25] Em alguns momentos iremos nos referir às características comuns às várias versões do programa vendido para diferentes países, porém, sempre que possível, utilizaremos a edição brasileira do *Big Brother* para oferecer exemplos concretos.

meios de comunicação. Esta escola, surgida durante a ascensão do fascismo na Alemanha, dava grande ênfase ao poder das mídias em influenciar ideologicamente o indivíduo por meio do que ficou conhecido como o "modelo da agulha hipodérmica". De um modo geral, os trabalhos desta corrente teórica, também conhecida como teoria crítica, tinham o seu foco na análise do texto, mantendo, normalmente, uma visão pessimista do processo de comunicação de massa (Adorno, 1991; Adorno & Horkheimer, 1985).

Como reação às teorias unidimensionais da Escola de Frankfurt, cujos principais proponentes migraram para os Estados Unidos na década de 1930, trabalhos com orientação comportamental começaram a florescer. Estes se caracterizaram pelo foco não somente nas mensagens, mas também no efeito que elas teriam sobre a audiência. Eram pesquisas que se concentravam principalmente em campanhas publicitárias e nos efeitos que imagens de violência exibidas pela televisão teriam sobre as pessoas. Contudo, pouco estudo sistemático foi realizado com a audiência propriamente dita; e quando este era o caso, a metodologia deixava a desejar. A teoria dos efeitos, apesar de ainda reverberar nos dias de hoje – principalmente fora do meio acadêmico – em discussões envolvendo os efeitos de jogos violentos para computador, ou mesmo da televisão, ainda não conseguiu extrair nenhuma conclusão decisiva no que diz respeito às suas premissas centrais.

Em comum entre os paradigmas da Escola de Frankfurt e da teoria dos efeitos há a percepção da existência de um grande poder concentrado nas mãos dos produtores de conteúdo em relação à audiência.

No final dos anos 1950 e início dos 1960, entretanto, surgiram novas correntes de pesquisa que propunham uma maneira diferente de enxergar a influência dos meios sobre a audiência. Estas correntes, de caráter funcionalista, compunham a teoria dos usos e gratificações. Dentro desta perspectiva, a audiência ganhou um papel mais proeminente e as mídias de massa passaram a não ter mais o poder de influenciar livremente o indivíduo, antes considerado completamente passivo. Agora, o momento da interação entre audiência e mensagem seria filtrado por valores e interesses do indivíduo, que a usaria de acordo com suas necessidades. Diferentemente da teoria dos efeitos, em que o foco de estudo estava no comportamento (*behaviorismo*), nos usos e gratificações o foco passou para a cognição. A grande inovação desta corrente teórica foi a sua proposição de que diferentes membros da audiência poderiam interpretar a mensagem de forma diferenciada, construindo sentidos distintos. Em outras palavras, as teorias normativas anteriores enxergavam os valores e normas da sociedade como estáveis, enquanto o modelo dos "usos" abria a possibilidade para diferentes interpretações dos mesmos.

O problema desta perspectiva é que ela não percebe o indivíduo como fazendo parte de um grupo social, ou de uma subcultura, com interesses e necessidades compartilhadas. Desenvolve uma interpretação com um ponto de vista estritamente psicológico para explicar os usos das mídias pela audiência por meio de experiências e estados mentais individuais, sem nenhum tipo de contextualização social. Ou seja, a teoria dos usos e gratificações não reconhece o fundo ideológico da consciência humana. Como conseqüência, os processos de articulação entre indivíduo e sociedade, as disputas de poder, as relações de gênero, classe e etnia são ignorados por ela. Entretanto, como sugere Mikhail Bakhtin, um sistema de signos só pode ser formado através da organização social de um grupo de indivíduos:

> A consciência individual não só nada pode explicar, mas, ao contrário, deve ela própria ser explicada a partir do meio ideológico e social. A consciência individual é um fato socioideológico (Bakhtin, 2006: 35).

Porém, sob influência dos estudos culturais, principalmente do trabalho seminal de Stuart Hall[26] (1980), uma nova perspectiva iria buscar entender a influência do contexto sociocultural da audiência na interpretação do conteúdo midiático. No seu estudo de recepção do programa de televisão britânico *Nationwide*, David Morley colocou em prática a teoria da codificação/decodificação proposta por Hall, na qual as mensagens – dependendo do subgrupo social estudado – poderiam ser decodificadas de acordo com o sentido proposto pelo produtor do texto (leitura referencial), de maneira a preservar parte do seu sentido original (leitura negociada), ou de maneira oposta (leitura opositora) (Morley, 1980). Posteriormente, diversos outros estudos de audiência seguiram o caminho dos estudos culturais, adotando a visão de cultura como campo de disputa de hegemonia e lócus de articulação e resistência simbólica.

---

[26] Stuart Hall foi significativamente influenciado pelo trabalho de Bakhtin.

Essas inovações não aconteceram sem críticas. Alguns teóricos ligados principalmente aos estudos da economia política, que se preocupam com as questões de poder dentro da indústria da mídia, argumentam que o caminho dos estudos culturais estaria adquirindo um cunho "populista", e que as questões de poder e política estariam sendo perdidas de vista (Curran, 1990; Miller, 1988). Morley responde a estes ataques sugerindo que, justamente, é nas "microinstâncias" da esfera privada que podem ocorrer mudanças em atitudes "pré-políticas" no campo da cultura. Estas atitudes, fundadas nos momentos de consumo midiático – e que podem adquirir formas negociadas ou mesmo subversivas –, ajudariam a formar uma "cidadania cultural" (Morley, 2006: 4). Ele afirma que a investigação das práticas de consumo midiático pode oferecer pistas a respeito das negociações de sentido que possibilitariam, em última análise, gerar algum tipo de ímpeto para mudanças políticas.

Implícita em todas essas discussões está a própria concepção de audiência utilizada pelos pesquisadores. Sonia Livingstone mapeia as premissas adotadas por essas investigações, separando-as em cinco categorias diferentes (Livingstone, 1998). Enquanto em um extremo teríamos (categoria 1) indivíduos totalmente livres que se expressam por meio do consumo (audiência como mercado, microinstâncias idealizadas), no outro (categoria 5) existiria uma perspectiva segundo a qual a audiência é vista como uma massa dominada. Nestes dois casos, as pesquisas empíricas não se aplicariam, devido ao excesso de idealização dos agentes envolvidos. As outras três categorias intermediárias situam a audiência como sendo (categoria 2) criativa/ativa (o micro como fonte de ordem social), (categoria 3) como público/cidadão (o micro como autônomo, porém menos criativo que a posição anterior), e por último (categoria 4) como potencialmente resistente (parte de uma posição de ordem coletiva para uma ação instrumental subjetiva).

Como exemplo, Livingstone identifica os trabalhos de economia política na primeira categoria, uma vez que esta, tradicionalmente, trata a audiência como mercado de consumo, enquanto a teoria crítica, devido à sua visão massificada da audiência, poderia ser posicionada na quinta categoria. Da mesma maneira, é possível situar os argumentos feitos por Morley e descritos acima como uma tentativa de conciliar a perspectiva da audiência potencialmente resistente com a visão de que estas resistências devem ser encontradas na criatividade das microinstâncias (fusão da posição 4 com a

2). O problema desta perspectiva seria a sua dificuldade em articular o quanto o contexto da audiência pode torná-la mais criativa, ou, ao contrário, facilitar a sua adesão ao poder institucional do codificador.

Já no final dos anos 1980, porém, surgem trabalhos que começam a dar ênfase à investigação dos ambientes domésticos como lócus privilegiado do processo de comunicação, e a sua conexão a um contexto mais amplo, envolvendo a própria economia e cultura na qual eles se inserem[27] (Lull, 1988, 1990; Silverstone et al., 1991).

Dentro deste debate, Livingstone defende que a audiência seja tratada como "público/cidadão" capaz de criar sentidos sociais a partir da articulação entre as mídias, a opinião pública e as conversas cotidianas (Livingstone, 1998). Por trás desta visão há a percepção da importância do uso da etnografia como ferramenta para articular estas questões. Na prática, a utilização da etnografia midiática foi incorporada aos estudos de audiência como uma tentativa de se aprofundar o entendimento do contexto doméstico, assim como as práticas cotidianas dentro do consumo midiático[28] (Ang, 1994; Radway, 1988). Janice Radway argumenta que somente por meio deste tipo de análise pode-se entender "o sempre-em-mutação caleidoscópio da vida cotidiana e como as mídias estão integradas e implicadas dentro dele" (Radway, 1988: 366).[29]

---

[27] Itania Gomes afirma que Morley gradativamente se afasta do termo "decodificação", utilizado em seu trabalho *Nationwide*, para começar a usar a expressão "consumo cultural". Isto significaria um afastamento das questões de ideologia e linguagem rumo a uma visão mais ampla capaz de dar conta de práticas sociais tão díspares como o consumo de produtos da Walt Disney, da novela Dallas, ou mesmo da cantora Madonna (Gomes, 2004: 189).

[28] O próprio Morley, seguindo esta tendência, desenvolveu um projeto juntamente com Sonia Livingstone intitulado *Household Uses of Information and Communication Technology*, na Universidade de Brunel, no final dos anos 1980, em que eles se propunham ao estudo da televisão juntamente com outras tecnologias de comunicação e informação dentro do espaço doméstico.

[29] Este novo caminho trouxe alguns riscos aos estudos culturais. Uma corrente desta perspectiva teórica chamada de "interpretativista", ou, de maneira mais irônica, de "don't worry be happy school" pelo próprio Morley, começou a festejar acriticamente os prazeres do popular, perdendo de vista questões ligadas à ideologia e à disputa de poder (Mattelart & Neveu, 2004; Morley, 2006; Kellner, 2001).

De forma resumida, Thomas Tufte define os estudos de recepção como envolvendo as análises entre texto/receptor centradas na mídia, enquanto o estudo da etnografia midiática estaria focado na interação social de certos grupos de pessoas (Tufte, 2000: 27).

Em seu trabalho de investigação da audiência da telenovela *A Rainha da Sucata*, exibida pela Rede Globo em 1990, Tufte realiza uma pesquisa multimetodológica em que conjuga o estudo de recepção, etnografia midiática, análises das estruturas institucionais, da economia política e dos discursos ideológicos dominantes que permeiam o cotidiano do grupo investigado. Este estudo das múltiplas mediações presentes no processo de comunicação tem encontrado muitos defensores, que percebem nesta metodologia uma oportunidade de pensar de forma mais ampla o processo de imbricação entre a audiência, o produto midiático e o contexto sociocultural em que ele ocorre (Martín-Barbero, 2002; Lopes, 2002).

Entretanto, novas perguntas devem ser pensadas quando levamos em consideração o fenômeno da convergência midiática. Por meio da recente introdução de tecnologias digitais na comunicação, novos conteúdos são feitos para existirem simultaneamente em múltiplas plataformas. Neste ambiente, a audiência pode se conectar a eles em diferentes situações e com variados graus de engajamento. As mídias se tornam complementares umas às outras de forma a oferecer uma maior experiência do conteúdo à audiência. Estes últimos conceitos, inclusive, se problematizam, uma vez que a audiência se torna concomitantemente usuária, e na medida em que o produto não é mais somente assistido, porém também acessado, e até mesmo construído por ela.[30]

O *Big Brother*

Apesar de já existirem inúmeros produtos midiáticos que se caracterizam pelo seu conteúdo multiplataforma, o programa de *reality show Big Brother*

---

[30] De agora em diante, poderemos nos referir aos consumidores do programa *Big Brother* tanto como audiência, usuário ou fã. Acreditamos que qualquer um destes conceitos pode ser usado para identificar o indivíduo que consome o programa em suas múltiplas plataformas.

conseguiu, como nenhum outro, se adaptar de forma completa a este novo ambiente. O programa em questão foi criado como um formato a ser vendido para canais de televisão no final dos anos 1990 pela produtora holandesa Endemol. Porém, a sua bem-sucedida venda para diversos países – quebrando recordes de audiência em muitos deles –, conjugada à sua capacidade de se adaptar à nova realidade da convergência midiática, foi tão grande que resultou na venda da própria Endemol para o Grupo Telefônica por 5,5 bilhões de euros (Bazalguette, 2005).

Mesmo sendo transmitido em canais de TV aberta, dificilmente pode-se afirmar que o *Big Brother* seja um programa eminentemente de televisão. O correto seria dizer que ele também é um programa televisivo, uma vez que este *reality show*, em sua versão brasileira[31], é transmitido em TV aberta, TV paga, *pay-per-view*, internet e telefonia celular. Os números referentes à sétima edição da versão nacional do programa atestam a sua força nestas outras mídias. Esta edição bateu as anteriores em todas as plataformas alternativas. Na TV paga, por exemplo, o Multishow alcançou a maior audiência da história da TV por assinatura no Brasil, com 7,5 pontos em fevereiro de 2007 (*O Globo*, Segundo Caderno, 13/03/2007). Somente no primeiro mês de exibição desta edição do programa, 13 milhões de pessoas visitaram a página virtual do *Big Brother Brasil*, acessando os vídeos disponíveis 71 milhões de vezes, um aumento de 772% se comparado à edição anterior do *reality show* (*O Globo*, Segundo Caderno, 19/02/2007).

Entretanto, esses números nada dizem sobre as diferenças entre as versões exibidas por essas plataformas, principalmente no que diz respeito aos variados graus de edição e mediação. A versão veiculada pela Rede Globo, por exemplo, é a mais editada de todas. Nela pode-se perceber uma clara tentativa dos produtores de criar uma maior coerência narrativa dentro do cotidiano dos integrantes da casa. Estes são frequentemente retratados como parte de subgrupos bem caracterizados (grupo do bem, grupo do mal, grupo dos pobres, grupo dos loiros etc.), participando de enredos consistentes que

---

[31] Embora ocorram variações, como, por exemplo, na Inglaterra, onde o programa também é oferecido por um de seus patrocinadores em uma versão para *iPod*, as suas principais mídias são internet, TV aberta e *pay-per-view*.

se desenvolvem ao longo da duração da série. Podemos identificar uma visível influência do gênero da teledramaturgia nacional na linguagem utilizada para retratar estas tramas (conspirações, conquistas amorosas etc.). Esta versão é constituída de programas diários de pequena ou média duração com algumas "intervenções" ao vivo – sempre realizadas por um apresentador encarregado de direcionar as conversas –, conjugadas com vídeos contendo pequenos resumos dos principais acontecimentos da casa, além de animações de cunho humorístico relacionadas ao cotidiano dos participantes. Já o canal de TV paga Multishow, pertencente à Globosat, exibe imediatamente após o término da transmissão em TV aberta um *flash* ao vivo da casa com duração média de 20 minutos.[32] A versão em *pay-per-view* transmite imagens do confinamento 24 horas por dia, durante todo o período de duração da produção. O assinante desta plataforma tem acesso a dois canais com imagens ao vivo da casa. Um deles é um mosaico mostrando simultaneamente imagens de quatro câmeras diferentes, enquanto o outro exibe, em tela inteira, uma das quatro imagens do mosaico. Pela internet, os assinantes do Globo Media Center têm acesso às câmeras transmitidas pelo *pay-per-view*, além de duas outras exclusivas para o assinante virtual. Os não-assinantes deste serviço também podem acompanhar o programa pela internet, por meio da página oficial do *Big Brother*, que traz notícias permanentemente atualizadas dos acontecimentos da casa em formato de texto. Esta página também disponibiliza gratuitamente alguns vídeos selecionados pelos produtores com imagens previamente transmitidas, além de oferecer espaços para fóruns e *blogs* de discussão sobre o *reality show*. Por último, deve-se mencionar o acordo entre a Rede Globo e as principais operadoras de celular no país, que permite aos fãs do programa acompanhar o áudio direto de todos os ambientes da casa do *Big Brother*, ou mesmo do microfone de qualquer um dos participantes.

Cada uma dessas plataformas apresenta o programa de maneiras distintas, seja em vídeo, áudio ou texto. Estas diferenças, contudo, não ocorrem somente no plano sensorial, mas também nos variados graus de mediação que essas versões do *Big Brother* refletem. Em cada uma delas os produto-

---

[32] Tanto a Rede Globo quanto o Multishow exibem programas semanais em que os acontecimentos na casa são discutidos e reverberados com os fãs do programa.

res exercem um tipo de interferência sobre como a narrativa na casa é apresentada. Enquanto os programas que vão ao ar pela Rede Globo são bastante estruturados em termos de enredo, a versão em telefonia celular não apresenta qualquer tipo de intervenção por parte da produção.[33] Já as transmissões em *pay-per-view* e internet, apesar de mostrarem imagens contínuas da casa, não são completamente livres. Nelas, os produtores decidem, a cada momento, quais câmeras terão as suas imagens disponibilizadas para o assinante. Desta maneira, eles podem decidir manter o foco em algum participante do *reality show* em particular, ou, ao contrário, desviar a atenção de algum grupo, ou de alguma conversa específica.[34]

Como conseqüência de todas essas diferenças entre as múltiplas plataformas de transmissão do programa, a própria definição do *Big Brother*, e de qual é o seu texto midiático, passa a ser uma questão central. Alguém que somente acompanha o programa em televisão aberta certamente terá uma perspectiva do *reality show* distinta de outra pessoa que o assina pelo *pay-per-view*.

Em seu estudo da versão inglesa do *Big Brother* realizado entre os anos de 2001 e 2002, Janet Jones utilizou questionários autopreenchidos para avaliar o impacto das diversas plataformas de transmissão do programa na audiência. Ela verificou que os indivíduos com acesso às diferentes mídias criaram uma "hierarquia de realidade" entre elas, ou seja, as exibições diretas pela internet e pelo canal a cabo eram mais valorizadas entre os fãs do programa do que a transmissão em canal aberto. Estes fãs argumentavam que o acesso ao material menos mediado criava uma maior sensação de poder sobre o programa (Jones, 2004: 224).[35]

---

[33] Salvo nos momentos em que a produção deseja comunicar alguma mensagem ou chamar a atenção dos participantes para algo que ela não deseja que a audiência escute. Neste momento o áudio de todas as plataformas transmitindo o *Big Brother* é cortado por completo.

[34] Em resumo, poderíamos argumentar que quanto mais a audiência se dispõe a pagar, mais acesso ela tem ao material em "estado bruto".

[35] Embora traga importantes resultados, a metodologia de formulários autopreenchidos adotada por Jones não é muito profunda no que diz respeito aos dados qualitativos referentes ao contexto da audiência, e de como ocorre, e sob quais condições, o processo de recepção do programa.

Essas respostas sugerem que o fenômeno do *Big Brother* não pode ser compreendido em toda a sua complexidade se analisado somente sob a perspectiva de uma de suas plataformas.[36] Contudo, talvez pela dificuldade metodológica de tal empreendimento, ou mesmo pelo não-reconhecimento de seu valor, a maioria dos estudos de audiência já realizados envolvendo este *reality show* não partiu dessa premissa. Neles, o processo de investigação da recepção do programa se limitou à versão em TV aberta, sem que a sua relação com as outras mídias fosse investigada (Hill, 2002; Andacht, 2004; Mathijs, 2002). Desta maneira, essas análises não levaram em conta a dimensão intertextual que articula as várias mídias envolvidas, conforme é exemplificado no trabalho de Jones.

Deve-se notar, entretanto, que o alargamento da definição do que deve ser entendido como *Big Brother* não acontece sem problemas. Isto porque as diferentes características e significados dessas plataformas complicam a tarefa de se definir qual é, precisamente, o texto midiático do *reality show*. Para Tincknell e Raghuram,

> [O Big Brother] ... não era um texto único, num sentido simples, porém, ao mesmo tempo, também não era constituído por textos fragmentados e diferentes. Em vez disso, a combinação de nódulos textuais trabalhando num relacionamento complexo parecia confirmar que havia algo que podia ser chamado de "Big Brother", mas que não era confinado ou limitado a um programa televisivo (Tinknell & Raghuram, 2002: 213).*

Conseqüentemente, essa falta de "unidade textual" dificulta a identificação de um núcleo de significação coerente que represente o *reality show*

---

[36] Jane Roscoe, em seu estudo sobre a versão australiana do programa, também sugere que o *Big Brother* deve ser analisado levando-se em consideração todas as plataformas de exibição do programa (Roscoe, 2004).

* Traduzido de: *[Big Brother] ...was not a single text in a simple sense, yet neither was it a set of fragmented and different texts. Instead, the combination of textual nodes working in a complex relationship seemed to confirm that there was something called "Big Brother" but that it wasn't confined by or limited to a television program* (Tinknell & Raghuram, 2002: 213).

em questão. Com isso, teríamos problemas em entender qual seria o texto principal sob o qual a audiência cria significações e interações.

No caso dos estudos tradicionais de televisão, esta questão foi resolvida através da utilização dos conceitos de formato, gênero e programa. Segundo Arlindo Machado e Marta Vélez, estudos empíricos demonstram que a produção e a recepção de televisão são baseadas fundamentalmente nestes núcleos (Machado & Vélez, 2007: 5).[37] Entretanto, a fluidez das novas mídias presentes no *Big Brother* dificulta a aplicação das análises discretas usadas no caso da televisão (Livingstone, 2007). Por meio dos *hiperlinks*, o usuário é capaz de criar uma nova experiência a cada vez que "navega" pela internet. As linguagens e expectativas criadas na audiência, analisadas nos estudos tradicionais de televisão, são problematizadas dentro das novas mídias, uma vez que esta audiência ganha o status de usuária e passa a criar os seus próprios caminhos e conteúdos.

Uma alternativa para se pensar esse problema pode ser encontrada na sugestão de Livingstone, que propõe o estudo da cultura do fã *(fandom)* como maneira de se chegar a uma unidade relativamente estável de análise das novas mídias.

> Parece que no ambiente das novas mídias, as pessoas se ligam ao conteúdo mais do que às formas ou aos canais – bandas favoritas, novelas ou times de futebol, aonde quer que eles sejam encontrados, em qualquer meio ou plataforma. O 'Fandom' é cada vez mais importante no momento em que as audiências se fragmentam e diversificam. E enquanto as mídias se tornam interconectadas, e cada vez mais intertextuais, passa a ser o conteúdo, independente do seu meio, que importa às pessoas enquanto fãs, para que elas o sigam através das mídias num tecer contínuo, mesmo nas suas comunicações face a face (Livingstone, 2004: 81).*

---

[37] Machado e Vélez sugerem que a noção de fluxo, desenvolvida por Raymond Williams na tentativa de lidar com o problema de se determinarem unidades estáticas e independentes de programação, não consegue dar conta de maneira satisfatória dos desafios apresentados pela análise de conteúdo televisivo (Machado & Vélez, 2007: 5).

* Traduzido de: *In the new media environment, it seems that people increasingly engage with content more than forms or channels — favourite bands, soap operas or football teams, wherever they are to be found, in whatever medium*

Nesse caso, a cultura *fandom* do *Big Brother* seria o elemento comum de toda a experiência da audiência/usuário/fã, independentemente de quais páginas, ou em última instância, qual mídia, ele(a) escolhe para interagir com o *reality show*. O papel das plataformas de transmissão do programa – televisão, internet e telefonia celular – deve, portanto, ser interpretado de acordo com as possibilidades que elas oferecem para a relação afetiva do fã com o *Big Brother*. Assim, poderemos compreender melhor a articulação entre os significados subjetivos dados ao *reality show* pelo fã, com o status cultural intersubjetivo do programa.[38]

Isso não significa que devemos deixar de lado aspectos econômicos que motivam produtores culturais a desenvolver tais conteúdos. A criação dessas produções também deve ser entendida como uma resposta aos desafios impostos por uma audiência que adquire hábitos cada vez mais fragmentados e diversificados, como menciona Livingstone na citação acima. Programas como o *Big Brother* são desenvolvidos para um público tecnologicamente letrado, com desejo de interação e que deve ser emocionalmente cativado para se tornar fiel ao programa (Roscoe, 2004). Este ponto nos leva novamente à própria concepção da audiência a ser adotada. O novo ambiente midiático nos apresenta questões que jamais serão respondidas se não ultrapassarmos antigas posições que percebiam a audiência como eminentemente passiva e massificada, ou, ao contrário, como livre criadora de significados semióticos. Matt Hills sugere a utilização da idéia de "dialética de valor" desenvolvida por Adorno. Dentro desta concepção seria possível situar o fã, simultaneamente, dentro e fora do processo de "comodificação". Ao mesmo tempo que absorve e "comodifica" o texto cultuado, o fã também expressa crenças anticomerciais em relação a ele (Hills, 2002: 44). Tentativas de enquadramento do *Big Brother* dentro

---

or platform. Fandom is increasingly important as audiences fragment and diversify. And as media become interconnected, increasingly intertextual, it is content irrespective of the medium that matters to people qua fans, for they follow it across media, weaving it seamlessly also into their face-to-face communications (Livingstone, 2004: 81).

[38] Partindo da definição de objetos transitórios de Winnicott, Matt Hills sugere que os "textos cultuados" podem ser trabalhados como se fossem "objetos transitórios secundários". Desta maneira, eles manteriam uma ligação com o contexto cultural do fã, ao mesmo tempo que sustentariam uma relação afetiva com ele.

de categorias que o classifiquem como um produto de massa consumido passivamente pela sociedade, ou, por outro lado, como um representante da cultura popular, no sentido usado por Bakhtin (1993) de oposição à cultura oficial, se mostram por demais simplistas. Talvez o caráter híbrido do seu consumo sugira a utilização do conceito de produto da "cultura da mídia" como maneira de chamar a atenção para a sua cadeia de produção, distribuição e recepção (Kellner, 2001: 52).

Nesse contexto, poderíamos afirmar que um dos grandes apelos deste novo formato é a possibilidade oferecida aos fãs de interferir nos seus rumos. Esta interação acontece tanto na forma de tarefas a serem impostas aos confinados na casa,[39] como na eliminação semanal dos mesmos. Em ambos os casos, o público é quem determina o que deve ser feito.[40]

Também é importante lembrar que a página oficial na internet e o portal de celular do *reality show* foram pensados de maneira a acomodar discussões entre os fãs sobre os acontecimentos da casa. No site oficial, por exemplo, podemos encontrar *chats*, fóruns, e até mesmo *links* para *blogs* de fãs do *Big Brother*. De maneira semelhante, por meio do portal de celular pode-se conversar com diversos outros entusiastas do programa.

Em todos os casos acima, a audiência interfere na construção do produto a ser consumido. Além do mais, ao ajudar em sua construção, o está consumindo simultaneamente, seja pagando pela ligação do celular, na qual a Globo tem participação, seja gerando volume de acesso na página da internet, que é revertido em receita publicitária para o *site*.

A utilização do conceito de *fandom* para o estudo do *Big Brother* também nos ajuda a pensar o que Mathijs & Hessels chamam de "discursos auxiliares" (Mathijs & Hessels, 2004). Estes são todos aqueles discursos que orbitam o evento midiático do *Big Brother*. Como exemplo, poderíamos pensar nas revistas de fofoca, outros programas de televisão que discutem o *Big Brother*, fóruns criados pelos fãs etc. Estes ambientes são fundamentais na articulação do status cultural intersubjetivo do programa. Ou

---

[39] Chamado de *Big Boss*.

[40] Na versão espanhola do programa, o público escolhe até a condição climática durante a semana dentro da casa. Até chuva pode ser criada artificialmente no *Big Brother* espanhol.

seja, na maneira como o *reality show* é avaliado pela comunidade como um todo. A significância subjetiva do *Big Brother* para o fã será fruto, em parte, das negociações com esta percepção comum.

Enfim, o que podemos concluir é que conteúdos multiplataformas como o *Big Brother* apagam fronteiras antes bem definidas dentro dos estudos de comunicação. Análises textuais se tornam muito mais complexas na medida em que um mesmo conteúdo midiático pode adquirir diversas formas, muitas delas produzidas em conjunto com os seus próprios consumidores. Isto sem mencionar que a significação dada a esses conteúdos também recebe contribuições de "discursos auxiliares", produzidos inteira e independentemente da intenção dos produtores.

Dentro desse contexto, a maior participação das audiências pode levar a conclusões precipitadas, que afirmam uma "nova liberdade" conquistada por meio dessas plataformas digitais. Contudo, se por um lado o acesso às plataformas com transmissões diretas permite à audiência avaliar por si mesma o grau de interferência exercido pelo produtor nas versões mais editadas – questionando assim o uso do seu poder –, por outro esta nova modalidade de interação permite uma maior aproximação desse mesmo produtor com o consumidor.

As próprias análises etnográficas tradicionalmente utilizadas nas pesquisas de audiência têm, neste tipo de conteúdo, algumas de suas premissas básicas questionadas. O ambiente doméstico, local privilegiado de investigação das relações sociais que compõem o contexto do consumo televisivo, começa a dividir a importância com outras esferas. Com o desenvolvimento das novas mídias digitais, o consumo de conteúdos pode ocorrer nas mais diversas situações e contextos. Por exemplo, o cotidiano da casa do *Big Brother* pode agora ser acompanhado do ambiente de trabalho da audiência, através da internet, ou mesmo numa situação de deslocamento (como no metrô) pela utilização da telefonia móvel. A distinção entre esfera pública e privada dentro do processo de consumo começa a ficar mais tênue.

Devemos, conseqüentemente, repensar algumas premissas dos estudos de audiência se quisermos compreender melhor as implicações deste tipo de conteúdo híbrido na sociedade contemporânea. Mesmo porque esse tipo de produto se tornará cada vez mais a regra, e não a exceção, num mundo crescentemente dominado pelas tecnologias digitais.

Referências bibliográficas

ADORNO, Theodor. *The culture industry*. Londres: Routledge, 1991.

ADORNO, Theodor & HORKHEIMER, Max. *Dialética do esclarecimento*. Rio de Janeiro: Jorge Zahar Editor, 1985.

ANDACHT, Fernando. "Fight, love and tears: an analysis of the reception of Big Brother in Latin America." In: MATHIJS, Ernest; JONES, Janet (eds.). *Big Brother international*. Londres: Wallflower Paper, 2004.

ANG, Ien. *Watching Dallas*. Londres: Methuen, 1984.

BAKHTIN, Mikhail. *Marxismo e filosofia da linguagem*. São Paulo: Hucitec, 2006.

_____. *A cultura popular na idade média e no renascimento:* o contexto de François Rabelais. São Paulo: Hucitec, 1993.

BAZALGETTE, Peter. *Billion dollar game*. Londres: Time Warner Books, 2005.

CURRAN, James. "The 'new revisionism' in mass communication research." *European Journal of Communications*, vol.5(2-3), 1990.

GOMES, Itania M.M. *Efeito e recepção:* a interpretação do processo receptivo em duas tradições de investigação sobre os media. Rio de Janeiro: e-Papers, 2004.

HALL, Stuart. "Encoding/decoding". In: HALL, Stuart et al. (eds.) *Culture, media, language:* working papers in cultural studies. Londres: Hutchinson, 1972-1979, p. 128-138, 1980.

HILL, Annette. "Big Brother: the real audience". *Television & New Media*, vol.3, n.3, agosto, p. 323-340, 2002.

HILLS, Matt. *Fan cultures*. Londres: Routledge, 2002.

JENSEN, K.J.; K.E. ROSENGREN. "Five Traditions in Search of the Audience". *European Journal of Communication*, 5(2-3): 207-38, 1990.

JONES, Janet. "Show your real face: a fan study of the UK big brother transmissions". *New Media & Society*. vol.5, p. 400-421, 2003.

_____. "Emerging platform identities: Big Brother UK and interactive multi-platform usage". In: MATHIJS, Ernest; JONES, Janet (eds.). *Big Brother International*. Londres: Wallflower Paper, 2004.

KELLNER, Douglas. *A cultura da mídia – estudos culturais:* identidade e política entre o moderno e o pós-moderno. Bauru, SP: Edusc, 2001.

LIVINGSTONE, Sonia. "Audience research at the crossroads: the 'implied audience' in media and cultural theory". *European Journal of Cultural Studies*, vol.1(2), p.193-218, 1998.

_____. "The challenge of changing audiences: or, what is the audience researcher to do in the age of internet". *European Journal of Communication*, vol.19 (1), p. 75-86, 2004.

_____. "On the material and the symbolic: Silverstone's double articulation of research traditions in new media studies". *New Media and Society*, vol.9 (1), 16-24, 2007.

LOPES, Maria Immacolata V. de et al. *Vivendo com a telenovela:* mediações recepção e teleficcionalidade. São Paulo: Summus, 2002.

LULL, James. *Inside family viewing:* ethnographic research on television's audiences. Londres: Routledge, 1990.

_____. *World families watch television*. Newsbury Park: Sage, 1988.

MACHADO, Arlindo & VÉLEZ, Marta L. "Questões metodológicas relacionadas com a análise da televisão". *Revista e-Compós*, ed. 8, abril, 2007.

MARTÍN-BARBERO, Jesús. *Dos meios às mediações* – comunicação, cultura e hegemonia. Rio de Janeiro: Editora UFRJ, 2002.

MATHIJS, Ernest. "Big Brother and critical discourse: the reception of Big Brother Belgium". *Television & New Media*, vol.3, n.3, p.311-322, 2002.

MATHIJS, Ernest; HESSELS, Wouter. "What Viewer?: notions of the 'audience' in the reception in Big Brother Belgium". In: MATHIJS, Ernest; JONES, Janet (eds.). *Big Brother International*. Londres: Wallflower Paper, 2004.

MILLER, Daniel. *Material culture and mass consumption*. Oxford: Basil Blackwell 1988.

MORLEY, David. *Television, audiences & cultural studies*. Londres: Routledge, 1992.

_____. "Unanswered questions in audience research". *Revista e-Compós*, ed. 6, agosto, 2006.

MORLEY, David. *The Nationwide Audience*. Londres: BFI, 1980.

RADWAY, Janice. "Reception study: ethnography and the problems of dispersed audiences and nomadic subjects". *Cultural Studies*, vol.2(3), p. 359-376, 1988.

ROSCOE, Jane. "Multi-platform event television: reconceptualizing our relationship with television". *The Communication Review*, vol.7, p.363-369, 2004.

SILVERSTONE, Roger *et al*. "Listening to a long conversation: an ethnographic approach to the study of information and communication technology at home". *Cultural Studies*, vol.5 (2), p. 204-217, 1991.

TINCKNELL, Estella; RAGHURAM, Parvati. "Big Brother: reconfiguring the 'active' audience of cultural studies?" *European Journal of Cultural Studies*, vol.5(2), p.199-215, 2002.

TUFTE, Thomas. *Living with the rubbish queen:* telenovelas, culture and modernity in Brazil. Luton: University of Luton Press, 2000.

**Produção audiovisual:
questões políticas e estéticas**

TV digital, pública e por assinatura em cenário de convergência

Valério Cruz Brittos*
Luciano Correia dos Santos**

Introdução

O início das operações da televisão digital terrestre (TDT) no Brasil traz uma série de expectativas sobre como deve funcionar o setor televisivo na fase da digitalização, incluindo outros suportes que continuarão existindo, como os atuais analógicos, que têm sobrevida garantida até junho de 2016, e o mercado de TV por assinatura, serviço oferecido por meio de vários tipos de tecnologia. A princípio, seria possível imaginar a supressão das duas plataformas: a primeira, por obsoleta que deverá se tornar, do

---

* Professor no Programa de Pós-graduação em Ciências da Comunicação da Universidade do Vale do Rio dos Sinos; doutor em Comunicação e Cultura Contemporânea pela Universidade Federal da Bahia. Autor, entre outros trabalhos, de *A televisão brasileira na era digital*: exclusão, esfera pública e movimentos estruturantes (São Paulo: Editora Paulus, 2007) e *Rede Globo*: 40 anos de poder e hegemonia (São Paulo: Editora Paulus, 2005), ambos realizados em parceria com César Bolaño.
** Professor no Departamento de Comunicação da Universidade Federal de Sergipe e mestrando em Ciências da Comunicação na Universidade do Vale do Rio dos Sinos.

ponto de vista da qualidade técnica da transmissão vigente até então na televisão aberta; a segunda, pelo aumento de canais disponibilizados pela TV digital terrestre.

No caso da TV aberta analógica, sua obsolescência é inevitável. Todavia, isso não será tão rápido, afinal nem todos os televisores deverão ser trocados, nem conversores digitais instalados imediatamente. O nível de renda de amplas parcelas da população não permite levar a mudança imediatamente até seus lares, não obstante progressivamente os preços dos equipamentos digitais sejam reduzidos, ampliando o acesso antes do prazo final decretado pelo governo. Quanto à segunda plataforma, certamente seguirá existindo, em suas diversas formas de transmissão. Assim como outras variáveis, os conteúdos ainda carecem de maior desenvolvimento e acerto, no funcionamento da televisão digital terrestre, mas, independentemente do mérito, a oferta de produtos poderia criar uma situação parecida com a atual realidade da TV paga: oferta maior e qualidade técnica superior. Restaria, em decorrência, a intrigante pergunta: o que faria alguém assinar um serviço de televisão fechada após o advento da era digital? A resposta: tais serviços não devem igualar-se tanto como anunciado inicialmente.

A televisão paga estabeleceu-se oficialmente no país em 1988 e cresceu com as dificuldades inerentes a um mercado limitado, mas fincou-se como negócio autônomo, com suas lógicas internas próprias, vendendo, principalmente, quantidade e diversidade. Por serem estes dois atributos prometidos desde os primeiros anúncios da era digital, poderia, pois, o sistema por assinatura estar condenado à inanição, por concorrer com um novo modelo que promete as mesmas vantagens numa oferta gratuita. Contudo, os arranjos desenvolvidos nos últimos meses mostram outra perspectiva. De um lado, o mercado de TV a pagamento fez um mergulho existencial para descobrir as razões que justificariam sua permanência. Daí as respostas foram surgindo: a convergência, que junta o serviço dos canais pagos com internet banda larga, telefonia, e o IPTV (*Internet Protocol Television*), uma modalidade que, em linhas gerais, oferece melhor qualidade do que o conhecido modelo de televisão na internet. Também ficou patente que um dos diferenciais importantes na sua colocação no mercado, a segmentação, é instrumento importante na continuidade do serviço e na diferenciação dos conteúdos prometidos e não prioritários na TDT. De outro lado, a própria TV digital *hertziana* deve oferecer bem menos canais do que os tradicionais serviços pagos.

Um terceiro vértice neste novo horizonte televisivo é a estruturação da televisão pública, agora corporificada na TV Brasil, mas trazendo experiências dos canais públicos até então existentes e a vontade governamental de criar uma rede competitiva, fortalecida inclusive pelos recursos oriundos da sociedade. Se faltava pouco para o Brasil construir uma alternativa pública à longa hegemonia privada ditada pelas grandes redes, o Governo Lula cuidou de fazê-lo, com dois fatores que favorecem este momento: a) tecnicamente, a digitalização diminui distâncias e desequilíbrios, até por questões de custos mais baixos e tecnologias mais acessíveis; b) a anemia financeira que historicamente marcou a trajetória dos canais públicos no país já foi objetivamente atacada com a destinação de recursos do orçamento da União, especificamente para este fim.

Este artigo discute esses três vértices no cenário configurado pela televisão digital e debate os caminhos que o novo modelo pode assumir, a depender das escolhas efetuadas e dos protagonistas dessa condução.

Mercado e pagamento

Até março de 2005, segundo dados da Associação Brasileira de Televisão por Assinatura (ABTA), a indústria de TV paga no Brasil contabilizava 149 operadoras, 111 delas de cabo, 28 de MMDS (*multipoint multichannel distribution system*, por microondas) e dez de DTH (*direct to home*, por satélite).[41] Eram 487 os municípios brasileiros atendidos pelo serviço de MMDS e televisão a cabo, 196 deles apenas com MMDS, 169 somente servidos de cabo e 122 atendidos pelos dois sistemas. Já a cobertura do DTH atinge 100% dos municípios brasileiros. Apesar da excepcional força da TV aberta brasileira, em comparação com outros países, a televisão fechada também movimenta um mercado significativo. Em 1993, era 250 mil o número de

---

[41] ASSOCIAÇÃO BRASILEIRA DE TELEVISÃO POR ASSINATURA. *Perfil da indústria*. Disponível em http://www.abta.com.br/site/content/panorama/perfil.php. Acessado em dezembro de 2006.

assinantes, índice que foi crescendo numa proporção acima do desempenho econômico do país, o que é natural, pois, como todo invento tecnológico, os primeiros anos são marcados por um pico de vendas, para depois encontrar uma estabilização. No ano seguinte (1994), já eram 400 mil assinantes, contra 1 milhão em 1995 e 3 milhões e 548 mil em 2003. Por tecnologia empregada, esses assinantes representavam 59% da TV a cabo, 34% do DTH e 7% do MMDS. O segmento apresentou em 2003 um faturamento bruto de R$ 3,5 bilhões. Ainda no mesmo período, o setor empregava no país 7,9 mil trabalhadores, contra 8,1 mil funcionários próprios no ano anterior.

Assim, após os primeiros anos de implantação, o negócio começou a crescer em taxas menores, estatística que, pela ótica da ABTA, não deveria ser vista como desanimadora; numa análise feita em 2004, a entidade registrava o estágio em que se encontrava o segmento e apontava a importância da programação para o desenvolvimento do negócio:

> Apesar de todas as dificuldades financeiras enfrentadas por todo o mercado nos últimos tempos, o meio de TV por assinatura insiste em não ficar de braços cruzados. Mesmo sem a expansão da base de assinantes desde 2002, os principais canais têm crescido na audiência. E a valorização da programação tem sido a principal estratégia. Projetos especiais, programas inéditos, programação local, posicionamento para públicos específicos, além de alternativas em *cross media*, têm assegurado índices melhores (ABTA 2004: 3).

Ainda em 2004, o mercado de televisão por assinatura atingia 495 municípios, pelas tecnologias a cabo ou MMDS, ou 100% do território nacional através de DTH, representando 3,8 milhões de assinantes, ou 13 milhões de pessoas. Em setembro de 2006 já eram 4.514 mil assinantes, crescimento que – comparado ao caso norte-americano, analisado por Duarte (1996) – implica a queda de audiência das redes de *broadcasting*. A diminuição dos telespectadores da TV aberta, somada à expansão dos variados modos de canais fechados, parece o resultado de uma época em que as estratégias das empresas – e as do campo da comunicação não são exceções – concentram seus investimentos em nichos específicos. A atuação genérica, dirigida a todos, pode, nesta nova fase do capitalismo, não se dirigir mais a ninguém. O tamanho deste mercado pode ser medido, principalmente, no faturamento anual, de acordo com o quadro 1.

Quadro 1.
Evolução do número de assinantes de TV por assinatura no Brasil

Variáveis	2001	2002	2003	2004	2005	2006	2007***
Assinantes*	3.554	3.520	3.548	3.768	4.101	4.719	4.900
Faturamento**	2,51	2,93	3,46	3,98	4,66	5,53	3,1
Empregos	9.600	8.123	7.910	8.128	9.571	10.952	12.400

* Em milhões de assinantes.
** Em bilhões de reais.
*** Dados de 2007 referentes ao primeiro semestre.
Fonte: ASSOCIAÇÃO BRASILEIRA DE TELEVISÃO POR ASSINATURA. *Indicadores econômicos*. Disponível em http://www.abta.com.br. Acessado em agosto de 2007; autores.

O mesmo levantamento aponta outro dado importante e que reforça a tese da convergência como fator irremediável: o número de assinantes de internet de alta velocidade no mesmo período é de 1,4 milhão. Por fim, outro dado que atesta a solidez do negócio: de janeiro a maio de 2007, o faturamento publicitário da televisão por assinatura foi o que mais cresceu, com expressivos 8,3% de incremento, atrás apenas do segmento internet, que apresentou crescimento de 39,1%. Para se ter uma idéia do desempenho de outros meios, a TV aberta teve uma retração do investimento publicitário da ordem de 3%, jornais apresentaram uma queda de 1,2%, e revistas, uma redução de 3,7% (ABTA 2007).

Desta forma, ainda que com dificuldades, este serviço vem se firmando no disputado mercado audiovisual brasileiro, marcado pela hegemonia da televisão aberta. Seus números, destarte, não necessariamente devem-se à existência de alternativas de programação, já que o fato de ser fechado não assegura a qualidade de um canal. Tampouco o simples fato de ser local corresponde a uma representação efetiva da realidade da região ou à valorização de suas culturas. A qualidade, no caso, continua importando, para que as ofertas sugeridas pelos canais por assinatura não resultem em desapontamento e frustração por parte do público. Conforme Brittos (2001: 13), embora sejam atrativos os pacotes a preços populares para atingir novas faixas do público, a montagem das opções de canais nem sempre atende a uma ampliação de conteúdos: "Tais pacotes subtraem da totalidade de canais muitas opções, via de regra, justamente aquelas que mais se diferenciam do convencional."

Além dessas variáveis a serem consideradas, o setor reconhece que parte significativa dos assinantes que acessa operadoras de TV paga o faz para assistir a canais abertos, pela melhor qualidade da transmissão. De toda forma, o segmento cresceu, amadureceu e consolidou-se junto ao mercado publicitário, movimentando mais de R$300 milhões líquidos em 2006, devendo ultrapassar os R$400 milhões em 2007. Leal (2007: 34) destaca que é a mídia que mais cresce percentualmente há quatro anos consecutivos no Brasil: "Já abocanhou 3% do bolo publicitário e vai ultrapassar o meio rádio em *market share* publicitário em 2007, logo o rádio, que tem mais de 80 anos de vida no país."

A ABTA avalia o desempenho do segmento como positivo:

> Os números revelam que o setor encerrou o ano passado com faturamento recorde no investimento publicitário, R$529,9 milhões, um acréscimo de 42% em relação a 2005. O resultado, que superou o crescimento médio de 9% do total dos outros meios de comunicação, foi fortemente influenciado pelo volume de inserções publicitárias que registrou alta de 25% ante o mesmo período do ano anterior. No total, o segmento de *pay-tv* já responde por 3% do total do bolo publicitário brasileiro (ABTA 2007).

Esta é a lógica prevalecente até o início da operação da TV digital, em que o mercado de televisão aberta, hegemônico e dono quase absoluto da audiência, é também marcado pela ausência da diversidade, pequeno número de canais e repetição dos mesmos esquemas, com uma programação voltada tão-somente para a conquista de pontos de audiência, resultado de outra lógica perversa: a da publicidade, que reverte diretamente audiência em dinheiro. Este, aliás, é um dos fortes argumentos em defesa da audiência efetiva dos canais fechados, seja ela baixa ou não: é que aqui esses públicos apresentam um nível de fidedignidade bastante superior ao das emissoras abertas, além de maiores níveis de renda. Enquanto isso, os canais abertos representam um tecido amorfo, abstrato, sem perfil definido, inclusive economicamente.

A presença de uma diversidade na TV digital terrestre, com os tantos canais prometidos, é o que poderia mudar esta realidade, com impacto maior sobre o mercado de televisão por assinatura. A TDT foi regulamentada por decreto de 29 de junho de 2006[42] e, dentre os tipos de serviços possíveis, abrem-se:

a) HDTV (televisão de alta definição);

b) uso da banda de transmissão, a ser acrescida pela compressão de dados que o meio digital permite, para o envio de informações adicionais (por exemplo, múltiplos canais de áudio em diferentes idiomas ou câmeras extras em uma transmissão esportiva);

c) controle da exibição (*stop and play*) tal como em um videocassete;

d) *video on demand* (que ainda requer a superação de determinadas limitações técnicas);

e) Digital Vídeo Recorder (gravador digital que permite selecionar de forma inteligente o que se deseja armazenar);

f) possibilidade de escolha de diversos roteiros, predefinidos, para uma única peça dramatúrgica;

g) informação em tempo real (capacidade de abrir *frames* na programação que permitam o envio de informações adicionais. Canais de compras, como o brasileiro Shoptime, se preparam para vincular suas vendas diretamente à programação exibida, em um tipo de *merchandising* evoluído);

h) transmissão móvel, apta a acoplar a TV digital aos aparelhos de telefonia celular, PDAs e *notebooks*;

i) e, em um horizonte mais distante, a fusão completa com a internet, transformando cada *website* em uma potencial estação multimídia, pondo fim ao que atualmente chamamos de televisão (Gindre 2005).

Num primeiro momento, grande parte desses dispositivos não estará disponível, mas também deve ser acrescentado que a procura pela TV por assinatura deve-se, principalmente, a estas duas razões: a) a melhor qualidade técnica de som e imagem; b) a presença de maior número de canais. Mesmo

---

[42] BRASIL. PRESIDÊNCIA DA REPÚBLICA. *Decreto 5.820, de 29 de junho de 2006*, dispõe sobre a implantação do SBTVD-T, estabelece diretrizes para a transição do sistema de transmissão analógica para o sistema de transmissão digital do serviço de radiodifusão de sons e imagens e do serviço de retransmissão de televisão, e dá outras providências. Disponível em https://www.planalto.gov.br/ccivil_03/_Ato2004-2006/2006/Decreto/D5820.htm. Acessado em agosto de 2006.

que a TDT ofereça bem menos canais do que a televisão paga, esta, para buscar seu lugar na nova configuração do mercado, terá que encontrar saídas, como a ampliação dos serviços oferecidos (isto já ocorre, com a banda larga, telefonia etc.), a qualificação e a regionalização da programação.

Mercado e regulação

Como a discussão sobre nível e qualidade de programas é complexa e abstrata, o setor poderia responder contemplando nichos não-preenchidos, reforçando a segmentação, enfim, atendendo às finalidades que deveriam nortear o funcionamento do modelo desde seu início e evitar níveis de crescimento abaixo dos esperados pelos responsáveis pelo negócio. Além disso, a TV por assinatura carece de um tipo de conteúdo de grande interesse do brasileiro, o produzido nacionalmente – se bem que este deverá predominar no espectro da TDT. Olhando sob a perspectiva econômica, da produção, Bustamante (1999: 149) diz que um dos problemas dos canais locais é o provimento de programas, arriscando até uma fórmula: "A produção própria é centrada regular e sistematicamente na informação, que adquire um papel sistemático para a captação de audiências e para a legitimidade local de sua imagem", predominando "programas desportivos, os debates e concursos, os programas musicais".

Mas o próprio desenho da TDT só é nítido em relação à parte tecnológica. Nas outras questões, resta uma incógnita preocupante, e uma de suas possíveis deficiências, desde o início, tem sido a ausência de um amplo debate sobre os modelos que se pretendiam estabelecer. Bolaño e Brittos (2007: 7) apontam um dos problemas:

> As decisões consoantes ao sistema tecnológico televisual brasileiro deveriam ter sucedido um amplo debate, visando definir o que o país pretende de sua futura TV digital: consagrar o (falido) modelo das comunicações brasileiro, de concentração da propriedade e ausência de controle público, ou avançar para uma solução democrática, que permita a absorção da criatividade ligada à diversidade da cultura brasileira e avançar de fato no processo de inclusão digital. A opção de inclusão digital, pouco consagrada nas opções do país, de qualquer forma não poderia ficar restrita à criação de redes, sem a contrapartida de conteúdos atraentes à maioria da população.

A implantação da tecnologia digital é gradual, inicialmente envolvendo uma fase transitória, na qual parte dos consumidores deverá usar um conversor adaptado aos atuais televisores, o que limita o acesso a todos os serviços previstos. Ainda que o consumidor efetive o acesso à nova tecnologia, isto não configura sua inclusão digital, na medida em que potencialmente o sistema oferece possibilidades bem mais amplas do que o que se anuncia. Para isto, seria necessária, dentre outros itens, a definição de uma política de investimentos nas produções alternativas e independentes que assegurassem a presença de uma diversidade cultural, além da criação de conselhos na sociedade para controlar as concessões.

Outro aspecto que preocupa é o ambiente regulatório, elemento importante para questões como democratização do acesso, garantia da diversidade de conteúdos e abertura para produtores independentes, dentre outras. Corre-se o risco de retrocessos institucionais que eliminem conquistas como as celebradas na Lei do Cabo – como de fato ocorreu na definição da norma do MMDS, feita em um momento político em que as correntes defensoras de um ultraliberalismo mantinham posições hegemônicas nos campos da comunicação. Sem a fiscalização da sociedade, restará a força dos interesses privados, ou a omissão governamental, cuja posição, em muitos casos, coincide com a do empresariado. Isto ficou evidente na intenção manifesta pela Anatel (Agência Nacional de Telecomunicações) de editar qualquer regulamentação da televisão digital até o ano seguinte à sua implantação no país, ou seja, preferindo claramente a política do deixar correr frouxo: "Se a Anatel inventar novas regras, vai engessar o mercado, que tem que achar a fórmula de se equilibrar" (Vizia 2007). A declaração, que poderia ter saído de algum representante dos canais privados, é de ninguém menos do que da superintendente de comunicação de massa da Agência Nacional de Telecomunicações, Ara Minissaian, deixando claro de que lado o governo se posiciona e defendendo que num primeiro momento não haverá regulamentação específica: "Lá na frente, se precisar, vamos entrar para regulamentar o mercado, para alavancar a adoção digital" (Id. ibid.).

O resultado de tamanha frouxidão regulatória não poderia ser outro: as empresas se sentem confortáveis para avançar na concretização de seus negócios a partir de uma lógica puramente financeira, que ignora os interesses e direitos da sociedade, garantidos em lei. Mostra disso foi dada em agosto último pela Rede Globo, ao sinalizar a intenção de firmar um termo de licenciamento com as operadoras de TV por assinatura para a distribuição do seu sinal em alta definição.[43] Ou seja, como a legislação não fixou deveres e obrigações, e a declaração da diretora da Anatel vem a calhar, a Globo estuda impor sua vontade, cobrando pela retransmissão de sua programação digitalizada. Uma medida como esta não só resultaria no aumento do custo de assinatura na televisão paga, cujos preços já são proibitivos à maior parcela da população, como prevê uma era de incertezas com a operação da TDT.

Neste ponto, a produção alternativa resolveria o problema anteriormente posto, a discussão sobre o caráter dos conteúdos e níveis de programação, tangenciando valores como a concorrência (e a mera disputa por audiência), para reconhecer a pluralidade de interesses do público e das emissoras, num modelo distinto da TV aberta, sobretudo nos aspectos em que este se apresenta mais nocivo: a exclusão pela lógica dos preços e o controle oligopólico dos mercados culturais. Uma proposta ideal, portanto, deveria agregar valor econômico e social à televisão, promovendo ainda a convergência com outras mídias e novas aplicações domésticas. Em resumo: em vez de discutir um modelo de negócio (como efetivamente ocorreu com o precário debate que antecedeu a definição do modelo), priorizar um modelo de serviço, como chegou a propor a Federação Nacional dos Jornalistas (Fenaj). Ou, de outro modo: a progressiva convergência entre o televisor e o microcomputador, resultando numa provável fusão ainda não mensurada (Gindre 2005: 137).

A resposta à qualificação do conceito de televisão e seu funcionamento sob lógicas não-comerciais, mais voltado à educação e à diversidade presente na internet, parece não ser a tônica dominante na implantação da TDT brasileira, embora muito ainda falte a ser feito, ou seja, o processo se encontra em pleno desenvolvimento. Mas desde agora é possível identificar uma de suas principais deficiências, justamente na prometida interatividade:

> De qualquer forma, já é sabido que, na sua estréia, em 2007, a televisão digital não contará com canal de retorno definido, nem o

---

[43] GLOBO vai licenciar, por contrato, sinal HD para TV paga. *Tela Viva*, São Paulo, 9 ago. 2007. Disponível em http://www.telaviva.com.br/. Acessado em agosto de 2007.

middleware que permita a interatividade, o que, desde já, limita seu uso. Tal quadro deve mudar ao longo do tempo, com a agregação de outros equipamentos e possibilidades (Bolaño e Brittos 2007: 12).

Assim, essas deficiências contidas no projeto inicial da TV digital terrestre seriam aliadas da manutenção do atual mercado de televisão paga. Esta, por seu turno, deve procurar posicionar-se no atendimento a demandas (ainda) não contempladas na transformação para a era digital. Isto porque, em relação às perspectivas prometidas para a nova fase, dificilmente o Estado brasileiro atacará de frente a tendência concentracionista que mantém a sociedade refém de um modelo fechado, pois "até o momento o Estado não tem buscado contrariar as tendências hegemônicas de incremento do controle oligopólico da informação, isolamento e fragmentação social e decadência da esfera pública" (Id. ibid.: 25).

A forte concentração da propriedade nas mãos de pequenos grupos não é uma marca do desenvolvimento apenas do sistema televisivo brasileiro, mas de todo o subcontinente (e cada vez mais do mundo todo). Salmón (2007) apresenta os resultados de uma investigação feita entre países da região que não apenas confirma esse dado, mas também revela que o maior crescimento verificado nos anos 1990 se deu exatamente onde há maior concentração:

> A estrutura das indústrias culturais e de telecomunicação mostra na América Latina um alto grau de concentração. As quatro primeiras empresas de cada mercado dominam, nos recebimentos regionais, mais de 60 por cento do público e do faturamento do mercado.

É apontada ainda outra conclusão muito assemelhada à realidade brasileira, o baixo consumo *per capita* de livros, jornais, cinema e internet, enquanto o acesso ao rádio e à televisão aberta é folgadamente majoritário, sendo atribuído este fato não à ausência de políticas nacionais de comunicação, mas à persistência de políticas parciais e conjunturais, que impedem a democratização comunicacional – "e assim se perpetuaram intactas a dependência e a dominação à conveniência da potência hegemônica mundial e das oligarquias nativas ligadas ao *status quo*" (Id. ibid.). Isto explicita o que representam os meios privados, em oposição aos interesses da sociedade, contrariamente ao que anunciam estudos celebratórios da mídia.

Democratização e movimentos

Se a nova configuração pretender uma democratização do setor ou, se não tanto, ao menos promover a tão ansiada convergência, teria que se desenvolver num ambiente regulatório mais afeito à diversidade sociocultural, à luz da Lei do Cabo e em contrário ao sentido liberalizante da norma do MMDS. Uma convergência que, no plano tecnológico, integre IPTV e redes telefônicas e no normativo resulte numa nova regulamentação da televisão paga, com vistas a combater a disparidade apontada e evitar a consolidação de um espaço ultraliberal. Mas a forma como se deu a discussão (ou a ausência dela) soa como mau presságio para quem defende o avanço das conquistas sociais:

> O conjunto de passos pré-digitalização apresentados e discutidos projeta a manutenção da situação característica das comunicações no Brasil, em que têm predominado os interesses privados sobre os públicos e o telespectador é visto apenas como audiência, isto é, meio para atingir faturamento, a programação molda-se aos propósitos publicitários, a regulamentação é decidida numa articulação quase vedada à sociedade civil, o controle social sobre o conteúdo é inexistente e a propriedade é extremamente concentrada (Bolaño e Brittos 2007: 35).

Isto evidencia com clareza a necessidade de uma ação vigorosa por parte do Estado, contrariando a lógica predominante nos governos liberalizantes de Fernando Collor e Fernando Henrique Cardoso, que, em progressões geométricas, promoveram, ao lado de uma desregrada distribuição de canais, privatizações que fizeram do poder público mero coadjuvante no protagonismo nacional, prevalecendo "uma lógica de desregulamentação, pois a idéia é facilitar a atuação do particular e não exercer um real controle do público sobre o privado" (Id. ibid.: 45). Já o Governo Luiz Inácio Lula da Silva, embora de forma tímida, tem esboçado preocupação com o desequilíbrio do mercado, provocado pela força extremada que os grandes grupos privados assumiram desde a implantação da televisão no país. No entanto, o Governo Lula tem recuado sempre ante a reação agressiva da mídia a qualquer iniciativa que represente algum avanço, como nos casos da criação da Agência Nacional do Cinema e do Audiovisual (Ancine) e do Conselho Nacional de Jornalismo (CNJ), assim como nos episódios de definição do padrão de TV digital e da classificação indicativa dos conteúdos culturais.

Reação semelhante ocorreu desde o anúncio, pelo Governo, da implantação da televisão pública, a TV Brasil, iniciativa do Executivo que, em linhas gerais, busca oferecer maior capacidade de escolha ao telespectador e diminuir o desequilíbrio gritante na relação entre canais públicos e privados. Nesse contexto, a digitalização é ferramenta importante para reparar perdas históricas no campo do televisual brasileiro, abrindo perspectivas para uma cidadania efetiva e novas sociabilidades, e não servindo como instrumento de preservação do *status quo*:

> Assim, a esfera pública viabilizada pela tecnologia contemporânea, de forma semelhante ao que ocorria com a esfera pública burguesa clássica do século XIX, segue restrita a setores cultos e relativamente ricos, permanecendo, para a imensa maioria da população mundial, totalmente válido o paradigma da cultura de massas. Não obstante, são inegáveis as possibilidades de efetivos avanços democráticos que o novo meio oferece, decorrentes da interatividade e do trabalho em rede, o que passa por uma reorientação do modo de pensar a comunicação (Id. ibid.: 91).

O risco da repetição de uma esfera pública crítica e restrita a uma elite econômica e cultural pode ser explicado pela manutenção de um círculo vicioso, que põe na mesma equação a pobreza da oferta das redes privadas e um público desacostumado a exigir qualidade. Esta seria uma das metas sociais a ser atingida pela televisão pública, a fim de mudar uma realidade que Leal Filho (2007: 2) vê da seguinte forma:

> A ausência de uma televisão pública forte no Brasil impediu a formação de um público mais crítico em relação à TV comercial, resultado da falta de modelos alternativos. Também impossibilitou a criação de uma massa crítica capaz de exigir da televisão, no mínimo, o respeito aos preceitos constitucionais que determinam a prestação de serviços de informação, cultura e entretenimento. No Brasil, ao contrário do que ocorreu na Europa, as tímidas iniciativas para implantar serviços públicos de radiodifusão foram sempre subordinadas ao modelo comercial, atuando de forma complementar a ele. Ou seja, ocuparam os espaços que não atraíam os interesses da iniciativa privada.

A qualificação dos conteúdos ofertados pelas redes privadas, taxada de pobre, se deve à forma como elas historicamente atuaram no país, estabelecendo "uma forma de pensamento único, reprodutor das idéias dominantes e disseminadas a partir dos centros de capitalismo global" (Id. ibid.: 7), priorizando o individualismo e o consumismo. Enfim, após um diagnóstico preciso e irrefutável, resulta que a televisão pública chega amparada em objetivos fundados no interesse da sociedade, precisamente dos segmentos que lutam pela democratização da comunicação e por um melhor equilíbrio na equação público e privado.

Se até a entrada em operação da TV digital o mercado de televisão a pagamento vem experimentando taxas de crescimento, as operadoras também empreenderam outros movimentos para garantir a solidez do negócio, a exemplo da forma de interação com a publicidade, baseada em uma evolução nos formatos, soluções, idéias e práticas comerciais. Progressivamente, ao lado do padrão convencional da secundagem (a comercialização dos segundos, método que consolidou a operação comercial dos canais abertos) nos intervalos apenas, a exemplo da TV aberta, avança uma nova tendência de mercado: a criação conjunta de conteúdo. São exemplos os programas *Claro que é Rock* e *Oi Mundo Afora*, o documentário *Porque se sujar faz bem*, no Discovery, com Omo, e *O mico da semana*, de jogadas infelizes, na ESPN Brasil, com Tigre Tubos e Conexões (Id. ibid.: 34).

A questão que se põe, com esses novos formatos publicitários, é sua ascendência sobre os conteúdos editoriais e os riscos de atingir a pretensa autonomia reclamada pelo jornalismo clássico, resultado de lutas sociais históricas. Isso pode representar uma volta à televisão feita nos anos 1950 e 1960, cujos programas patrocinados invariavelmente ficavam de forma direta à mercê dos interesses comerciais das empresas. Dito de outra forma: até que ponto programas poderiam manter autonomia e distanciamento em relação às firmas patrocinadoras? Enquanto, no mercado atual de comunicação, veículos se vangloriam de não aceitar favorecimentos ou facilidades (é o caso de revistas da área de turismo que custeiam a cobertura jornalística feita pelos seus profissionais, não aceitando ofertas de passagens e estadia; e de canais, como a Rede Globo, que, em viagens presidenciais a países que não possuem rotas aéreas comerciais, inclui sua equipe no avião presidencial, mas doa o equivalente aos custos da passagem para entidades assistenciais), tais parcerias representariam um retrocesso na (já relativa) independência editorial das organizações jornalísticas.

De todo modo, o caminho a ser perseguido pela TV por assinatura no Brasil é bastante longo, visto que o início não foi marcado exatamente por números animadores. Se de 2001 a 2006 o segmento apresentou taxas de crescimento aceitáveis, isto se deve, principalmente, a ainda encontrar-se no período de implantação. Deste ponto de vista, o crescimento foi aquém do esperado, como apontavam os prognósticos iniciais do mercado. Para seguir crescendo, certamente o setor terá que desenvolver novas estratégias e incrementar as já em funcionamento.

A verdade é que o Brasil apresenta uma baixa taxa de penetração da televisão paga, se comparado a outros países, de realidades econômicas semelhantes. Tal quadro relaciona-se com as dificuldades do país como um todo, mas também com decisões contestáveis desta indústria, até porque vários outros setores apresentaram crescimentos altamente positivos a partir do Plano Real. As empresas da área de televisual a pagamento não adotaram estratégias coerentes de expansão, gastaram muito dinheiro investindo em mais de uma tecnologia e deixaram de lado o mais importante, o consumidor; em conseqüência, não conseguiram superar a marca dos 7% de penetração, enquanto na Argentina esse índice chega a 56% e no México, a 14%: "Seja como for, é possível que a baixa penetração verificada tenha a ver – além, obviamente, do custo do modelo para o consumidor, que é o fator principal – com o fato de a programação ser basicamente importada, quando se sabe da preferência" do telespectador brasileiro pelo produto nacional (Bolaño 2004: 270).

Logo, o diagnóstico do negócio TV por assinatura pode ser assim resumido: no país, não deslanchou principalmente por duas razões – a baixa oferta de material nacional diversificado e a renda média do brasileiro, incompatível com o custeio das mensalidades (Bolaño 2007: 188-189). Os números absolutos do negócio são representativos e indicam crescimento, fazendo do Brasil o sexto maior mercado do mundo – contudo, isso se deve muito mais ao tamanho do país.

Considerações finais

O caráter reestruturador do audiovisual atribuído ao universo da televisão digital confirma-se pelo menos num aspecto: o tecnológico, que amplia as atuais opções de acesso à TV aberta, atualmente limitada, nos centros urbanos mais desenvolvidos, a cinco ou seis canais de VHF (*very high frequency*), além daqueles em UHF (*ultra high frequency*). Todavia, mesmo esta possibilidade será utilizada com restrições: é que os canais comerciais, que poderiam veicular até quatro programações diferentes (a multiprogramação), devem optar pela utilização do espectro para transmitir em alta definição. A tecnologia obriga a escolher: ou a multiprogramação ou o foco na qualidade de alta definição, com gradações, como, por exemplo, dois canais de média definição.

Assim, a novidade mesmo fica por conta dos canais públicos, como TV Senado, TV Câmara e algumas outras (uma provável TV Educação), além da TV Brasil, concebida pelo Executivo justamente para tentar um equilíbrio no setor televisual do país, marcado desde seu início pelo domínio absoluto das redes privadas. Esta, portanto, é uma das possibilidades abertas pela TDT, visto que ela aproximará tecnicamente os competidores. A TV Brasil chega ao mercado animada pelos R$350 milhões anuais previstos no orçamento da União, montante significativo, mesmo se comparado ao volume movimentado pelos canais privados. Com relação à televisão por assinatura, o segmento começa a rever estratégias, apostar na convergência e, principalmente, na segmentação, contando com amplas condições de atender demandas não contempladas nos canais da TDT.

O problema maior é que, nas condições atuais, os vícios historicamente agregados ao funcionamento da TV no Brasil transferem-se para a nova plataforma, pelas mãos do empresariado oligopolista do setor. Nesta forma tosca de fazer capitalismo no mercado de comunicação nacional, é garantida uma reserva aos atuais operadores, com o simples repasse de uma concessão digital para aqueles que já dispunham de uma analógica. Lastreado no rarefeito debate que precedeu (ou não) a implantação da fase digital, o empresariado de radiodifusão ainda conta com ampla liberdade para fazer suas próprias opções do uso do espectro e com o pouco controle social sobre o serviço.

Referências bibliográficas

ASSOCIAÇÃO BRASILEIRA DE TELEVISÃO POR ASSINATURA. *Indicadores econômicos*. Disponível em http://www.abta.com.br. Acessado em agosto de 2007; autores.

_____. *Mídia fatos 2004*. São Paulo, 2004.

_____. *Perfil da indústria*. Disponível em http://www.abta.com.br/site/content/panorama/perfil.php. Acessado em dezembro de 2006.

_____. *Setor de TV por assinatura registra recorde de investimento publicitário em 2006*. Disponível em http://www.abta.com.br/. Acessado em agosto de 2007.

BOLAÑO, César Ricardo Siqueira. *Mercado brasileiro de televisão*. 2.ed. São Cristóvão, SE: Universidade Federal de Sergipe; São Paulo: Educ, 2004.

BOLAÑO, César Ricardo Siqueira e BRITTOS, Valério Cruz. "Capitalismo e política de comunicação: a TV digital no Brasil". In: Encontro Nacional da Associação dos Programas de Pós-graduação em Comunicação, 17, 2007. *Anais...* Curitiba: Compós, 2007. 1 CD.

_____. *A televisão brasileira na era digital: exclusão, esfera pública e movimentos estruturantes*. São Paulo: Paulus, 2007.

BRASIL. PRESIDÊNCIA DA REPÚBLICA. *Decreto 5.820, de 29 de junho de 2006*, dispõe sobre a implantação do SBTVD-T, estabelece diretrizes para a transição do sistema de transmissão analógica para o sistema de transmissão digital do serviço de radiodifusão de sons e imagens e do serviço de retransmissão de televisão, e dá outras providências. Disponível em https://www.planalto.gov.br/ccivil_03/_Ato2004-2006/2006/Decreto/D5820.htm. Acessado em agosto de 2006.

BRITTOS, Valério Cruz. *Recepção e TV a cabo: a força da cultura local*. 2.ed. São Leopoldo: Ed. Unisinos, 2001.

BUSTAMANTE, Enrique. *La televisión económica: financiación, estrategias y mercados*. Barcelona: Editorial Gedisa, 1999.

DUARTE, Luiz Guilherme. *É pagar para ver: a TV por assinatura em foco*. São Paulo: Summus, 1996.

GINDRE, Gustavo. "Esboço de uma antropologia da TV digital". In: JAMBEIRO, Othon; BRITTOS, Valério; BENEVENUTO Jr., Álvaro (orgs.). *Comunicação, hegemonia e contra-hegemonia*. Salvador: Edufba, 2005. p.131-150.

GLOBO vai licenciar, por contrato, sinal HD para TV paga. *Tela Viva*, São Paulo, 9 ago. 2007. Disponível em http://www.telaviva.com.br/. Acessado em agosto de 2007.

LEAL, Paulo. "O quadruple play do conteúdo". *Tela Viva*, São Paulo, n.169, p.34, mar. 2007.

LEAL FILHO, Laurindo Lalo. "A televisão pública brasileira, um vazio histórico". In: Encontro Nacional da Associação dos Programas de Pós-graduação em Comunicação, 17, 2007. *Anais...* Curitiba: Compós, 2007. 1 CD.

SALMÓN, Luis Ramiro Beltrán. "Comunicación para la democracia em Iberoamérica. Memoria e retos de futuro". *Telos* – Cuadernos de comunicación, tecnología y sociedad, Madrid, jul.-sep. 2007, n. 72. Disponível em http://www.campusred.net/TELOS/articuloAutorInvitado.asp?idarticulo=1&rev=72. Acessado em agosto de 2007.

VIZIA, Bruno de. "Anatel não editará legislação para TV digital antes de 2008". *Tele Síntese*, São Paulo, 9 ago. 2007. Disponível em http://www.telesintese.com.br/index.php?option=com_content&task=view&id=6868&Itemid=10. Acessado em agosto de 2007.

Relações incestuosas: mercado global, empresariado nacional de radiodifusão e líderes políticos locais/regionais

*Suzy dos Santos**

As políticas de comunicação brasileiras nos governos democráticos subseqüentes ao período militar foram pontuadas por elementos que as diferenciaram da tendência global de aceitação automática da convergência dos meios. Na verdade, o período compreendido nos últimos vinte anos operou um grande distanciamento entre o modelo brasileiro de comunicação e os modelos internacionais mais conhecidos. Incluem-se:

a) o detalhamento das lógicas clientelistas que transformou as outorgas municipais de rádio e televisão em moeda política no jogo federal;

b) o deslocamento, na regulação do setor, da centralidade do interesse privado, em detrimento do interesse público, para a centralidade do interesse político e/ou religioso, local ou regional, em detrimento do interesse econômico global ou nacional;

---

* Doutora em Comunicação e Cultura Contemporânea pela Universidade Federal da Bahia (2004), mestre em Comunicação e Informação pela Universidade Federal do Rio Grande do Sul (1998), tendo se graduado em Comunicação Social pela Universidade Federal do Rio Grande do Sul. Atualmente, é professora do Programa de Pós-graduação de Comunicação da Universidade Federal do Rio de Janeiro e pesquisadora do Nepcom-ECO/UFRJ. Recentemente, organizou, em parceria com outros autores, as seguintes coletâneas: *Tempos de Vargas: o rádio e o controle da informação* (Salvador: Edufba, 2004) e *Temas em comunicação e cultura contemporâneas* (Salvador: Edufba, 2001).

c) a esdrúxula separação das velhas e novas tecnologias de comunicação em marcos regulatórios distintos (radiodifusão no âmbito do Ministério das Comunicações, e comunicações[44] no âmbito da Agência Nacional de Telecomunicações);

d) a ausência de transparência sobre a estrutura de propriedade e de afiliação da radiodifusão nacional.

Este momento político específico do sistema de comunicação levou alguns analistas a buscar no *Coronelismo* de Victor Nunes Leal a matriz analítica para o fenômeno comunicacional. Em momentos anteriores nos dedicamos, em parceria com Sérgio Capparelli (2002; 2005), à verificação empírica do coronelismo eletrônico como forma de manutenção das elites políticas. Chamamos de coronelismo eletrônico o sistema organizacional da recente estrutura brasileira de comunicações, baseado no compromisso recíproco entre poder nacional e poder local, configurando uma complexa rede de influências entre o poder público e o poder privado dos chefes locais, proprietários de meios de comunicação. Da mesma forma que no coronelismo, o coronelismo eletrônico é o

> resultado da superposição de formas desenvolvidas do regime representativo a uma estrutura econômica e social inadequada. Não é, pois, mera sobrevivência do poder privado (...) É antes uma forma peculiar de manifestação do poder privado, ou seja, uma adaptação em virtude da qual os resíduos do nosso antigo e exorbitante poder privado têm conseguido coexistir com um regime político de extensa base representativa (Leal, 1997: 40).

Mais recentemente, expusemos nossa proposta de tentar resgatar um conjunto de enunciados do sistema coronelista, conforme proposto por Vitor Nunes Leal (1997), defendendo sua pertinência enquanto herança conceitual

---

[44] A divisão opera uma separação conceitual entre televisão aberta, compreendida pela radiodifusão, e televisão por assinatura, compreendida junto com os demais serviços como internet e telefonia. Há ainda outra separação, que é a retirada do cinema do escopo dos meios de comunicação e a sua estratégica colocação no âmbito do Ministério da Cultura/Agência Nacional do Cinema.

conveniente à proposição de uma categoria analítica para o modelo brasileiro de comunicações: o coronelismo eletrônico. Para isso, num primeiro momento, tentamos contextualizar o coronelismo e sua adoção nas análises comunicacionais, delimitar algumas fronteiras, apontar algumas imprecisões e inconsistências corriqueiras, e, por fim, sugerir a adoção de cinco enunciados herdados do coronelismo para constituir o coronelismo eletrônico (Santos, 2006).

Definimos como enunciados hereditários do coronelismo:

1) a circunscrição a um momento de transição do sistema político nacional;

2) as relações clientelistas com alto grau de reciprocidade;

3) a debilidade da distinção entre interesses público e privado;

4) o controle dos meios de produção baseado no poder político em detrimento do poder econômico;

5) o isolamento da municipalidade.

Em continuidade, é hora de especificar a quarta herança do coronelismo ao coronelismo eletrônico na qual o controle dos meios de produção é baseado no poder político local/regional em detrimento do poder econômico ou do interesse público. A aliança entre o empresariado nacional e elites políticas locais e regionais tem duas propriedades singulares: a) a precariedade econômica desses atores; e b) o caráter estratégico da propriedade de televisão aberta para continuidade da estrutura anteriormente consolidada. Estas relações se estruturam por meio de um sistema estreito de afiliação entre os principais grupos nacionais e pequenas empresas pertencentes a líderes políticos municipais ou estaduais. Esta aliança garante aos vereadores, prefeitos, governadores, deputados ou senadores, proprietários de televisão aberta, a oferta de programação – e, conseqüentemente, garante a audiência – sem o dispêndio de muitos recursos e, por outro lado, garante a máquina pública atuando de acordo com os interesses das grandes redes nacionais. Por fim, pretende-se demonstrar como esta aliança tem funcionado, em grande medida, como barreira à entrada dos interesses convergentes de empresas internacionais no cenário nacional.

Pobre mídia rica: a precariedade econômica do empresariado nacional de comunicação e dos líderes políticos locais/regionais

O momento mais feliz para os chefes locais e proprietários nacionais de radiodifusão foi o período da ditadura militar. Não havia TV a cabo, por microondas, por satélite nem internet para servir de concorrente, nem as polpudas verbas das *majors* internacionais para seduzir ministros e presidentes. No plano político, não havia liberdade partidária e controle externo nem se cogitavam questões fortalecidas pela democracia como cidadania e direito do consumidor.

A democratização e a maior complexidade do mercado brasileiro de comunicações refletem com nítida clareza a especificidade deste modelo. O coronelismo eletrônico é sistema resultante do enfraquecimento das elites nacionais privilegiadas no regime militar. De forma similar ao ocorrido no coronelismo, para delimitar o coronelismo eletrônico é fundamental diferenciar o poder privado do coronelismo das noções de poder privado pertinentes a outras conjunturas da história brasileira. Segundo Leal, o coronelismo não corresponde

> à fase áurea do privatismo: o sistema peculiar a esse estádio, já superado no Brasil, é o patriarcalismo, com a concentração do poder econômico, social e político no grupo parental. O "coronelismo" pressupõe, ao contrário, a decadência do poder privado e funciona como processo de conservação de seu conteúdo residual (Leal, 1997: 276).

Ao destacar a fragilidade do poder privado no coronelismo, Leal oferece a ferramenta para a construção deste enunciado hereditário: a busca do controle dos meios de produção baseada no poder político em detrimento do poder econômico. No coronelismo tradicional, a modernização imposta pelas tendências liberais que atiçaram a proclamação da república foi fundamental para o declínio do senhor rural. O sistema produtivo açucareiro e algodoeiro, que compreendia grande parte dos coronéis, estava fundado em bases coloniais nas quais o fazendeiro tinha pouca participação na estrutura de comércio dos produtos, executada em Portugal ou na Holanda.

Assim isolados, os homens que dirigiam a produção não puderam desenvolver uma consciência clara de seus próprios interesses. Com o tempo, foram perdendo sua verdadeira função econômica, e as tarefas diretivas passaram a constituir simples rotina executada por feitores e outros empregados. Compreende-se, portanto, que os antigos empresários hajam involuído numa classe de rentistas ociosos, fechados num pequeno ambiente rural, cuja expressão final será o patriarca bonachão que tanto espaço ocupa nos ensaios dos sociólogos nordestinos do século XX. A separação de Portugal não trouxe modificações fundamentais, permanecendo a etapa produtiva isolada e dirigida por homens de espírito puramente ruralista (Furtado, 2005: 121-122).

A ausência de expressividade econômica frente ao crescimento de elites comerciais e industriais impeliu o coronel à valorização de seu poder político. Semelhante situação ocorre no coronelismo eletrônico.

Evandro Guimarães defendeu a reserva de mercado da comunicação social para brasileiros como forma de garantir a manutenção de empregos, gerar conteúdo local e proteger a identidade nacional. De acordo com Guimarães, essa seria uma 'reserva de mercado politicamente correta'. Ao lembrar que nenhum país do mundo abriu mão da garantia de que a comunicação para os cidadãos seja feita por pessoas nascidas no próprio país, Evandro Guimarães disse que essa reserva de mercado é uma regra de defesa da identidade e da soberania nacionais (Senado Federal, 2007).

A leitura sem malícia deste trecho da notícia poderia inferir uma natureza nacionalista na fala do conselheiro da Abert – Associação Brasileira de Rádio e Televisão – e, concomitantemente, vice-presidente de Relações Institucionais das Organizações Globo na audiência pública para debater o conteúdo audiovisual frente à convergência das comunicações, organizada pela Comissão de Ciência e Tecnologia, Inovação, Comunicação e Informática do Senado Federal. Com um pouco menos de pressa, a análise leva a outras conjecturas.

Em primeiro lugar, a expressão "mercado da comunicação social" aqui usada se refere a um universo muito particular, sinônimo de "mercado da radiodifusão". As organizações representadas por Evandro Guimarães estão fortemente atreladas ao mercado internacional. Desde o nascimento da

Rede Globo, com a parceria Time-Life, as relações societárias das Organizações Globo se diversificaram profundamente. No ambiente cinematográfico, a Globo Filmes atua diretamente com as *majors* hollywoodianas na distribuição dos filmes. A grade de programação do seu canal aberto é composta por expressiva parcela de programas importados. Os pacotes de canais da Globosat são majoritariamente compostos por canais internacionais. No universo da televisão por assinatura por satélite – DTH, a fusão nacional das empresas DirecTV e Sky gerou uma nova empresa detentora de 97% do mercado brasileiro, com a propriedade dividida entre News Corp (74%) e Organizações Globo (26%).

No setor de TV por assinatura a cabo, em 2005 as Organizações Globo driblaram a obrigatoriedade de 51% mínimos brasileiros na propriedade de TV a Cabo (Lei 8.977, de 1995) para poder vender parte da sua empresa atuante no setor, a Net, para a empresa de telefonia mexicana Telmex. O recurso utilizado foi a criação de uma nova empresa, a GB Empreendimentos e Participações S/A, cujas ações com direito a voto – ordinárias – ficaram 51% em nome da empresa Globo Comunicação e Participações S/A e 49% da Telmex. A empresa GB Empreendimentos e Participações comprou 51% das ações ordinárias da Net, a Telmex também adquiriu 37,3% das ações ordinárias e 49% das ações preferenciais da Net, através de outra empresa de sua propriedade, a Embratel, totalizando assim 60% do capital total (Castro, 2005). A Telmex também é proprietária da empresa de telefonia celular Claro. Assim, entende-se que "mercado de comunicação social" nacional se refere ao único setor de amplo domínio das Organizações Globo, a televisão aberta.

Com a recente venda das empresas de TV por assinatura do grupo Abril para a Telefônica de Espana, também proprietária da concessionária de telefonia fixa no estado de São Paulo e de 50% da companhia de celular Vivo, a oferta de serviços convergentes de comunicação começa a delinear a entrada das operadoras internacionais de telefonia no setor de conteúdo audiovisual e no provimento de acesso à internet em banda larga.

A disparidade econômica entre estes setores, concomitantemente parceiros e concorrentes, revela o grau de fragilidade do empresariado nacional de comunicações. Os dados de faturamento explicitam esta fragilidade.

Faturamento do setor de comunicações em 2006 por mídia (R$ milhões) [45]

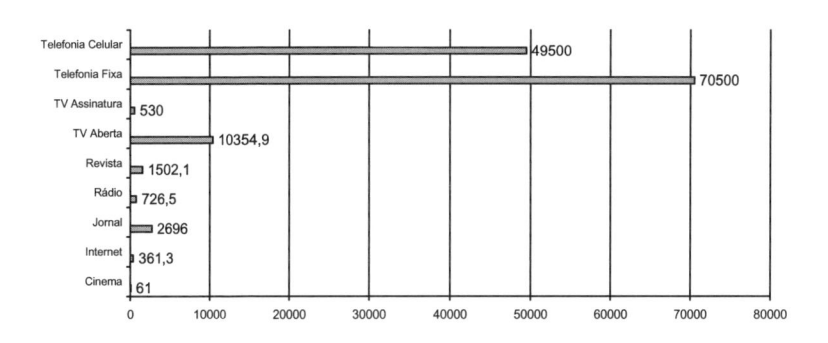

- Telefonia Celular: 49500
- Telefonia Fixa: 70500
- TV Assinatura: 530
- TV Aberta: 10354,9
- Revista: 1502,1
- Rádio: 726,5
- Jornal: 2696
- Internet: 361,3
- Cinema: 61

Faturamento do setor de comunicações em 2006 por setor (R$ milhões) [46]

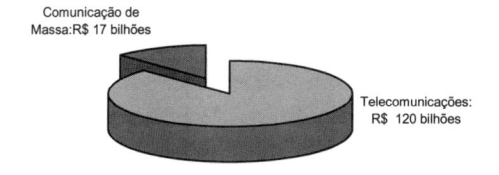

- Comunicação de Massa: R$ 17 bilhões
- Telecomunicações: R$ 120 bilhões

A fragilidade econômica dos grupos nacionais de mídia é uma realidade relativamente homogênea na América Latina (Mastrini e Becerra, 2006). O mercado global afetou duramente as realidades nacionais em boa parte dos países capitalistas ocidentais. A especificidade brasileira está na expressividade do coronelismo eletrônico nas últimas duas décadas da vida política nacional. As sucessivas crises enfrentadas, a partir dos anos 1990, fizeram com que o sistema coronelista se tornasse a base da sobrevivência do empresariado nacional.

---

[45] Fontes: Projeto Inter-meios e Teleco.
[46] Fontes: Projeto Inter-meios e Teleco.

A agressividade nas falas públicas do supracitado conselheiro da Abert deve ser também contextualizada, pois revela outra fragilidade econômica do empresariado nacional. O modelo brasileiro de distribuição da programação televisiva através de empresas afiliadas faz com que as grandes redes não sejam grandes proprietárias de veículos de comunicação, como mostra a ilustração abaixo.

**Distribuição das outorgas de TV aberta por rede
(entre as quatro grandes empresas)**[47]

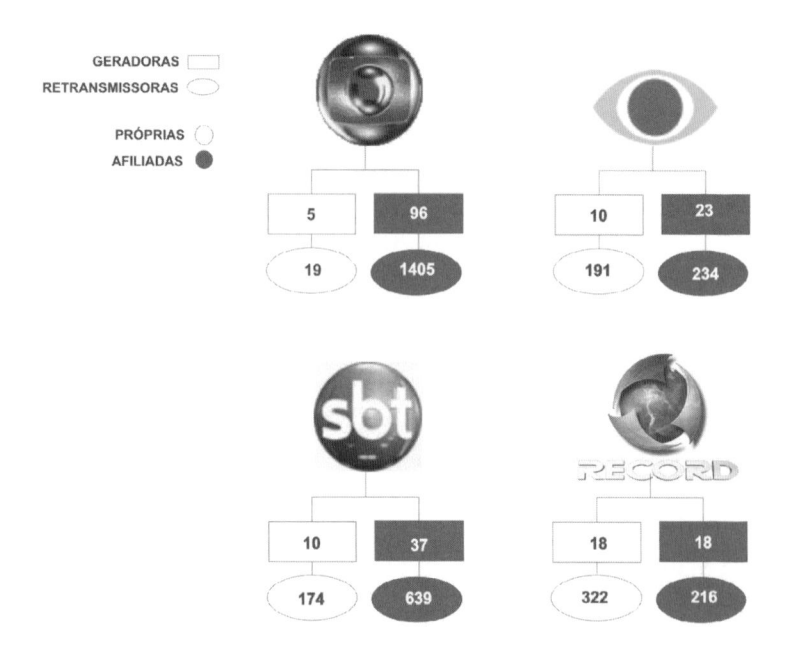

	GERADORAS	RETRANSMISSORAS
PRÓPRIAS		
AFILIADAS		

Globo:
- Próprias: 5 geradoras, 19 retransmissoras
- Afiliadas: 96 geradoras, 1405 retransmissoras

TV (Olho):
- Próprias: 10 geradoras, 191 retransmissoras
- Afiliadas: 23 geradoras, 234 retransmissoras

SBT:
- Próprias: 10 geradoras, 174 retransmissoras
- Afiliadas: 37 geradoras, 639 retransmissoras

Record:
- Próprias: 18 geradoras, 322 retransmissoras
- Afiliadas: 18 geradoras, 216 retransmissoras

Esse quadro das outorgas é relativamente distinto daquele apresentado oficialmente pelas redes de TV. Isso porque a contagem das redes às vezes considera como geradoras algumas permissões de retransmissão (RTV), como nos

---

[47] Fonte: Banco de dados da autora, com base no cruzamento de informações da Anatel, do Ministério das Comunicações e das emissoras.

casos da Rede Globo, em 18 outorgas; da Bandeirantes e do SBT, em oito outorgas cada. As redes também incluem algumas Prefeituras municipais como suas retransmissoras; nesta pesquisa, no entanto, como foi impossível delimitar quais canais retransmitiam a maioria das Prefeituras, optou-se por não considerá-las no quadro de afiliação. Naturalmente, este quadro se desatualiza a cada dia, dadas as constantes trocas de afiliação em emissoras de todo o país.

A distribuição das afiliadas das grandes redes encontra no cenário regional atores identificados tanto com as lideranças políticas quanto com as igrejas eletrônicas, como é o caso da Fundação Celinauta, no Paraná, grupo católico que retransmite a Rede TV, ou da família Petrelli, que retransmite a Record. Nos estados, alguns grupos familiares praticamente dominam a oferta de televisão, aberta ou por assinatura, como, por exemplo: família Câmara, em Goiás; família Coutinho, em Minas Gerais e São Paulo; grupo Zahram, no Mato Grosso do Sul; Organizações Rômulo Maiorana, no Pará; famílias Lemanski e Cunha, no Paraná; e, com maior destaque, famílias Sirotsky, na região sul, e Daou, em toda a região norte do país (Mattos, 2000; Lima, 2003; Taveira, 2001; Santos, 1999).

Embora o empresariado de televisão aberta concentre grande parte dos investimentos em comunicação no Brasil (Bolaño, 2000; Brittos, 2005), a expansão das elites políticas, dos grupos religiosos e do Estado na propriedade dos veículos de distribuição do conteúdo televisivo, as geradoras e retransmissoras de TV, torna ainda mais frágil a posição do empresariado nacional.

Distribuição da propriedade da TV Aberta no Brasil - Geradoras[48]

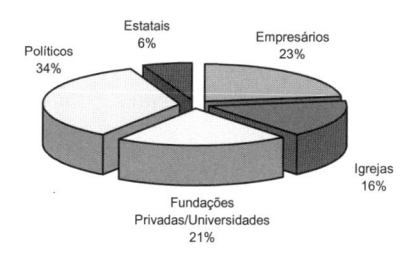

Políticos 34%
Estatais 6%
Empresários 23%
Igrejas 16%
Fundações Privadas/Universidades 21%

---

[48] Fonte: Banco de dados da autora, com base no cruzamento de informações da Anatel, do Ministério das Comunicações e das emissoras.

Distribuição da propriedade da TV Aberta no Brasil - Retransmissoras[49]

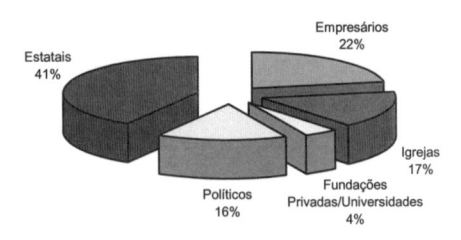

Estatais 41%
Empresários 22%
Igrejas 17%
Fundações Privadas/Universidades 4%
Políticos 16%

As empresas de comunicação controladas por elites políticas não atendem às lógicas usuais de mercado. Os veículos privados sob sua influência são financiados por anúncios publicitários governamentais e os veículos governamentais sob sua gestão, pelas verbas públicas. A direção das empresas no âmbito local e regional é, usualmente, cedida aos parentes ou afiliados políticos, prescindindo dos valores do capitalismo ocidental, como, por exemplo, eficiência. Os serviços de comunicação oferecidos pelas empresas desses coronéis locais são pobres, não têm condições de competitividade em termos de qualidade de conteúdo ou de distribuição eficaz. Precariedade econômica herdada do coronelismo de Leal.

> Há, é certo, muitos fazendeiros abastados e prósperos, mas o comum, nos dias de hoje, é o fazendeiro apenas "remediado": gente que tem propriedades e negócios, mas não possui disponibilidades financeiras; que tem o gado sob penhor ou a terra hipotecada; que regateia taxas e impostos, pleiteando condescendência fiscal; que corteja os bancos e demais credores, para poder prosseguir em suas atividades lucrativas (Leal, 1997: 43).

A aliança entre afiliada e cabeça-de-rede tem dupla função: garante a oferta de programação – conseqüentemente, garante a audiência – sem despender muitos recursos e garante a máquina pública atuando em prol dos radiodifusores. A debilidade econômica dos coronéis não quer dizer que não concentrem renda. Regularmente, os negócios – hoje mais diversificados que na Primeira República – incluem faculdades, construtoras, for-

---

[49] Fonte: Banco de dados da autora, com base no cruzamento de informações da Anatel, do Ministério das Comunicações e das emissoras.

necedoras de alimento, enfim, uma estrutura de serviços terceirizados prestados aos governos municipais, estaduais ou federal. Mas os coronéis são economicamente inferiores aos capitalistas. Boa parte dos negócios a eles relacionados não é lucrativa por si, e sim pela pujança e pela intensa rede clientelista de que se serve o coronelismo eletrônico.

Muitos chefes municipais, mesmo quando participam da representação política estadual ou federal, costumam ser tributários de outros, que já galgaram, pelas relações de parentesco ou amizade, pelos dotes pessoais, pelos conchavos ou pelo simples acaso das circunstâncias, a posição de chefes de grupos ou correntes, no caminho da liderança estadual ou federal. Mas em todos esses graus da escala política impera, como não podia deixar de ser, o sistema de reciprocidade, e todo o edifício vai assentar na base, que é o "coronel", fortalecido pelo entendimento que existe entre ele e a situação política dominante em seu Estado, através dos chefes intermediários (Leal, 1997: 64).

A afiliação das empresas dos coronéis é de extrema valia para o decadente empresariado de comunicações brasileiro, pois é no ambiente legislativo que o setor encontra sua maior expressividade. Naturalmente, o Ministério das Comunicações é importante ambiente interlocutor. Tão importante que demarcamos o início do fenômeno do coronelismo eletrônico na nomeação de Antonio Magalhães para o cargo, em 1985 (Santos, 2007), tão importante que o ministro escolhido para avançar a digitalização do setor foi o radiodifusor Hélio Costa, ex-funcionário das Organizações Globo (Gindre, 2007). Mas é na Câmara dos Deputados e no Senado Federal que se estrutura a rede de clientelismo e apadrinhamento compositiva do coronelismo eletrônico. Deputados e senadores proprietários ou sócios de proprietários de rádio e televisão votam as próprias concessões e estabelecem uma intensa rede de favores (Lima, 2006; Lima e Lopes, 2007). Por outro lado, veículos de comunicação – próprios ou associados – são financiadores das campanhas eleitorais destes mesmos deputados e senadores, retroalimentando o sistema (Bayma, 2006).

Da desesperada tentativa de contornar a fragilidade econômica destes dois atores – os líderes políticos locais e os empresários nacionais de comunicação – surgiu um discurso interessante: o lugar estratégico da televisão aberta como construtora e propagadora da identidade e da soberania nacionais.

Televisão aberta ocupando o lugar da terra como *locus* de poder

A transição para a democracia coincidiu com o período de inovação tecnológica nas comunicações e com a expansão do mercado global. Os custos necessários para oferecer serviços diferenciados como televisão por assinatura e provimento de internet são proibitivos ao coronel. Por outro lado, a fase da multiplicidade da oferta dos serviços comunicacionais (Brittos, 2001) constitui ameaça perene ao espectro de influência dos coronéis. A possibilidade de diminuição de seu poder fez com que ele assumisse um papel diferencial como um intermediário entre o poder federal e o setor empresarial. Esta é a sua condição de sobrevivência neste momento histórico.

Atribui-se ao domínio dos recursos de produção, mais usualmente à posse da terra, a ascendência do coronel nos municípios. O valor alegórico da terra é formador desse pressuposto. A imagem que perdura do proprietário rural é a imagem da riqueza, mesmo no atual Brasil industrializado, mesmo que essa propriedade esteja afundada em dívidas. "Ocorre que o coronel não manda porque tem riqueza, mas manda porque se lhe reconhece esse poder, num pacto não escrito" (Faoro, 2001: 700). Este valor alegórico encontra farto berço de dominação na miserável população rural.

> O roceiro vê sempre no "coronel" um homem rico, ainda que não o seja; rico, em comparação com sua pobreza sem remédio. Além do mais, no meio rural, é o proprietário de terra ou de gado quem tem meios de obter financiamentos. Para isso muito concorre seu prestígio político, pelas notórias ligações dos nossos bancos. É, pois, para o próprio "coronel" que o roceiro apela nos momentos de apertura (...) completamente analfabeto, ou quase, sem assistência médica, não lendo jornais, nem revistas, nas quais se limita a ver as figuras, o trabalhador rural, a não ser em casos esporádicos, tem o patrão na conta de benfeitor. E é dele, na verdade, que recebe os únicos favores que sua obscura existência conhece. Em sua situação, seria ilusório pretender que esse novo pária tivesse consciência do seu direito a uma vida melhor e lutasse por ele com independência cívica (Leal, 1997: 43-44).

No coronelismo eletrônico, a radiodifusão ocupa o lugar da terra de forma mais enfática, por conta da centralidade midiática nas sociedades modernas. A ampla mercantilização da cultura sem qualquer questionamento justifica a assunção dos empresários brasileiros de que é no conteúdo audiovisual, especialmente aquele televisivo, que encontrarão berço protegido para crescimento. Naturalmente, podem-se questionar os objetivos e as formas como a mídia comercial constitui, define ou se apropria da cultura. No entanto, *"no conception of culture in the modern world is complete if it fails to account for the space occupied by 'the media' — the institutional and technological means of communication and information"* (Calabrese, 2003: 4).

No caso brasileiro, a historicidade da televisão aberta e, logicamente, a sua inserção no sistema sociopolítico nacional estatuíram sua centralidade na cultura nacional. Esta centralidade, consolidada ao longo do tempo, foi pautada por duas funções hegemônicas: uma de integração social e outra de manutenção da esfera de poder político e econômico. Diferente de outros países, no Brasil não houve indústria cinematográfica ou indústria musical ou, ainda, indústria de eletroeletrônicos nacional que embasasse o desenvolvimento do capitalismo fordista. Pelo contrário, até os anos 1970, o consumo cultural estava restrito a poucas capitais. Foi a partir da urbanização brasileira e associação da Rede Globo com os governos militares que se estabeleceu uma lógica de distribuição e consumo cultural efetivamente nacional.

É importante ressaltar o entendimento de que os meios de comunicação e, conseqüentemente, seus produtos não podem estar desvinculados das condições de acesso. Como diz Morley:

> Se bem que o consumo possa sempre ser considerado um processo ativo, não podemos esquecer que também é um processo que sempre se desenvolve dentro de restrições estruturais (ou contra elas). Esta é a sua dialética. É preciso então indagar a variedade desses processos fundamentais e o modo em que os 'elaboram' as pessoas situadas em diferentes posições sociais e culturais. O aspecto que deve nos importar é a distribuição social e as formas materiais e simbólicas do 'capital' com que o consumo se logra (ou 'performa') (Morley, 1996: 317).*

---

* Traduzido de: *Si bien el consumo puede considerarse siempre un proceso activo, no podemos olvidar que también es un proceso que siempre se desarrolla dentro de*

RELAÇÕES INCESTUOSAS: MERCADO GLOBAL, EMPRESARIADO NACIONAL DE RADIODIFUSÃO E LÍDERES POLÍTICOS LOCAIS/REGIONAIS

No Brasil, nunca prosperou a percepção dos meios de comunicação como prestadores de serviço fundamental à cidadania, tal qual nas noções de serviço público européias ou de interesse público estadunidense. Assim, a oferta dos serviços, bem como seu conteúdo, não obedece a qualquer regra de controle público. E é no acesso à informação e à cultura que se comprova a centralidade da televisão aberta no país. Do total de 5.564 municípios brasileiros, 91% não têm sala de cinema, 95,7% não têm operadora de TV por assinatura, 78,2% não têm estações de rádio AM, 79,1% não têm salas de espetáculos ou teatros, 69% não têm livrarias nem instituições de ensino superior, 48,7% não têm estações de rádio FM. Na ponta contrária, a TV aberta não é retransmitida apenas para 1,3% dos municípios brasileiros.

---

restricciones estructurales (o contra ellas). Esta es su dialéctica. Es preciso indagar entonces la variedad de esos procesos fundamentales y el modo en que los 'elaboran' las personas situadas en diferentes posiciones sociales y culturales. El aspecto que debe importarnos es la distribución social y las formas materiales y simbólicas del 'capital' con el que el consumo se logra (o 'performa') (Morley, 1996: 317).

[50] Fonte: Banco de dados da autora, com base no cruzamento de informações do IBGE e da Anatel.

Mapa da exclusão informacional e cultural brasileira em 2005[50]

Regiões da UF	Total	Teatro ou sala de espetáculos	Cinemas	Vídeo-locadoras	Lojas de discos, Cds, fitas e DVDs	Livrarias	Estações de rádio AM	Estações de rádio FM	TV por Assinatura	Geradoras de TV	Recepção de TV aberta comercial	Provedor de Internet
Total	5 564	4403	5061	1251	2518	3843	4355	2710	5329	4967	76	3004
Norte	449	393	429	135	262	343	372	262	444	328	51	294
Rondônia	52	46	48	7	30	27	38	27	50	40	23	25
Acre	22	17	21	5	12	19	16	16	22	12	3	12
Amazonas	62	51	59	18	23	50	42	29	61	15	2	35
Roraima	15	11	14	5	7	12	12	12	15	13	1	9
Pará	143	122	136	19	63	102	118	56	141	105	19	81
Amapá	16	15	15	3	12	13	13	6	16	13	3	12
Tocantins	139	131	136	78	115	120	133	116	139	130	0	120
Nordeste	1 793	1494	1727	403	813	1377	1508	782	1765	1663	10	1090
Maranhão	217	193	213	50	110	154	181	63	216	165	0	110
Piauí	223	207	219	132	151	208	191	62	222	218	0	191
Ceará	184	120	175	11	54	127	132	37	180	176	0	100
Rio Grande do Norte	167	145	161	56	97	145	144	104	164	163	0	111
Paraíba	223	188	218	56	98	188	200	127	221	211	0	167
Pernambuco	185	141	171	11	35	127	153	56	179	177	1	90
Alagoas	102	93	100	9	51	75	90	50	101	97	3	85
Sergipe	75	69	74	12	46	58	68	62	74	74	0	44
Bahia	417	338	396	66	171	295	349	221	408	382	9	192
Sudeste	1 668	1222	1393	336	772	1215	1279	726	1533	1466	2	792
Minas Gerais	853	698	775	244	438	698	713	376	822	773	0	510
Espírito Santo	78	63	64	1	18	52	64	34	67	62	0	30
Rio de Janeiro	92	44	53	3	19	47	51	24	77	69	0	21
São Paulo	645	417	501	88	297	418	451	292	567	562	2	231
Sul	1 188	891	1079	281	465	595	833	729	1134	1109	13	561
Paraná	399	258	360	73	163	201	279	251	389	373	13	155
Santa Catarina	293	248	267	74	108	154	207	191	276	273	0	158
Rio Grande do Sul	496	385	452	134	194	240	347	287	469	463	0	248
Centro-Oeste	466	403	433	96	206	313	363	211	453	401	0	267
Mato Grosso do Sul	78	64	73	9	25	36	50	23	75	67	0	36
Mato Grosso	141	127	127	27	54	87	106	52	136	101	0	60
Goiás	246	212	233	60	127	190	207	136	242	233	0	171
Distrito Federal	1	0	0	0	0	0	0	0	0	0	0	0

Relações incestuosas: mercado global, empresariado nacional de radiodifusão e líderes políticos locais/regionais

Se a terra no coronelismo servia ao coronel como instrumento de ampliação da sua influência, a radiodifusão no coronelismo eletrônico é ainda mais eficiente: serve para difundir a imagem protetora do coronel, serve para controlar as informações que chegam ao eleitorado e serve, por fim, para atacar os inimigos. Estas funções da radiodifusão justificam, para o coronel, a busca do controle da televisão aberta e o cuidado para deixar seus inimigos longe deles. Como diz Martin-Barbero, a democratização das sociedades:

> Do lugar estratégico que a televisão ocupa nas dinâmicas da cultura cotidiana das maiorias, na transformação das sensibilidades, nos modos de construir imaginários e identidades. Pois, se gostamos ou desgostamos da televisão, sabemos que é, hoje, ao mesmo tempo o mais sofisticado dispositivo de moldagem e deformação da cotidianidade e dos gostos dos setores populares, e uma das mediações históricas mais expressivas de matrizes narrativas, gestuais e cenográficas do mundo da cultura popular, entendendo por isso não as tradições específicas de um povo, mas o caráter híbrido de certas formas de enunciação, certos saberes narrativos, certos gêneros novelescos e dramáticos das culturas do Ocidente e das mestiças culturas de nossos países (Martin-Barbero, 2005: 26).

Onde o mercado não se interessa em oferecer os seus serviços, as Prefeituras municipais têm mais um recurso relevante no mecanismo de extensão do poder dos líderes locais e regionais. Regulamentada pela primeira vez em 1978, pelo Dec. 81.600 de 25 de abril, a retransmissão de televisão não se insere no mesmo processo de licitações previsto para a radiodifusão. As permissões são concedidas diretamente por portarias do Ministério das Comunicações e têm caráter precário, com prazo indeterminado para a extinção. O Ministério pode, a qualquer momento, cancelar as permissões ou mantê-las *ad infinitum*, sem ser necessário que elas passem por qualquer processo de avaliação do serviço como requisito para a renovação das outorgas.

Este serviço teve alterações significativas em 1988[51]. O Dec. 96.291 e, logo após, a Portaria 93, de 1989, estabeleceram uma nova categoria, as

---

[51] Nesse ínterim, normas complementares foram sendo expedidas através dos seguintes decretos: nº 84.064, de 08 de outubro de 1979; nº 84.854, de 12 de julho de 1980; nº 87.074, de 31 de março de 1982.

retransmissoras mistas – educativas e em fronteiras de desenvolvimento do país – que poderiam inserir programação local, geradas por elas próprias, em até 15% do total. Esta alteração agregou um atrativo político ao serviço de retransmissão educativa. Como era previsível, em pouco tempo começaram a aparecer fundações e associações controladas por vereadores e deputados em várias partes do país. A participação das Prefeituras municipais neste serviço é representativa. Segundo os dados oficiais, dos 5.561 municípios brasileiros, 1.676 têm retransmissoras outorgadas às Prefeituras. Ao todo são 3.341 outorgas de retransmissoras nas mãos de Prefeituras.

Distribuição das outorgas de retransmissoras das Prefeituras municipais[52]

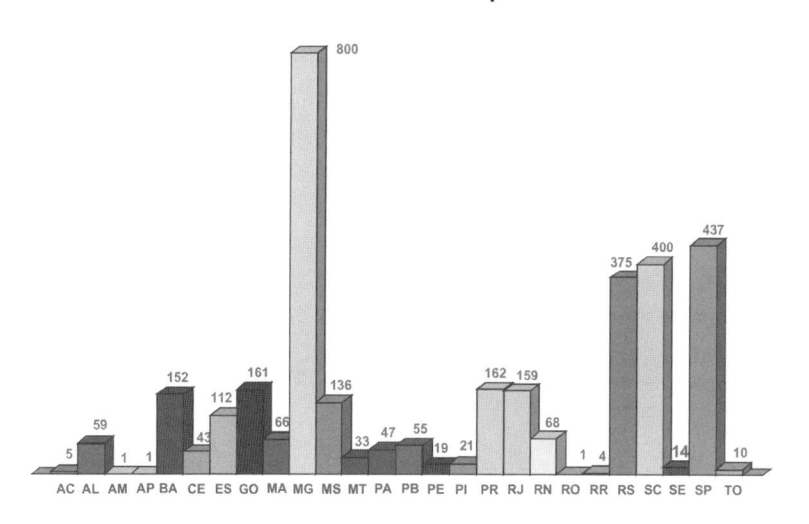

UF	Outorgas
AC	5
AL	59
AM	1
AP	1
BA	152
CE	112
ES	43
GO	161
MA	66
MG	800
MS	136
MT	33
PA	47
PB	55
PE	19
PI	21
PR	162
RJ	159
RN	68
RO	1
RR	4
RS	375
SC	400
SE	14
SP	437
TO	10

Dentre as 3.341 permissões de retransmissão concedidas a Prefeituras, apenas 38 são de caráter educativo e 168 encontram-se na área onde são permitidas as estações retransmissoras mistas[53]. Mas não é possível afirmar

---

[52] Fonte: Banco de dados da autora, com base nos dados da Anatel.
[53] Estas retransmissoras são permitidas na região da Amazônia Legal, que engloba: Acre, Amazonas, Amapá, Maranhão, Mato Grosso, Pará, Roraima, Rondônia e Tocantins.

que apenas 6,18% do total de retransmissoras das Prefeituras geram programação própria. Embora efetivamente a maioria das RTVs seja usada apenas para fazer chegar o sinal das grandes redes às pequenas cidades do país, há uma parcela, impossível de precisar, que atua na ilegalidade.

Amparadas pelo parco conhecimento público de suas limitações e pelas dificuldades operacionais da Anatel para fiscalizar todo este rol de estações, algumas Prefeituras fazem das retransmissoras seus porta-vozes, sem serem incomodadas pelo poder federal. Como declarou, em entrevista ao jornal *Correio Braziliense*, um dos membros titulares da Comissão de Ciência e Tecnologia, Comunicação e Informática – CCTCI da Câmara dos Deputados, deputado Walter Pinheiro (PT/BA), "a chance de uma emissora dessas ser punida por causa do conteúdo de sua programação é próxima a zero" (Costa e Brener, 1997).

Na série de reportagens, reproduzidas na versão em rede do Observatório da Imprensa, Sylvio Costa e Jayme Brener detalham algumas situações nas quais o poder federal beneficia Prefeituras dos partidos aliados, ou as Prefeituras fazem doações de terrenos a retransmissoras educativas ou mistas controladas por aliados dos prefeitos, ou, ainda, as Prefeituras desligam os equipamentos de transmissão quando as geradoras estão exibindo programação que prejudica os interesses locais. Uma delas retrata um exemplo de como as elites políticas regionais fazem uso das RTVs em períodos eleitorais:

> Nas eleições de 1994, a governadora Roseana Sarney (PFL) e o senador Epitacio Cafeteira (PPB) disputavam o segundo turno quando o pai de Roseana, o ex-presidente e atual senador José Sarney (PMDB-AP), foi protagonista de uma curiosa operação montada para ajudar a filha. Por não ser candidato no Maranhão, Sarney não podia participar do horário político gratuito, o único espaço reservado pela legislação para a propaganda eleitoral. Gravou, então, um pronunciamento – de caráter inequivocamente eleitoral – veiculado em todo o estado pelas repetidoras em poder das prefeituras.
>
> Terno claro e com a mesma expressão grave com que falava à nação em cadeia nacional ao tempo em que era presidente, o senador usa o pronunciamento para explicar aos eleitores que eles deveriam optar entre "dois quadradinhos". O primeiro, o de Cafeteira, seria "o quadradinho da velha politicagem e do ódio".

O segundo, o de Roseana, o do "programa da concórdia". "Roseana", continuou Sarney, "tem um programa de governo definido. Vai contar com a minha ajuda, vai contar com a ajuda de Fernando Henrique, vai fazer um governo de união pela paz". E conclui: "Peço ao Maranhão que me ajude a continuar ajudando o Maranhão".

A própria fita de vídeo repassada às prefeituras, cuja cópia foi obtida pelo Correio Braziliense, denuncia a irregularidade ao alertar que a fala do ex-presidente, cuja duração foi de 2 minutos e 45 segundos, deveria ser exibida "em horário de telejornal, nunca na propaganda eleitoral do TRE" (Costa e Brener, 1997).

Para além do uso eleitoreiro, há também a dificuldade em saber quais são e como são escolhidos os canais que as Prefeituras retransmitem. Embora exista a exigência de que as operadoras do serviço de retransmissão entreguem ao poder concedente a indicação do canal a ser retransmitido, com autorização da geradora, em geral, esses dados jamais se tornam públicos.

Crucial tanto na manutenção das elites políticas locais e regionais quanto na sobrevivência das empresas nacionais de radiodifusão, a centralidade da televisão aberta na sociedade brasileira justificou as complexas articulações entre as naturezas pública e privada destes atores. Ser o único veículo de comunicação que chega a mais da metade dos municípios brasileiros às portas de um processo de convergência tecnológica reflete urgência no estabelecimento de políticas públicas para o setor.

Concluindo

As barreiras sociais, políticas e econômicas que estão profundamente arraigadas nos contextos locais não podem ser ultrapassadas sem uma ampla discussão dos elementos compositivos desse panorama que, no caso brasileiro das últimas décadas, têm seu âmago na retomada semântica que propomos entre coronelismo e coronelismo eletrônico.

Para o empresariado nacional de comunicação, além do desprezo pelas regiões menos urbanizadas e com menor capacidade de consumo, interessa que as regras sejam diferenciadas das de universalização aplicadas ao setor de telecomunicações. O discurso em defesa da reserva de mercado para a produção nacional se refere apenas à propriedade dos meios e à possibilidade de oferta dos serviços de conteúdo audiovisual. Contraditoriamente, políticas de incentivo à produção regional/local ou ao controle qualitativo do conteúdo transmitido são duramente rechaçadas pelos empresários.

Para a continuidade de uma elite política local e regional fundada no mandonismo e no clientelismo, o controle do acesso público à informação e à cultura tem o duplo papel de manter uma imagem mitológica de poder e de se converter em moeda de troca frente à política federal. A diferença crucial entre o sistema definido por Victor Nunes Leal e o coronelismo eletrônico é que o primeiro foi pensado numa transição para uma sociedade industrial. Daí o peso dado pelo autor para a industrialização, associada à urbanização, como elemento catalisador da derrocada do coronelismo.

Na transição para uma sociedade informacional, mais que a urbanização, a diversificação do acesso à informação e à comunicação é mecanismo essencial para o desmoronamento do coronelismo eletrônico. Num país no qual os habitantes de 54% dos municípios somente podem acessar a internet através de chamadas de longa distância – DDD, já que não dispõem de provedores de acesso locais que condicionam inclusive a oferta de acesso em banda larga pelas operadoras de telefonia fixa e celular, o coronelismo eletrônico encontra ainda fértil terreno de sobrevivência, dividindo os lucros – econômicos ou simbólicos – com o empresariado nacional de comunicação.

Referências bibliográficas

BAYMA, Israel Fernando de Carvalho. O mapa do financiamento político do setor de comunicação. *Observatório da Imprensa*. 08.06.06. Disponível em: http://observatorio.ultimosegundo.ig.com.br/artigos.asp?cod=384IPB002.

BOLAÑO, César. *Indústria Cultural, informação e capitalismo*. São Paulo: Hucitec/Polis, 2000.

BRITTOS, Valério Cruz. Capitalismo contemporâneo, mercado brasileiro de televisão por assinatura e expansão transnacional. Tese de Doutorado. Salvador: Faculdade de Comunicação da Universidade Federal da Bahia. Comunicação e Cultura Contemporâneas. 2001.

_____. A Economia Política da TV brasileira no período pré-digitalização. In: JAMBEIRO, Othon *et al* (orgs.). *Comunicação, hegemonia e contra-hegemonia*, p. 67-90, vol. 1. Salvador, 2005.

CALABRESE, Andrew. Toward a Political Economy of Culture. In: CALABRESE, Andrew; SPARKS, Collin (orgs). *Toward a Political Economy of Culture:* capitalism and communication in the Twenty-first Century. Londres: Rowan & Littlefield, 2003.

CAPPARELLI, Sérgio; SANTOS, Suzy. Coronéis eletrônicos, voto e censura prospectiva. In: *Cultura Vozes*, p. 14-24, v. 96, n°. 4, Petrópolis, 2002.

CARVALHO, José Murilo de. As metamorfoses do coronel. *Jornal do Brasil.* Rio de Janeiro: 06 mai. 2001. Disponível em: <http://www.ppghis.ifcs.ufrj.br/media/carvalho_metamorfoses_coronel.pdf>.

_____. In Memorian – Victor Nunes Leal (1914-1985). In: *Pontos e Bordados:* escritos de história e política, p.381-383. Belo Horizonte: Editora UFMG, 2005b.

_____. Mandonismo, Coronelismo, Clientelismo: uma discussão conceitual. In: *Pontos e Bordados:* escritos de história e política, p.130-155. Belo Horizonte: Editora UFMG, 2005a.

CASTRO, Daniel. Bandeirantes acusa Globo de barrar seus canais. *Folha Online* 07 jun. 2005. Disponível em: http://www1.folha.uol.com.br/folha/ilustrada/ult90u51163.shtml. Acesso em: 22 ago. 2007.

COSTA, S.; BRENNER, J. *Dossiê das concessões de TV.* Observatório da Imprensa, junho de 1997 (Disponível em: http://www.observatoriodaimprensa.com.br/artigos/mat2008d.htm>, consultado em 19/10/2005).

FAORO, Raymundo. *Os donos do poder.* Rio de Janeiro: Globo, 2001.

FURTADO, Celso. *Raízes do subdesenvolvimento.* Rio de Janeiro: Civilização Brasileira, 2003.

GINDRE, Gustavo. *Agenda da regulação*: uma proposta para debate. In: SILVEIRA, Sergio et al. Comunicação digital e construção dos Commons. São Paulo: Perseu Abramo, 2007.

HOLANDA, Sérgio. *Raízes do Brasil.* São Paulo: Companhia das Letras, 1995.

LEAL, Victor Nunes. *Coronelismo, enxada e voto*: o município e o regime representativo no Brasil. Rio de Janeiro: Nova Fronteira, 1997.

_____. O Coronelismo e o coronelismo de cada um. *Dados:* Revista de Ciências Sociais, p. 11-14, vol. 23, n°. 1. Rio de Janeiro: Ed. Campus.

LIMA, Venício A. Concessionários de radiodifusão no congresso nacional: ilegalidade e impedimento. *Observatório da Imprensa.* 30 out. 2005. Disponível em: http://observatorio.ultimosegundo.ig.com.br/download/352ipb001.pdf.

LIMA, Venício; LOPES, Cristiano Aguiar. *Rádios Comunitárias:* coronelismo eletrônico de novo tipo (1999-2004). Observatório da Imprensa/Projor: 2007.

MARTIN-BARBERO, Jesus. *Ofício de Cartógrafo*: travessias latino-americanas de comunicação na cultura. São Paulo: Loyola, 2005.

MASTRINI, Guillermo; BECERRA, Martín. *Periodistas y Magnates:* estructura y concentración de las industrias culturales en América Latina. Buenos Aires: Instituto de Prensa y Sociedad, 2006.

MATTOS, Sérgio. *A televisão no Brasil:* 50 anos de história (1950-2000). Salvador: Ianamá/PAS, 2000.

MORLEY, David. *Televisión, audiencias y estudios culturales*. Buenos Aires: Amorrortu Editores, 1996.

SANTOS, Suzy. E-Sucupira: o Coronelismo Eletrônico como herança do coronelismo nas comunicações brasileiras. *E-Compós:* Revista da Associação Nacional dos Programas de Pós-Graduação em Comunicação. Online: ed. 7, dez. 2006, dossiê temático Economia Política da Comunicação. Disponível em: <http://www.compos.org.br/e-compos/adm/documentos/ecompos07_dezembro2006_suzydossantos.pdf>.

SANTOS, Suzy; CAPPARELLI, Sérgio. Coronelismo, radiodifusão e voto: a nova face de um velho conceito. In: BRITTOS, Valério Cruz; BOLAÑO, César Ricardo Siqueira (orgs.). *Rede Globo:* 40 anos de poder e hegemonia. São Paulo, 2005, v. 1, pp. 77-101.

SENADO FEDERAL. Vice-presidente da Globo defende reserva de mercado para brasileiros. *Clipping FNDC*. Boletim enviado por e-mail. 24 ago. 07. Disponível em: http://www.fndc.org.br/internas.php?p=noticias&cont_key=176005.

TAVEIRA, Eula Dantas. *Rede Amazônica de Rádio e Televisão e seu processo de regionalização (1968-1998)*. Dissertação de Mestrado. São Paulo: Faculdade de Comunicação da Universidade Metodista do Estado de São Paulo. Comunicação Social, 2000.

O ensaio no documentário
e a questão da narração em *off*

*Consuelo Lins**

Ao analisarmos a produção brasileira de documentários dos últimos anos identificamos, sem muita dificuldade, a desaparição de um elemento estético que foi, no entanto, dominante nos filmes dessa forma de cinema até o final dos anos 1980: a locução em *off*, a narração desencarnada, onisciente e onipresente, que tudo vê e tudo sabe a respeito de personagens e situações que vemos na imagem. Um tipo de intervenção sonora que passou a ser considerado excessivo na relação entre filme e espectador, dirigindo sentidos, fabricando interpretações. O que verificamos em muitos filmes dos anos 1990 e 2000 é o privilégio à entrevista em detrimento desse recurso estético e narrativo, a ponto de configurar uma espécie de senso comum documental brasileiro, como diagnosticou Jean-Claude Bernardet, em 2003, ao advertir que o crescimento da produção não correspondia a um "enriquecimento da dramaturgia e das estratégias narrativas"; ao contrário, evidenciava a repetição de um único "sistema", banalizado pelo jornalismo televisivo: "Não se pensa mais em documentário sem entrevista, e o mais das vezes dirigir uma pergunta ao entrevistado é como ligar o piloto automático" (Bernardet, 2003: 286).

Pós-doutora, doutora e mestre em Cinema e Audiovisual pela Université de Paris III (Sorbonne Nouvelle) e é professora do Programa de Pós-graduação em Comunicação da Universidade Federal do Rio de Janeiro. É autora do livro *O documentário de Eduardo Coutinho: televisão, cinema e vídeo* (Rio de Janeiro: Jorge Zahar Editor, 2004).

Curiosamente, a recusa da locução em *off* em boa parte da produção documental acontece no Brasil pelo menos duas décadas depois da "voz de Deus" ter sido problematizada em movimentos do chamado "documentário moderno" nos anos 1950 e 1960. Na França, nos Estados Unidos, no Canadá, a crítica a essa voz do saber foi radical e decorreu, entre outros fatores, de uma reação à tradição documental inglesa, dominante no cinema desde o início dos anos 1930. Com o advento do som no cinema, o documentário se transforma em um grande álbum de imagens mudas do mundo, comentadas por uma voz não-sincrônica, fórmula propícia a todo tipo de manipulação e que foi retomada à exaustão nos documentários de propaganda dos anos 1930 e 1940. Para muitos jovens documentaristas do pós-guerra, abolir a voz de autoridade em proveito de um universo sonoro variado era crucial; tratava-se de respeitar tanto o material filmado quanto o espectador, evitando a imposição de uma visão única dos acontecimentos mostrados; importava preservar a "ambigüidade" do real, tal como defendia o crítico francês André Bazin.

Os pioneiros do cinema direto americano iniciaram no final dos anos 1950 algumas das grandes mudanças no modo de filmar e montar documentários, partindo de uma crítica radical ao que eles consideravam uma estética marcada pela herança do rádio. Filmes que eram absolutamente compreensíveis sem a imagem, mas ininteligíveis sem a locução[54]. Robert Drew, Richard Leacock, D. A. Pennebaker e Al Maysles apostaram nas possibilidades narrativas da imagem, optando pelo sincronismo entre imagem e som de planos-seqüências que capturavam personagens em movimento, acontecimentos em processo. Isso só foi possível porque eles batalharam também para modificar a tecnologia disponível na época e atingir o que, para eles, era o ideal de uma equipe de filmagem: um cinegrafista e um técnico de som. Assim, puderam abolir o *off* em muitos filmes; em outros, reduziram-no a intervenções curtas, apenas contextualizadoras, distantes das interpretações do documentário clássico.

Já o documentário francês do pós-guerra não abole a narração, mas inventa modos distintos de utilizar o *off*, fazendo indiretamente uma crítica à tradição. O Cinema Direto lutou de forma mais consciente por um outro modo

---

[54] Ver extras do DVD *Primárias* (1960), de Robert Drew (Videofilmes). E também "Sobre senadores que dormem", artigo de João Moreira Salles sobre esse movimento do documentário americano, incluído no DVD.

de filmar e narrar – havia uma forma dominante contestada por um grupo de cineastas que queria fazer filmes que privilegiavam a visão e não a audição do espectador, e isso no interior mesmo da televisão. A experiência de Jean Rouch na década de 1950 na África foi mais intuitiva e feita pouco a pouco, à medida que se deparava com diferentes realidades. Não havia um desejo de ir contra uma estética instituída; havia, sim, uma vontade furiosa de filmar o que via. Fez então o que achava que tinha de ser feito, e o que era possível fazer, com um equipamento precário e não sincrônico. Precariedade que acabou contribuindo para o cineasta inventar, ao lado dos amigos africanos que encontrou no percurso, uma obra radicalmente original, fazendo, entre outras coisas, um uso inédito da pós-sincronização, aproveitando a tradição oral dos africanos. *Eu, um negro,* de 1958, foi montado sem som e sonorizado mais tarde com comentários e diálogos improvisados pelos próprios personagens ao assistir às imagens, transformando um espaço sonoro normalmente utilizado pela dublagem de um texto previamente escrito em um espaço vivo, cheio de tensões, não programado, em que diferentes registros de fala interagem, repletos de ironias, autocríticas, humor.

Os documentários brasileiros da década de 1960 aderem parcialmente a essas premissas; as implicações políticas do Cinema Novo criam uma situação especial para essa forma de cinema, que se deixa contaminar por procedimentos modernos de interação e observação sem uma efetiva transformação. Muitos filmes deixam de lado o tripé, utilizam som direto, realizam filmagens sincrônicas e registros sem intervenção da equipe. *A Opinião Pública,* de Arnaldo Jabor (1967), por exemplo, contém várias seqüências em que a câmera acompanha as conversas dos personagens sem intervir; imagens e sons que estabeleceriam, em princípio, uma relação mais aberta com o espectador, não fosse a narração que irrompe em muitos momentos para imprimir uma direção ao que vemos e ouvimos no filme. As obras mantêm, portanto, uma estética híbrida, expressando uma divisão entre o impulso de "dar voz ao outro", observar o mundo e a proposta de totalizar e interpretar com clareza situações sociais complexas através do comentário do narrador. São documentários que eliminam ambigüidades que as seqüências sincrônicas em plano-seqüência poderiam conter.

Praticamente não há, no cinema brasileiro desse período, usos diferenciados da narração. O filme *Câncer,* de Glauber Rocha, um ensaio sobre possibilidades e limites da improvisação dos atores, filmado em 1968 em longos planos-sequências, é uma das poucas exceções da década de 60. Contudo, é na montagem sonora de *Câncer*, realizada apenas em 1972, que Glauber decide inserir sua voz na sequência inicial, na qual contextualiza, em uma narração informal e arrebatada, o momento político brasileiro de então e anuncia as condições de produção do filme, que ele define como um exercício de resistência do plano cinematográfico à duração. Glauber inaugura nesse momento uma forma de intervenção sonora que será intensificada nas suas obras posteriores, e especialmente em *Di/Glauber* (1977). Uma outra experiência de deslocamento com a locução em *off* nesse início dos anos 70 é a que Arthur Omar realiza já no seu primeiro filme, o "antidocumentário" *Congo* (1972), cujos textos são lidos por uma voz de menina, sugerindo conexões que implodem qualquer relação mais clássica entre imagem e som.

Circunstâncias políticas, sociais e estéticas das últimas décadas impuseram mudanças significativas à estética híbrida da forma documental dos anos 60 que ainda recorria à locução em *off*. O modelo do cineasta/intelectual que interpreta, aponta problemas e busca soluções para a experiência popular é posto de lado, e junto dele esse tipo de narração, em favor de filmes baseados em entrevistas ou conversas entre cineastas e personagens, sem pretensão a sínteses ou generalizações, feitos a partir de indivíduos singulares, que se auto-representam e elaboram os sentidos de sua própria e única experiência[55]. Na produção audiovisual contemporânea, a locução em *off* originária da tradição documental permanece dominante essencialmente nos programas jornalísticos da televisão.

Mais recentemente, documentários ligados à chamada produção subjetiva ou performática, que tematizam aspectos da experiência pessoal dos cineastas, reintroduziram a narração em *off* de forma inovadora no Brasil, deslocando os usos clássicos desse recurso no campo documental. Filmes como *Seams* (1997), de Karin Ainouz, *33* (2003), de Kiko Goifman, e *San-*

---

[55] Para uma análise sobre características centrais do documentário das últimas duas décadas, ver: LINS, Consuelo e MESQUITA, Cláudia. Documentário Brasileiro Contemporâneo. In: *Cinema Mundial Contemporâneo*. Campinas: Papirus, 2008.

tiago, uma reflexão sobre o material bruto (2007), de João Moreira Salles, são exemplares de um uso mais ensaístico da voz *off*, fabricando associações inauditas do espaço sonoro do cinema com o espaço visual. Contudo, antes de nos determos um pouco mais nessas experiências, retomaremos alguns momentos importantes da história do documentário, nos quais a narração em *off* foi utilizada de modo diverso da tradição.

Ensaio fílmico e a retomada de imagens já existentes: o cinema de Chris Marker

Um caminho fabricado pelo cinema francês dos anos 50 que nos interessa especialmente aqui é aquele que André Bazin define, já em 1958, como ensaístico, ao falar do filme *Lettre de Sibérie* (1957), de Chris Marker. Para o crítico francês, Marker "renova profundamente a relação habitual entre texto e imagem", realizando um filme "sem precedentes" na produção documental (Bazin, 1998: 257). Desde então, o ensaio fílmico, essa forma híbrida sem regras nem definição possível, mas com o traço específico de misturar "experiência de mundo, de vida e de si" (Moure, 2004: 25), foi retomado e retrabalhado por cineastas tão díspares e inventivos quanto Alain Resnais, Jean Luc Godard, Agnès Varda, Marguerite Duras, Straub-Huillet, entre outros.

Se hoje essas dimensões estão cada vez mais presentes na produção documental contemporânea, nos parece importante rever autores que, às margens do cinema dominante, contribuíram para retirar o documentário da paralisia em que ele se encontrava nos anos 50. Chris Marker e Agnès Varda são os primeiros a integrar experiências subjetivas nos próprios filmes, articuladas a uma interrogação sobre o mundo e a uma reflexão sobre as imagens, por meio de uma narração em *off* ensaística e subjetiva. São essas características que os distanciam da prática também inovadora dos diretores do Cinema Direto americano e do chamado Cinema Verdade francês.

"Eu vos escrevo de um país distante", diz Marker no início do filme, uma frase que se tornou célebre por expandir o campo do documentário, que até então desconhecia inflexões subjetivas, autobiográficas, epistolares. Alguns anos depois é a cineasta Agnès Varda a se inscrever nessa linha documental com *Saudações, cubanos* (1963), uma espécie de filme-carta endereçado aos cubanos e ao mundo por uma viajante seduzida por tudo que viu. "Estive em Cuba e trouxe essas imagens desordenadas. Para classificá-las, fiz esse filme-homenagem", diz Varda no começo do filme. Dois filmes que colocam em prática o ideal da "câmera-caneta", apregoado por Alexandre Astruc no seu manifesto de 1948: "Nascimento de uma nova vanguarda: a 'câmera-stylo'". O cinema "como meio de expressão do pensamento", um "meio de escrita tão flexível e sutil como o da linguagem escrita" (Astruc, 1999: 321-322), na qual "o cineasta deverá dizer "eu" como o romancista e o poeta", e a obra só será válida se expressar a "paisagem interior" do diretor. Só assim o cinema terá futuro, e é por isso, insiste Astruc, que "sua linguagem não é nem a da ficção nem a da reportagem, mas a do ensaio" (Astruc, 1992: 153-154).

Lettre de Sibérie contém a primeira grande crítica aos poderes e limites da locução clássica do documentário, inserindo três vezes uma mesma seqüência de imagens registradas em uma cidade da Sibéria, montada a cada vez com um texto diferente. Um comentário crítico ao comunismo, um favorável ao regime soviético e um terceiro mais descritivo, em tom mais neutro[56]. Todos aderem sem problemas ao que vemos. Desde modo, Marker nos mostra de que forma o que é dito pela voz *off* orienta a percepção do espectador; sugere que é possível "provar" inúmeros aspectos da realidade utilizando essa "fórmula estética". Nessa seqüência, o espectador experimenta de fato o quanto um certo tipo de narração pode ser autoritário, contaminando seu olhar, forçando a imagem a exprimir coisas que ela não exprimiria caso não houvesse a locução. Portanto, é também por meio da palavra, do próprio comentário, que se dá o questionamento da relação entre imagem e locução, diferindo da forma como essa problematizacão se dá no Cinema Direto e no Cinema Verdade.

Além disso, a narração subjetiva, feita na primeira pessoa, é também fundamental em uma outra operação que Marker pratica desde cedo na sua trajetória: a retomada e manipulação de imagens alheias, realizadas por outros, mas também de imagens de arquivos, misturadas àquelas que ele mesmo captou ao longo da vida. Os filmes transformam-se assim no lugar

---

[56] Ver também: MACHADO, Arlindo. O filme ensaio, *Concinnitas*, v. 4, n. 5, p. 63-75. Rio de Janeiro, 2003.

de conexão desse material heterogêneo, de ressonância entre imagens, sons e acontecimentos do mundo, e de reflexão a respeito das imagens. Apropriar-se criticamente de um material preexistente, como faz Marker, é uma característica essencial do ensaio tal como definiu Lukács: um gênero literário que "fala de algo já formado", "de algo que já tenha existido" (apud Adorno 2003: 16), reorganizando esses elementos, entrelaçando-os, pois o que importa não são as coisas, mas a relação entre elas. Ao mesmo tempo, trata-se de um gesto que converge com um movimento no campo das artes plásticas dos anos 70 que é, segundo Arthur Danto, o da emergência da apropriação das imagens, "o fato de um artista retomar por conta própria imagens já possuindo significação e identidade estabelecidas, e dotá-las de uma significação e identidade novas." (apud Ishagpour 2001: 757)

Sans Soleil (1982), um dos filmes mais emblemáticos de Chris Marker, é feito de imagens registradas em diferentes partes do mundo pelo cineasta-viajante Sandor Krasna, uma espécie de duplo do diretor francês, montadas com outras realizadas por amigos – reais ou ficcionais, nunca sabemos ao certo. Um rico e variado material que é narrado pela voz *off* de uma mulher que não vemos na imagem. Os textos são lidos tanto em discurso direto quanto indireto e foram retirados das cartas que ela recebeu do amigo, que percorre o mundo capturando imagens, atendo-se particularmente aos "dois pólos extremos da sobrevivência", o Japão e a África. Trata-se de um filme sobre o tempo, a memória, a história, o esquecimento, e também uma obra que interroga as imagens que mostra, colocando em questão o próprio filme – e é este aspecto que queremos ressaltar, entre tantos outros dessa obra tão complexa e comovente.

Ao longo de *Sans Soleil*, a voz *off* imprime uma distância em relação às imagens, "reflexiva, nostálgica, irônica" (Niney, 2002: 104), desnaturalizando o que estamos vendo e revelando a "natureza" imagética da imagem. É uma postura presente em muitos filmes do diretor, essa de colocar, de imediato, o real como imagem. Logo nos primeiros momentos de *Sans Soleil*, ouvimos: *"A primeira imagem da qual ele me falou é a das três crianças em uma estrada na Islândia em 1965. Ele me dizia que era para ele a imagem da felicidade e também que ele havia tentado várias vezes associá-la a outras imagens, mas que não tinha dado certo."* Mas é justamente essa imagem que estamos vendo. A narração continua: *"Será necessário que eu a coloque um dia sozinha no início de um filme, seguida de uma tela negra. Se as pessoas não virem a felicidade na imagem, ao menos verão o negro."* Portanto, a projeção desse filme futuro, ainda inexistente, acaba de começar. E assim, em vários momentos, a voz tensiona o que vemos na imagem, insere nela temporalidade, injeta memória, insufla devir. Sobre a imagem de Amílcar Cabral, líder revolucionário que lutou pela independência da Guiné-Bissau e do Cabo Verde, que faz um gesto de adeus, numa canoa, aos que ficaram na margem do rio, a voz nos diz: *"Ele tem razão, ele não os reverá mais"*. Cabral foi assassinado e seu irmão Luiz Cabral, que aparece nas imagens seguintes, será traído e preso por este mesmo *"homem que ele acabou de condecorar e que chora"*.

Marker, portanto, nos faz ver que a imagem é um dado a ser trabalhado, a ser compreendido, a ser relacionado com outros tempos, outras imagens, outras histórias e memórias e não uma ilustração de um real preexistente. Sublinha a ambivalência de toda e qualquer imagem e explicita leituras possíveis. Faz isso extraindo poesia do uso de diferentes tempos verbais (o imperfeito, o condicional, o passado, o futuro composto), desorganizando a cronologia e jogando com o "intervalo irredutível entre a imagem capturada e a imagem montada, entre mundo presente e vista do passado, entre visão atual e comentário retrospectivo" (Niney, 2002: 104).

Ensaio fílmico e humor: o cinema de Agnès Varda

Se Chris Marker é o primeiro cineasta a fazer uma ficção quase inteiramente de fotografias – *La Jetée* (1962) –, Agnès Varda é quem, um ano depois, retoma esse mesmo dispositivo formal deslocando-o para o campo do documentário. Convidada pelo Instituto Cubano da Arte e da Indústria Cinematográficas (Icaic) para passar alguns meses em Cuba, Varda leva consigo duas máquinas fotográficas e o projeto de fazer um filme a partir das imagens capturadas na ilha[57]. Das três mil fotos obtidas, 1500 se transformam em *Saudações, cubanos* (1963). De imediato, o que surpreende nessa pequena obra-prima do documentário moderno é o modo como Varda

---

[57] Agnès Varda já era conhecida pela realização do longa-metragem *Cléo de 5 a 7* e foi recomendada ao Icaic por Chris Marker, que realizou *Cuba si* em 1960.

extrai "cinema" de imagens paradas através de uma montagem que nos faz "ver" o movimento, mostrando já no início dos anos 60 o quanto o cinema tinha a ganhar associando-se a outros procedimentos técnicos.

Nas duas mais belas seqüências do filme, o ritmo da trilha sonora e pequenas fusões nas imagens restituem ao filme o que as imagens estáticas poderiam lhe tirar. Na primeira, Beni Moré dança e canta uma música inspirada nos cantos camponeses. Na segunda, a cineasta Sarita Gomez e outros técnicos do Icaic dançam o cha-cha-cha. É como se essas seqüências tão cheias de graça contivessem, ainda intocado por tudo o que aconteceu depois, o potencial de transformação trazido pela revolução cubana no início dos anos 60, a possibilidade de outras formas de vida e política, a fabricação de "um socialismo afro-cubano" (Varda) inédito, distante de todos os modelos corroídos da esquerda de então.

Contudo, o que mais chama a atenção em *Saudações, cubanos* são as intervenções sonoras da própria Varda, as primeiras da sua trajetória fílmica. Ela divide os comentários em *off* nada convencionais do filme com Michel Piccoli e pontua com certas frases a narração do ator. *"Saúdo os revolucionários que enjoaram"*, diz, quando Piccoli conta a travessia dos guerrilheiros do México a Cuba em um barco que enfrentou todo o tipo de riscos; mais à frente, retoma a palavra: *"Saúdo os revolucionários líricos"*, e ainda: *"Saúdo os revolucionários românticos"*. Nos curtas iniciais da diretora – *O saisons ô châteaux* (1957) e *Du côté de la côte* (1958) –, o comentário é realizado por outras pessoas e mantém características bastante clássicas, embora os textos não sejam didáticos e já tenham um certo humor.

Se hoje a narração em *off* feita por uma mulher pode parecer opção banal, é fundamental lembrar que esse procedimento inexistia na tradição do cinema documental. Desde que o documentário tornou-se falado, no final dos anos 20, desde que as imagens tornaram-se ilustrações de um comentário, a voz que narra é masculina. Em *Saudações, cubanos*, Varda não apenas ousa falar, mas expressa, no que diz, engajamento, afetividade e humor. Reivindica para si o filme, distanciando-se de qualquer objetividade, deixando claro que se trata de uma certa maneira de olhar o mundo em um determinado momento da história.

Agnès Varda é quem, ao lado de Jean Rouch, traz para o documentário humor e leveza; e ao lado de Rouch e Marker, paradoxos e contradições, características desprezadas por essa forma de cinema séria e com uma função social a cumprir. Esteticamente, Varda está mais próxima do cinema de Marker na forma de realizar ensaios cinematográficos. O ponto de partida pode ser um país em processo revolucionário, um tio distante (*Uncle Yanco* – 1967), os comerciantes da sua rua, uma foto antiga (*Ulysse* – 1982), as fotos de outros (*Ydessa, les ours et etc* – 2004), a atividade de catar (*Les glaneurs et la glaneuse* –2000). Ao final de *Daguerréotypes* (1975), em que filma a lentidão e a paciência do trabalho diário dos artesãos, comerciantes e vendedores vizinhos a sua casa, a cineasta se pergunta se as imagens que realizou são "uma reportagem, uma homenagem, um ensaio..." E conclui: "Em todo o caso é um filme que eu assino Agnès..." Assim é o tipo de articulação que Varda estabelece entre a sua subjetividade e as coisas e pessoas que filma. Ela constrói dispositivos de filmagem para se liberar de suas histórias pessoais, dos seus dramas, dos seus segredos, e capturar o que surge do seu encontro com o mundo. Não são poucas as vezes que Varda insiste na idéia de que o que lhe interessa são os outros, e quando ela está em questão, quando vemos seus filhos, sua casa, suas mãos, seu corpo, é sempre em relação ao que ela não é, a um "fora" que a seduz e com condições de modificá-la por ser justamente exterior a ela. Essa é a forma que ela inventou para se desprender de si, transformando a si mesma e sua maneira de ver o mundo.

Mesmo quando parte de algo que lhe é muito caro, como é o caso de uma foto tirada por ela em 1954, transformada em dispositivo de filmagem para a realização de *Ulysse,* em 1982. Em vez de extrair "cinema" de muitas imagens fixas, como no filme de Cuba, Varda trabalha agora com apenas uma fotografia, investigando os elementos que compõem essa imagem imóvel: um homem nu de costas olhando o mar, uma criança nua sentada na areia e uma cabra morta. Tal como uma arqueóloga, ela quer decifrar os diferentes mundos que essa foto abriga: "Será que eu sei o que me passava pela cabeça há 28 anos ao fazer essa foto?" Do que nos lembramos precisamente ao ver uma imagem do passado? Trata-se de um filme em que assistimos "à ação de tentar alguma coisa" e ao mesmo tempo "aos resultados da tentativa propriamente dita" (Menil, 2004: p. 95)[58].

---

[58] Dois aspectos semânticos do termo *ensaio* entre vários outros, como lembra Alain Ménil, em "*Entre utopie et herésie*: quelques remarques à propos de la notion d'essai".

O homem, um egípcio, diretor de arte da revista *Elle* em 1982, recorda-se de pouca coisa. Não da foto em questão, mas da timidez de posar nu, da desenvoltura de Varda na direção da cena, da criança, que não andava. "Não me lembro dessa pessoa", diz, ao ver sua própria imagem. O garoto, Ulysses, livreiro em Paris, não se lembra de nada, mesmo tendo feito na época um desenho a partir da fotografia. Para ele, a imagem é ficção. "É a minha versão dos fatos", diz Varda, e não a dele. A cabra morta virou pó. "E o que era real nesse 9 de maio de 1954?", pergunta a cineasta: a derrota da França em Dien Bien Phu nas atualidades cinematográficas, as novidades culturais, artísticas, da moda... Mas tudo o que diz, Varda adverte, "não é de memória", foi obrigada a vasculhar nas atualidades cinematográficas e nos jornais desse dia.

Em outras palavras, nada do que vimos no filme (anedotas, interpretações e histórias) aparece na imagem fotográfica. "A imagem está aí, e isso é tudo", constata Varda. O que não significa uma descrença nostálgica da cineasta nas imagens como um todo, e sim uma aceitação da natureza precária, lacunar e enigmática de uma imagem. A imagem não é tudo, mas está longe de ser nada. O filme nos mostra com vigor essa verdade simples, e que, apesar de todas as insuficiências, é possível arrancar dela aprendizado, associando-a com outras imagens, outros depoimentos, outras percepções de mundo, em suma, trabalhando-a na montagem. Por isso *Ulysse* não é, em absoluto, uma busca do tempo perdido, e sim um filme voltado para o presente da foto tornada cinema e para o futuro de Varda cineasta. É menos a exploração da memória e do passado, que intervém como dispositivo de base, e mais a narrativa de um aprendizado do trabalho do tempo e das singularidades da imagem. O essencial, portanto, não é lembrar, mas aprender. "Aprender – nos diz Deleuze – é considerar uma matéria, um objeto, um ser como se emitissem signos a serem decifrados... Não existe aprendiz que não seja "egiptólogo" de alguma coisa" (Deleuze, 2003: 4).

Os ensaios fílmicos de Marker e Varda nos ajudam a pensar as opções do documentário brasileiro contemporâneo e particularmente a vislumbrar novos usos para a narração. Se o ensaio é, como afirma Adorno, uma forma literária que se revolta contra a obra maior e resiste à idéia de "obra-prima" que implica acabamento e totalidade, podemos pensar que é contra a maneira clássica de se fazer documentário que os filmes ensaísticos se constituem. São filmes em que essa "forma" surge como máquina de pensamento, meio de uma reflexão sobre a imagem e o cinema, que imprime rupturas, resgata continuidades, traduz experiências.

Entre os filmes recentes brasileiros que utilizam essa "forma", *Santiago, uma reflexão sobre o material bruto* (2007), de João Moreira Salles, é o que mais se aproxima de certas características dos filmes de Marker e Varda. *Seams* (1997), de Karin Ainouz, realiza uma reflexão sobre a cultura machista brasileira através da experiência do próprio diretor de ter sido educado apenas por mulheres nordestinas, suas tias e a avó. *33* (2003), de Kiko Goifman, narra a busca do cineasta por sua mãe biológica. São filmes com fortes dimensões ensaísticas, mas que não possuem o questionamento auto-reflexivo que vemos em *Santiago,* nem a problematização de uma questão raramente discutida na produção documental brasileira: a do lugar do espectador diante das imagens do filme.

Em *Santiago,* Salles faz de um documentário sobre o mordomo de sua família, filmado por ele em 1992, lugar de uma interrogação sobre seus próprios métodos de filmagem – evocando, ao menos indiretamente, as formas mais gerais de construção das imagens documentais. É um filme que contém muitas histórias: um documentário sobre o mordomo, mas também uma carta filmada dirigida aos irmãos compartilhando memórias, um "ensaio" fílmico sobre como fazer (ou não fazer) um documentário e uma homenagem póstuma ao mordomo, que morreu poucos anos depois da filmagem.

Santiago é de fato um personagem e tanto. Conjuga habilidade narrativa com histórias incomuns de vida: nascido na Argentina, começou a trabalhar com uma família aristocrática em Buenos Aires, contraindo, desde então, uma paixão por tudo o que dissesse respeito à vida de reis e rainhas, a nobreza em geral, real ou imaginária, pouco importava. É com fascínio por esse mundo que conta as histórias dos grandes jantares e festas na mansão da Gávea, as tarefas que envolviam a arrumação da casa, as mesas, as flores, a orquestra, os nobres e distintos que as freqüentavam. São pequenas narrativas que desvelam aqui e ali a dureza do trabalho contínuo, a dificuldade de uma vida privada, a submissão do mordomo a uma ordem estabelecida.

O documentário, contudo, está longe de ser apenas isso. Salles decide também expor no filme, implacavelmente, o que percebeu ao rever o material de 1992: o quanto se manteve distante de Santiago ao longo dos cinco dias de filmagem, o quanto impôs a ele uma idéia prévia de filme, o tanto que não entendeu o que de fato importava naquele reencontro. Uma compreensão que se deu, de certa maneira, tarde demais. Santiago morreu e o que foi filmado não pôde ser mudado. Mas é dessa sensação de "tarde demais" que Salles extrai as condições para finalizar o filme em 2005. Retoma erros, mal-entendidos e incompreensões cometidas por ele ao longo da filmagem de 1992 e os evidencia, sem meias palavras, sem subterfúgios, de forma cruel com ele mesmo, quase como um castigo. Exibe truques e manipulações efetuadas 13 anos antes e afirma na narração: "É difícil saber até onde íamos em busca do quadro perfeito, da fala perfeita". Desmonta imagens e sons e adverte o espectador: desconfiem do que seus olhos vêem. Radicaliza de tal maneira que pouco a pouco um mal-estar nos acomete porque a imagem que fazíamos do diretor nos seus filmes anteriores – gentil e atento com aqueles que filma – toma direções inesperadas.

Deparamo-nos com um diretor por vezes déspota, irritado, apressado, incapaz de estabelecer uma efetiva interação com Santiago, que tenta a seu modo acertar e fazer aquilo que o diretor quer. "Santiago, vai de novo, não olha para a gente não. Não olha!", diz Salles em uma das seqüências, ou ainda: "Fala logo, que estamos com um pouco de pressa". É preciso dizer que raras vezes na história do documentário um cineasta ousou explicitar de tal maneira segredos que ficam, na maior parte dos casos, para sempre perdidos no material não usado dos filmes. A montagem extremamente hábil realizada por Eduardo Escorel e Lívia Serpa insere em muitos momentos repetições às quais o mordomo teve que se submeter, mantendo hesitações e silêncios, intensificando o desconforto tanto do personagem quanto do espectador. São momentos em que opressões vividas pelo mordomo ao longo da vida parecem se manifestar de forma mais contundente, e é isso que constata Salles, ao dizer, perto do final do filme: *"Durante os cinco dias de filmagem eu nunca deixei de ser o filho do dono da casa e ele nunca deixou de ser o nosso mordomo"*.

Mas o filme tampouco se limita a essa dimensão confessional. Salles vai gradualmente ao encontro de Santiago e revê o que na época não o havia interessado: as 30 mil páginas de histórias da nobreza de todos os tempos pesquisadas em bibliotecas e transcritas pelo mordomo ao longo de mais de meio século. Uma tentativa quase insana de impedir que aquelas vidas desaparecessem da memória. Salles traz para o filme fragmentos desses escritos, assim como comentários pessoais de Santiago encontrados em meio aos textos. Refaz, a seu modo, o gesto do ex-mordomo e retira Santiago do esquecimento a que as imagens de 1992 o haviam condenado. *Santiago* é, acima de tudo, a narrativa perturbadora e comovente de um aprendizado e de uma transformação de um cineasta no confronto com ele mesmo em um outro momento da vida. Transformação "sutil e sem alarde", como diz Salles no final do filme, e que ficou clara no reencontro com as imagens de Santiago.

O que há nesse filme de praticamente inédito no documentário contemporâneo brasileiro é a capacidade de perturbar a crença do espectador naquilo que ele está assistindo, de destilar dúvidas a respeito da imagem documental e de fazer com que essa percepção seja menos uma compreensão intelectual e mais uma experiência sensível provocada pela forma do filme. *Santiago* nos obriga, de certa maneira, a nos relacionar com situações audiovisuais novas, a renunciar ao desejo de controle sobre o que é ou não real, a nos deparar com o fato de que podemos ser manipulados a todo instante, de que a fronteira entre o mundo e a cena inexiste em muitos casos, e de que, mesmo assim, não deixamos de nos envolver com o que vemos. Acreditar, não acreditar, não acreditar mais, acreditar apesar de tudo: são questões que agitam o cinema desde o início, nos lembra o crítico francês Jean-Louis Comolli (2004: 9), em oposição à produção televisiva dominante que impõe ao telespectador a ilusão do lugar do controle, de quem julga, sabe e decide. Já um certo tipo de cinema pode levar o espectador a se perguntar: O que eu vejo nessa tela? Realidade, verdade, simulacro, manipulação, ficção, tudo ao mesmo tempo? Questões que, segundo o crítico, pertenciam apenas ao cinema, mas que, diante de um mundo-espetáculo, se transformaram em questões que dizem respeito a todos nós.

Trata-se de um filme que explora a complexidade da relação entre imagem/som e amplia o repertório estético e narrativo do campo do documentário. Atesta que a narração em *off* não é, "em si", algo a ser evitado; na verdade, o que os ensaios fílmicos nos mostram é que não há normas, regras, elementos estéticos a serem evitados; ou para retomar, subvertendo, uma fórmula célebre de André Bazin: não há filmagens nem montagens proibidas. Apropriação, citação, deslocamentos de imagens preexistentes, decupagem de materiais pré-formados, conversas, entrevistas, especialistas, personagens, animação, reconstituição, ficção: a "pertinência" desses recursos se verifica pela maneira como eles são articulados nos filmes, pelos efeitos que as imagens e sons produzem, enfim, pela qualidade das obras.

Referências bibliográficas

ADORNO, Theodor. O ensaio como forma. In: *Notas de Literatura 1*. São Paulo: Duas Cidades/Editora 34, 2003.

ASTRUC, Alexandre. Nascimento de uma nova vanguarda: a "câmera-stylo". In: *Nouvelle Vague*. Lisboa: Cinemateca Portuguesa, Museu do Cinema, 1999.

_____.L'avenir du cinéma. Trafic 3, *Revue de Cinema*. Paris: P.O.L, 1992.

BAZIN, André. Chris Marker. In: *Le cinéma français de la Libération à la Nouvelle Vague (1945-1958)*, p. 257-263. Paris: Cahiers du Cinéma, 1998,

BERNARDET, Jean-Claude. *Cineastas e imagens do povo*. São Paulo: Cia das Letras, 2003.

COMOLLI, Jean-Louis. *Voir et pouvoir*. L'innocence perdue: cinéma, télévision, fiction, documentaire. Verdier, 2004.

DELEUZE, Gilles. *Proust e os signos*. São Paulo: Forense Universitária, 2003.

ISHAGPOUR, Youssef. *Orson Welles*. Paris: Pol, 2001.

MÉNIL, Alain. Entre utopie et herésie: quelques remarques à propos de la notion d'essai. In: LIANDRAT-GUIGUES, Suzanne (dir.), *L'essai et le cinema*. Champ Vallon, 2004.

MOURE, José. Essai de définition de l'essai au cinema. In: LIANDRAT-GUIGUES, Suzanne; GAGNEBIN, Murielle (org.), *L'essai et le cinéma*. França: Ed. Champ Vallon, 2004.

NINEY, François. *L'Épreuve du réel à l'écran*. Essai sur le principe documentaire. Bruxelas: De Boeck, 2002.

REANOV, M. *The subject of documentary*. Minneapolis: University of Minnesota Press, 2004.

Crise e oportunidades para a produção, circulação e consumo musical

Alguns apontamentos sobre a reestruturação da indústria da música[59]

*Micael Herschmann**

Introdução

Na PopKomm, uma das maiores feiras da indústria da música da Europa, realizada em Berlim em setembro de 2005, uma temática – além do debate sobre o potencial de crescimento no mercado da música *on-line*[60] – tomou conta das conversas entre os participantes: o expressivo crescimento do volume das apresentações ao vivo.

---

* Pesquisador do CNPq. Coordenador e professor do Programa de Pós-graduação em Comunicação e Cultura da Escola de Comunicação da Universidade Federal do Rio de Janeiro, onde também coordena o Núcleo de Estudos e Projetos em Comunicação (Nepcom). Realizou seu Pós-doutorado na Universidade Complutense de Madrid e é autor de vários livros (individuais e em parceria); dentre os mais recentes, destacam-se: *Lapa,* cidade *da música* (Rio de Janeiro: Mauad X, 2007); *Comunicação, Cultura e Consumo. A (des)construção do espetáculo contemporâneo* (com João Freire Filho, Rio de Janeiro: E-Papers, 2005); *Mídia, Memória & Celebridades* (com Carlos A. M. Pereira, Rio de Janeiro: E-Papers, 2003) e *O funk e o hip-hop invadem a cena* (Rio de Janeiro: Ed. UFRJ, 2000).

[59] Agradeço não só ao CNPq pelo apoio a esta pesquisa, mas também às bolsistas de iniciação científica Carolina Leal e Taiane Linhares, pela colaboração na elaboração deste artigo.

[60] Evidentemente, o crescimento das vendas de música *on-line* pode ser uma alternativa importante para a indústria da música no futuro: segundo o IFPI, as vendas das músicas digitais cresceram 259% em 2005 (IFPI, 2006). Entretanto, esta temática não será tratada em profundidade neste artigo.

Alguns apontamentos
sobre a reestruturação da indústria da música

Os empresários e profissionais da música, na ocasião, diziam que estavam constatando um aumento do interesse do público pelo contato direto com músicos. Aliás, um número significativo deles vinha atestando que consumidores e fãs estavam demandando não exatamente o "som perfeito das supergravações", mas, sim, as *emoções* e *sensações* das execuções ao vivo. Segundo autoridades ali presentes, o novo público consumidor parece claramente ter aberto mão de parte da qualidade em nome da facilidade de acesso rápido às músicas (através de *downloads* feitos em sites P2P) e da capacidade de portabilidade (utilizando arquivos comprimidos em formato MP3 em aparatos variados). Os empresários nesta feira de música reconheciam também que artistas estão mais conscientes de que boa parte de seus rendimentos é oriunda de *shows* ao vivo e que isso vem se refletindo em um aumento expressivo no preço dos ingressos (DW, 2007).

Passados dois anos deste evento, poder-se-ia perguntar: o crescimento da música ao vivo continua sendo uma importante tendência no universo da música? Os fonogramas continuam perdendo ou diminuindo seu valor? Em que medida a crescente importância dos concertos ao vivo sinaliza mudanças estruturais não só na indústria da música e do entretenimento, mas também na economia atual?

A música – como outros produtos da indústria do entretenimento – sem dúvida segue perdendo *valor*, e as grandes corporações não sabem, até o momento, ao certo como reagir e superar esta crise.[61] Na realidade, com a alta competitividade e a globalização, todos os produtos e serviços estão passando por um processo de "comoditização"[62], isto é, as empresas oferecem produtos

---

[61] A indústria audiovisual e a editorial, por exemplo, vêm sendo também afetadas, não só por mudanças no comportamento do público (em função de mudanças nas rotinas de consumo: o surgimento de atividades associadas aos momentos de ócio e lazer vem contruindo um novo cenário), mas também pelo crescimento da pirataria dentro e fora da rede (Canclini e Moneta, 1999).

[62] Como é notório, as *commodities* — que em geral são bens extraídos diretamente da natureza e que não passam por uma intensa transformação (no máximo é realizado com esses bens algum beneficiamento) — são mercadorias, em geral, de baixo valor no mercado, se comparadas a bens industrializados ou serviços. O "processo de comoditização" diria respeito à perda de valor que qualquer produto ou serviço pode sofrer hoje. A internet, por exemplo, constitui-se na maior força de comoditização do planeta, pois permite ao consumidor comparar preços, tipos de produtos e serviços, o que amplifica ainda mais a competitividade entre as empresas (Pine e Gilmore, 2001: 11).

e serviços emparelhados e numa faixa de preço muito similar, daí a necessidade de encontrarem modos de sedução e/ou mobilização de seus públicos. Não basta baixar preços, fazer promoções, instituir programas de fidelidade, aplicar recursos em pesquisa e inovação, efetuar *downsizing*: as organizações a todo custo hoje vêm tentando, mais do que nunca, fidelizar os consumidores.

Autores como Pine e Gilmore argumentam que várias empresas vêm buscando atrelar ao consumo de mercadorias a produção de *experiências* – de escapismo, fruição ou imersão – capazes de mobilizar o imaginário dos indivíduos.[63] Esses autores enfatizam que no mundo atual, marcado pela intensa competitividade, mesmo os setores industriais e de serviços já enfrentam um ambiente pautado pela saturação, ou melhor, pela ameaça da comoditização. Em outras palavras, para Pine e Gilmore é preciso, no contexto atual, investir constantemente na criação de valor, do contrário se sofrerá inevitavelmente a pressão do vetor de comoditização. A busca de inovação tornou-se uma norma para as organizações, mas o custo é alto e nem sempre rende os dividendos previstos.[64] Eles defendem a tese de que é possível reverter esta tendência mundial e gerar valor: desde que os atores sociais e as organizações invistam na dimensão imaterial/intangível de produtos e serviços, isto é, desde que não só façam um trabalho estratégico sobre a marca, mas também invistam na realização de espetáculo e de experiências.

Não se trata apenas da reelaboração de estratégias de marketing e publicidade que já demonstraram, ao longo das últimas décadas, que possuem boa capacidade de mobilização do público. Os autores defendem o postu-

---

[63] Traduzindo isso em exemplos: o marketing cultural pode ser um caminho, mesmo para empresas que têm produtos difíceis de serem espetacularizados, tais como a Petrobras (maior empresa estatal brasileira e que atua no setor petrolífero), que vende *commodities*, mas tem a sua imagem associada à produção cultural do país. Outra estratégia é fazer um trabalho sobre a marca, como a empresa Nike, que opera suas campanhas de publicidade sobre as sensações que os consumidores terão ao usar os produtos e não sobre o produto em si (Pine e Gilmore, 2001).

[64] Na realidade, neste ambiente de alta competitividade, há um emparelhamento tecnológico entre as empresas sustentáveis: quando uma coloca no mercado uma inovação, a oferta é rapidamente "coberta" pela concorrência. As vantagens das experiências é que são singulares e por isso mesmo dificilmente copiáveis pela concorrência.

lado de que estamos assistindo à tendência de crescimento de uma nova "economia da experiência", em que as organizações passariam a atuar também como encenadoras de sensações. Os autores, por exemplo, destacam que o ato de ir a lojas em shoppings cada vez mais se constitui em uma experiência sensorial – que envolve luz, cor, áudio e aromas; lembram ainda quanto é investido para que o bater de portas de automóveis ou o cheiro do carro novo tenham certas características; ou, ainda, que o número de empresas que organizam parques temáticos de sucesso em associação aos seus negócios vem crescendo expressivamente.[65]

Assim, poder-se-ia afirmar que a música ao vivo vem crescendo de importância dentro da indústria da música, e que isso está relacionado ao alto valor que esta "experiência" tem no mercado, isto é, à sua capacidade de mobilizar e seduzir os consumidores e aficionados: a) a despeito do preço pago (muito vezes bastante alto) para se assistir ao vivo às performances; b) e da alta competitividade que envolve as várias formas de lazer e entretenimento na disputa de um lugar junto ao público hoje no cotidiano.

Em uma entrevista concedida em 2007, Scott Ian, guitarrista da banda norte-americana Antrax, fez uma afirmação bastante sugestiva: "(...) nosso disco é o cardápio, mas o show é a refeição" (Sandall, 2007: 5). Diante da nova realidade de mercado que vem despontando, Edgar Brofam, diretor da Warner, sentenciou em um depoimento concedido recentemente: "A in-

---

[65] Pine e Gilmore demonstram – estatisticamente – que a economia de sensações/experiências vem crescendo muito rapidamente e que em breve rivalizará com o setor mais importante da economia hoje, isto é, o setor de serviços (utilizam como estudo de caso a principal economia mundial, a norte-americana). Os autores constatam que o consumidor tende a não barganhar o preço ou a demandar promoções nesta nova economia porque a experiência é *única*. Por exemplo, se num botequim o cliente paga "x" por um cafezinho, em uma cafeteria de luxo atesta-se que ele está disposto a pagar o dobro pela experiência de passar algum tempo naquele ambiente que envolve luzes, cheiros e sons. Pode-se usar o mesmo argumento para avaliar o que ocorre no universo da música: enquanto os consumidores se queixam de pagar "y" em CDs ou DVDs, estão dispostos a pagar pelo menos o dobro nos concertos – ao vivo – de música, como indicam os índices de crescimento desta atividade em diferentes partes do mundo. Os autores argumentam que a empresa modelar da *economia da experiência* seria a Disney – uma das grandes encenadoras do mundo globalizado (Pine e Gilmore, 2001: 20-26).

dústria da música está crescendo, entretanto, a indústria fonográfica, não." (Economist.com, 2007). Desenvolvendo um argumento similar, a artista Marisa Monte, estrela da MPB, afirmou em uma entrevista concedida em 2007 que pode vir a não lançar mais discos daqui em diante, pois, segundo ela, o valor real do CD não passa hoje de um real (Helal Filho, 2007).

O objetivo deste artigo é repensar o destaque alcançado mais recentemente pelas apresentações ao vivo e a significativa perda de valor dos fonogramas. Parte-se do pressuposto de que boa parte da recuperação desta indústria está relacionada à experiência da música presencial. Assim, para avaliar melhor o *locus* das execuções ao vivo, analisamos neste trabalho não só alguns dados mais recentes disponíveis sobre a indústria da música, mas também as estratégias de atuação de alguns artistas/empresas junto ao mercado e a repercussão/comportamento do público diante dessas mudanças.

Indústria e cultura da música

Os formatos ou suportes[66] são temas significativos para a música popular e proporcionam dados importantes aos pesquisadores que querem estudar a história dos ciclos de mercado, mudanças no gosto dos clientes e novas oportunidades que surgem para os músicos com as mudanças. Os formatos exerceram influência, afetando significativamente a *indústria da música* (com reflexos especialmente sobre o marketing de gêneros e, conseqüentemente, sobre o comportamento do consumidor) e a *cultura da música*.

Frith ressalta que a cultura da música (popular) é mais antiga e ampla do que a indústria da música; na realidade, a indústria "(...) seria só um aspecto da cultura da música popular" (Frith, 2006a: 54). Assim, a indústria da música, para o autor, exerce um importante papel na cultura da música, mas não a manipula simplesmente, tendo de responder às mudanças que ocorrem também na trama cultural. Assim, a cultura da música seria uma imensa rede de comunicação que comportaria, por exemplo, relações diretas entre consumidores/aficionados, membros de um coro religioso ou laico, entre fã-clubes e

---

[66] Antes da era digital e em rede, a indústria fonográfica utilizou vários formatos, tais como cilindros, discos de vinil (álbuns simples e LPs) e as fitas K-7 (Shuker 2005: 143-144).

bandas, mediações entre companhias fonográficas, emissoras de rádio ou empresas de mídia e pessoas influentes no universo musical.

Mas e a indústria da música? Qual é o seu perfil? De que forma ela vem sendo constituída? Frith afirma que a indústria musical contemporânea foi moldada por sua própria história e, nesse sentido, constitui-se basicamente em:

> Uma *indústria de direitos*, dependente das normativas legais da propriedade e de licenças sobre um amplo espectro dos usos das obras musicais. Uma *indústria de edição impressa*, que facilita o acesso do público às obras, mas que assim mesmo depende da criatividade dos músicos e compositores. Uma *indústria de talentos*, dependente de uma gestão efetiva dos compositores e músicos, mediante o uso de contratos e desenvolvimento de um *star system*. E uma *indústria eletrônica*, que depende da utilização pública e doméstica de diferentes tipos de equipamentos e componentes eletrônicos (Frith, 2006a: 61-62).

Sua tese baseia-se, assim, na análise das mudanças promovidas pelas inovações tecnológicas da história da indústria da música que impactaram as formas de armazenamento das informações e o perfil dessa indústria.

> A primeira revolução foi deflagrada pela invenção da prensa, que permitiu o armazenamento das partituras musicais. As partituras não só deram um novo relevo à criação musical, passando a exigir uma capacidade de virtuosidade dos músicos, como também permitiram o desenvolvimento da indústria de edição e, conseqüentemente, de empresas editoriais e de processos de regulação de direitos de autor. (...) A segunda resultou do desenvolvimento das tecnologias de gravação, que permitiram armazenamento em discos e cilindros. A partir daí se passou a ter música em casa, sem necessariamente se dominar o ofício de "fazer música". Os proprietários de direitos agora eram donos dos sons gravados e das obras musicais. Isso gerou ganhos sem precedentes na história da música e expandiu significativamente a indústria: no século XX, os ingressos obtidos pelos usos públicos da música passaram a ser tão importantes quanto aqueles derivados da venda de música gravada. Surgiram as supergravações – "perfeitas" (fruto da manipulação técnica em estúdio) –, que já não eram apenas reproduções fidedignas de interpretações realizadas em concertos ao vivo. (...) A terceira revolução, a atual, está relacionada ao desenvolvi-

mento e à aplicação da tecnologia digital ao universo musical. Essa tecnologia amplia a definição de proprietário de um produto musical – desde a obra em si (partitura), passando pela interpretação (disco), bem como pelos sons empregados (a informação digital) – e as possibilidades de roubo e pirataria. Além disso, ao mudar a composição digital desde a criação até o processamento – tornando o ato de criação musical uma prática multimídia –, intensifica a crise da noção de autoria, tornando mais difícil distinguir os papéis de músico e engenheiro, ou mesmo de criador e consumidor. Esta tecnologia afeta também a circulação e comercialização, produzindo o fenômeno da "desintermediação" (facilitando o contato direto do músico com o público) (Frith, 2006b: 56-61).

Frith enfatiza que escrever a história da cultura associada à música popular – especialmente do século XX – é analisar, por um lado, o seu deslocamento do plano coletivo para o individual, e, por outro, a construção de uma aliança poderosa com os meios de comunicação.

O fonógrafo veio a significar que as atuações musicais públicas podiam agora ser escutadas no âmbito doméstico. O gramofone portátil e o transistor de rádio deslocaram a experiência musical até o dormitório. O *walkman* da Sony possibilitou que cada indivíduo confeccionasse seleções musicais para a sua audição pessoal, inclusive, nos espaços públicos. Em termos gerais, o processo de industrialização da música, entendida em suas vertentes tecnológicas e econômicas, descreve como a música chegou a ser definida como uma experiência essencialmente individual, uma experiência que escolhemos para nós mesmos no mercado e se constitui em assunto de nossa autonomia cultural na vida diária (Frith, 2006a: 55).

Evidentemente, o fato de o consumo musical ser individualizado – pelo menos até o momento atual (em que existe ainda uma hegemonia da música gravada) – não significa que não ocorra também uma contaminação dessa experiência de consumo no espaço público. Aliás, a música sempre teve uma função coletiva, e mesmo quando compramos discos e revistas ou escutamos rádio, fazemos isso com o objetivo também de nos sentir parte de uma determinada coletividade que compartilha gostos e códigos sociais. Podemos perguntar: ver concertos ou assistir a *shows* na televisão são realizações específicas do âmbito público ou privado? Nesse sentido, os meios de comunicação de massa tiveram um importante papel neste processo, ao construir fronteiras entre o espaço público e o privado relacionado a este tipo de consumo, o qual, quando analisado com atenção, deixa transparecer que essas esferas tendem a se embaralhar e contaminar. Na verdade, mais do que a privatização, ocorreu até o final do século XX um processo de individualização do consumo musical – a popularização, especialmente através da mídia, da idéia de que a música é um bem de consumo, isto é, algo que as pessoas podem possuir – que foi vital para o desenvolvimento dessa indústria. Os meios de comunicação mais tradicionais tiveram um importante papel no desenvolvimento da indústria e na formação das comunidades de consumidores: por exemplo, a aliança desta indústria com a televisão (mesmo antes da existência de programas e emissoras ao estilo da MTV), mas principalmente com o rádio, foi fundamental para que essas empresas atingissem o mercado consumidor ao longo do século XX.

Curiosamente, apesar do seu poder e da forte presença na vida social, os principais conglomerados de entretenimento que controlam o mercado fonográfico – Universal (que detém 25,5% do mercado), Warner (11,3%), Sony-BMG (21,5%), EMI (13,4%)[67] – não vêm conseguindo impedir que a tecnologia digital, no seu agenciamento pela sociedade, venha gerando uma nova cultura da música em que não se dá tanto valor aos fonogramas. Esta cultura atual, que se apóia na popularização das novas tecnologias, está – como veremos ao longo deste artigo – impactando profundamente esta indústria.

Evidentemente, com este argumento não se está sugerindo uma maior autonomia dos consumidores e/ou se está relativizando/minimizando o poder dos grandes conglomerados de comunicação e entretenimento sobre a sociedade contemporânea. Claro que, no mundo atual globalizado, é cada vez mais evidente não só a forte presença econômica e política dos grandes conglomerados de comunicação e cultura, mas também os processos de concentração de capitais (que oferecem inúmeros riscos à democracia e ao pluralismo nas etapas de criação, produção e distribuição), o que poderia

---

[67] Nos dados divulgados pela IFPI, em 2004, as *indies* detinham 28,4% do mercado (IFPI, 2005).

nos levar a conclusões simplistas: de que a tarefa dessas empresas é fácil, de que controlam o mercado, de que quase sempre obtêm êxito e assim por diante. Na realidade, a música sempre se constituiu em um *business* marcado mais pelo fracasso do que pelo êxito: quase 90% dos produtos geram perdas, o que acaba criando uma "cultura da culpa" nas empresas (com uma tensão freqüente entre os departamentos de marketing e de Artistas & Repertório). Se já era complicado antes desta crise da indústria fonográfica, hoje é muito pior o ambiente dentro das gravadoras, especialmente as *majors*: há uma enorme pressão por resultados financeiros positivos.

Negus ressalta a complexidade da vida social e avalia de forma bastante crítica a tendência de alguns estudos conservadores em considerar os conglomerados como uma estrutura monolítica e os artistas, funcionários e consumidores como completamente guiados e absorvidos pela lógica da indústria do entretenimento (Negus, 2006). Assim, o que se constata – analisando as estratégias desenvolvidas pelas *majors* nas últimas décadas – é que, para obterem êxito ou menos fracasso (na busca de alternativas), elas vêm estabelecendo parcerias com as *indies*, a mídia, formadores de opinião e fãs.

Poder-se-ia dizer que o grande desafio no universo musical sempre foi o de descobrir formas de obtenção de lucros ou de sustentabilidade com a música. Frith ressalta que a música é imaterial por natureza e que os atores sociais ligados a esta atividade, ao longo da história – desde os primeiros músicos ambulantes que cantavam em troca de um prato de comida quente até os ganhos obtidos hoje com os *ringtones* ou com a música comercializada pela internet –, sempre se esforçaram por encontrar formas de transformar essa experiência intangível, auditiva e limitada no tempo em algo que poderia ser comprado e vendido (Frith, 2006a: 53).

> Se, por um lado, constantemente nos deparamos com matérias jornalísticas que nos lembram que há uma crise da indústria da música, por outro, é possível constatar sem muito esforço que a música – *ao vivo* e *gravada* – é onipresente no cotidiano da sociedade contemporânea. Autores como Burnett identificam a forte presença de uma produção transnacional da música, que, apesar de todas as dificuldades enfrentadas hoje, consegue atingir uma grande audiência em todos os continentes, convertendo essa indústria hoje em uma espécie de "*jukebox* global" (Burnett, 1996: 2).

Atualmente, a música gravada, em especial, acentuou sua capilaridade na vida social e crescentemente vem sendo veiculada nos mais diferentes suportes analógicos e digitais, sendo comercializada não apenas como produto final, mas também como insumo para a composição de mercadorias ou na forma de produtos e serviços que são oferecidos direta e indiretamente aos consumidores. Podemos constatar isso na abrangência do mercado musical, não só do mais tradicional, como o dos concertos, dos cursos de música, da sonoplastia e das trilhas sonoras (tão vitais para os produtos audiovisuais), das emissoras de rádio, do vinil, do K-7, dos CDs, mas também dos novos tipos de mercados emergentes hoje, como o dos CD-ROMs, dos DVDs, dos *ringtones* e dos MP3s.

Zallo ressalta que a indústria da *música gravada* se desenvolveu tanto no século XX que, em determinado momento, passou a usar a *música ao vivo* praticamente apenas como forma de promover a música gravada, invertendo a situação de centralidade que a música ao vivo gozava na atividade musical, até pelo menos as primeiras décadas do século XX. Ao lado das apresentações de música ao vivo – em turnês e festivais –, outra estratégia importante para a promoção dos fonogramas da grande indústria era a da utilização da aprovação ou do aval de *árbitros* do universo musical, tais como críticos de publicações musicais, programadores de rádio e televisão, DJs que atuam em diferentes espaços, promotores e comerciantes de discos, entre outros (Zallo, 1988).

Entretanto, analisando com mais cuidado as mudanças na cultura e na indústria da música que vêm ocorrendo recentemente, é possível atestar que a música ao vivo está recuperando um pouco do terreno que havia perdido para a música gravada, ou seja, a música ao vivo está ocupando, cada vez mais, um lugar menos periférico. E, em algumas situações encontradas na indústria da música hoje – especialmente envolvendo os selos independentes e pequenas gravadoras –, poder-se-ia dizer que os fonogramas gravados é que vêm se tornando um complemento, uma forma de reconhecer e rememorar uma experiência vivida. Pode-se considerar que parte dos consumidores mobilizados e que vão aos concertos de música dos mais variados gêneros na realidade buscam vivenciar ali "experiências" e sensações consideradas por eles como sendo de significativa importância no cotidiano (Pine e Gilmore, 2001).

Para além de uma lógica apenas fordista ou industrial

Analisando as dificuldades atuais para se conseguir obter visibilidade e êxito na indústria da música, e tendo em vista a complexidade da dinâmica de produção e consumo do mercado, é possível atestar que as *majors* têm um grande capital financeiro (mais poder econômico), mas as *independentes* (ou *indies*) têm capital sociocultural.[68] Nesse sentido, as *majors*, sempre que possível, vêm tentando se articular com as *indies*, ou seja, na verdade as *majors* e as *indies* não vêm construindo, com freqüência, uma relação propriamente de oposição, mas, sim, de complementaridade. Na realidade, existiria para vários autores um arranjo entre *majors* e *indies*.

(...) no qual as *indies* descobrem os músicos e logo os vendem ou licenciam os contratos com as *majors* para que os promovam e distribuam. Em muito poucos casos as *indies* têm conseguido lançar músicos em um nível internacional, porque simplesmente carecem de capital e/ou de pessoal para isso. Algumas *indies* esperam que a distribuição pela internet mude este quadro de grande desequilíbrio (Yúdice, 1999: 117).

Assim, vem-se produzindo em grande medida, ao longo das últimas décadas, uma espécie de divisão de trabalho entre *indies* e *majors*: as gravadoras e os selos independentes se especializaram na exploração inicial de novos artistas, e as grandes companhias do disco controlam a produção musical dos artistas "descobertos" (em geral pelas *indies*) que tenham potencial para fazer sucesso em uma escala massiva (o que significa um amplo controle e exploração, por parte dessas empresas, das etapas de promoção, difusão e comercialização).

Podemos a esta altura perguntar: como está constituída a indústria da música atual? Quais são as suas características? Será que nesse novo contexto as *indies* vêm se tornando competitivas e alcançando êxito?

Para entender isso, é preciso analisar as mudanças estruturais que ocorreram na grande indústria e as dificuldades que essas empresas vêm enfrentando. Yúdice argumenta:

---

[68] As denominações *indies* e *majors* são empregadas aqui para designar respectivamente as gravadoras pequenas/independentes ou selos fonográficos, em contraposição às grandes companhias transnacionais do disco.

(...) a partir dos anos 1980, as grandes gravadoras já não se concebiam como simples produtoras e distribuidoras de música, mas sim como conglomerados globais de entretenimento integrado, que incluem a televisão, o cinema, as cadeias da indústria fonográfica, as redes de concertos e mais recentemente a internet, e a difusão por cabo e via satélite (Yúdice, 1999: 116).

Nesse sentido, Negus também enfatiza que

(...) a indústria fonográfica (...) procura desenvolver personalidades globais que possam ser veiculadas através de vários meios — gravações, vídeos, filmes, televisão, revistas, livros — e mediante também a publicidade, endossando produtos e o patrocínio de bens de consumo (...). No final do século [XX], a indústria da música tornou-se um componente integral de uma rede globalizante de indústrias interconectadas de lazer e entretenimento (Negus, 2005: 1).

Aliás, Negus critica alguns pesquisadores que insistem em considerar a indústria da música como uma produção fordista. Este autor enfatiza que o cotidiano desta indústria parece indicar mais do que a lógica massiva de uma simples linha de montagem. Parece conviver nesse tipo de produção uma dinâmica também mais flexível, de cunho pós-fordista (Lasch e Urry, 1994).

(...) desde sua aparição no século XIX, o negócio da música gravada (e a indústria editorial das partituras nas quais se baseiam muitas práticas de trabalho) foi organizado nos moldes de uma produção de pequena escala e com vendas dirigidas a nichos de mercado instáveis, junto à elaboração de grandes êxitos bombásticos (a maioria das gravações que saíram à luz no século XX nunca se comercializou ou foi vendida a um público de massa). Além disso, desde seu início, a indústria fonográfica empregou diversas atividades de marketing e promocionais, legais e ilegais, em pequena escala e baseadas em equipes, como estratégia para se aproximar dos consumidores através de práticas que poderiam ser etiquetadas como flexíveis (Negus, 2005: 41).

Nesse sentido, para Frith e Negus, há outros fatores que são determinantes para o sucesso da produção musical atual (tais como a informação e o conhecimento que passam a ser utilizados como base para a atuação das empresas) crescentemente segmentada (Frith, 2006a; Negus, 2005). Aliás, nos últimos anos, alguns autores argumentam que, principalmente nos países mais desenvolvidos, vêm sendo feitas a gestão e a transição para uma *nova economia*, a qual se caracterizaria justamente pela aplicação da informação e do conhecimento na busca da geração de valores agregados associados aos produtos e serviços, produzindo assim importantes reflexos nos processos produtivos e operações comerciais (Castells, 1999). Consideram que o capitalismo atual mais uma vez ampliou suas fronteiras, refuncionalizando os processos e relações sociais de produção, segundo as exigências do capital. Ou seja, o capitalismo hoje não é apenas industrial/fordista e/ou pós-industrial/pós-fordista (Harvey, 1992), mas também uma espécie de capitalismo do conhecimento ou *cognitivo* (Cocco e outros, 2003).

> (...) a passagem de uma lógica de reprodução para uma lógica da inovação, de um regime de repetição para um regime de invenção. Nossa hipótese de trabalho é que as transformações em curso não constituem mutações no âmbito do paradigma do capitalismo industrial. Elas põem em evidência a passagem do capitalismo industrial a algo que poderíamos denominar *capitalismo cognitivo*. (...) No período fordista, a inovação já existia, mas apenas como exceção, pois a valorização repousava essencialmente sobre o domínio do tempo de reprodução de mercadorias padronizadas, produzidas com tecnologias mecânicas. O tempo em questão era um tempo sem outra memória senão a corporal, a do gesto e de uma cooperação estática, inscrita na divisão técnica do trabalho e determinada segundo códigos da organização científica do trabalho. No pós-fordismo, esta exceção, que era a inovação, torna-se regra. A valorização repousa então sobre o conhecimento, sobre o tempo da produção, de sua difusão e de sua socialização, que as novas tecnologias de informação e comunicação permitem como tecnologias cognitivas e relacionais. A um tempo sem memória, tempo da repetição, opõe-se um tempo da invenção, como criação contínua do *novo* (...) (Corsani, 2003: 15-17).

Capitalismo Cognitivo ou não, de fato, nota-se que, com o impacto das novas tecnologias de informação e comunicação (NTICs), o crescimento da competitividade, a intensificação da globalização e a crise da economia de escala (fordista) vêm transformando o mundo atual.

Na literatura especializada, apesar de algumas discrepâncias entre os autores, costuma-se de modo geral caracterizar a transição (ou coexistência) do fordismo para o pós-fordismo da seguinte maneira (Lastres e Albagi, 1999; Cocco e outros, 2003; Cocco, 2000; Piore e Sabel, 1984):

a) Empresas: identifica-se um processo de flexibilização das estruturas das organizações, com a fragilização das fronteiras (interna/externa) das empresas, e de flexibilização da produção, com o emprego de novas tecnologias e a redução radical dos estoques.

b) Mercado: passagem de uma produção massiva, estandardizada, para uma produção mais segmentada e customizada.

c) Relacionamento com os consumidores: de um processo pontual (centrado no momento da venda) e unidirecional passa-se a um processo constante (no qual a venda é apenas um momento do relacionamento com os clientes) e caracterizado pela multidirecionalidade (interatividade). Com o emprego das NTICs, há uma ampliação da capacidade comunicativa das empresas e dos consumidores, em especial destes últimos, que passam a estar mais presentes no processo produtivo (através, por exemplo, de demandas *on-line*).

d) Comercialização/Distribuição: com a utilização das NTICs, abre-se a possibilidade de se efetuar um processo tanto de desintermediação quanto de diversificação das formas de comercialização e distribuição (emergência de circuitos alternativos e de novos modelos de negócio *on-line*).

e) Conhecimento: passa a ser um fator primordial, capaz no dia-a-dia de agregar valor aos produtos e serviços e de gerar diferenciais competitivos para as empresas.

f) Estratégias de venda: há uma transição do emprego de estratégias que sejam capazes de *seduzir* os consumidores para estratégias de *fidelização* de clientes. Nesse processo, a interatividade e o agenciamento de repertórios simbólicos na geração de experiências desempenham um papel importante.

g) Contratos e dinâmica de trabalho: reconhece-se uma mudança na dinâmica laboral. Do trabalhador que atua na empresa como funcionário e que realiza atividades nos departamentos executando tarefas manuais e/ou intelectuais, passa-se a ter um trabalhador temporariamente contratado ou terceirizado que atua de forma proativa e em rede, realizando trabalho imaterial.

h) Inovação: passa a ser crucial a sua realização, sem a qual a empresa não pode gerar grandes diferenciais competitivos. A inovação pode se traduzir em um novo *know-how* ou em alta tecnologia gerada pela empresa, mas é principalmente desenvolvida a partir de conhecimentos tácitos, do *general intelect*,[69] da cultura agenciada do entorno direto e indireto da empresa.

i) Resultados: é possível identificar não só uma hegemonia do setor de serviços sobre a produção industrial, mas também dos produtos imateriais sobre os materiais.

Podemos esquematicamente expor num quadro (a seguir) as *mudanças* e *continuidades* da indústria da música, à luz dos paradigmas socioeconômicos que coexistem no mundo contemporâneo.

---

[69] O conceito marxista de *general intelect* ou *intelectualidade de massa* é aplicado para compreender a mais-valia gerada pelas informações e conhecimentos que são disponibilizados através da cooperação social ou que estão disponíveis para serem agenciados nos circuitos de produção e consumo (Lazzarato e Negri, 2001; Gorz, 2003).

Alguns apontamentos sobre a reestruturação da indústria da música

Tabela 1: Continuidades e rupturas na indústria fonográfica

Tópico	Fordismo; Industrial	Pós-Fordismo; Pós-industrial; Economia da Informação do Conhecimento; Capitalismo Cognitivo.
a) Empresas	Conglomerados organizados em unidades produtivas (fabris): estrutura organizacional hierarquizada e departamentalizada; terceirização de selos/*indies*; gravadoras independentes pouco competitivas e isoladas.	Pequenas e grandes empresas organizadas em rede: associativismo e parcerias (competem e cooperam); *indies* mais competitivas e organizadas em associações e arranjos produtivos.
b) Mercado	Massivo: nacional e transnacional	Segmentação (pulverização de nichos de mercado): local e glocal
c) Relacionamento com os consumidores	Unilateral pelos mercados e mídias: processo pontual e difusão Lojas e mídias tradicionais (rádio e tevê)	Interativo pelas redes: processo constante e interativo (internet)
d) Comercialização/ Distribuição	Tradicional: através de lojas, *megastores* e supermercados	Alternativos: através da internet (site e/ou desintermediação do processo), de pontos de venda alternativos e de vendas em shows
e) Conhecimento	Mais um recurso entre outros: dados quantitativos de vendas da indústria nos mercados nacionais/internacionais	Diferencial competitivo: estudos quantitativos e qualitativos de comportamento e tendências dos inúmeros nichos de mercado local/glocal
f) Estratégias de venda	Mecanismos de difusão/sedução entre os consumidores: publicidade; listas *top 40*; *star system* dos artistas; supervendas; *lobby* com os formadores de opinião; catálogo dos gêneros musicais; megashows ou grandes festivais	Mecanismos de interação e co-produção com os consumidores: articulação e mobilização dos consumidores; ferramentas de marketing e design; emprego de repertórios simbólicos em sintonia com a cultura local; pequenos e médios concertos e festivais
g) Contratos e dinâmica de trabalho	Contratos: fixos, grande *cast* de artistas, *staff* de publicidade e de Arte & Repertório. Trabalhador: empregado da empresa	Contratos: temporários e *downsizing*. Trabalhador: colaborador/parceiro da empresa
h) Inovação	Sazonal: desenvolvimento de tecnologia e *know-how*; renovação/criação de novos gêneros	Constante: desenvolvimento a partir também de conhecimentos tácitos e/ou da cultura local; resultados obtidos através de apropriações e colagens, repertórios simbólicos, ritmos e sons.
i) Resultados	Produtos e mercadorias: Discos de vinil, DVDs, CDs e outros suportes físicos	Bens imateriais ou serviços: videogames, *ringtones*, concertos ao vivo, bancos de música *on-line à la carte* ou por assinatura

Fonte: elaboração própria.

Essas mudanças e continuidades na indústria da música lançam desafios, transformando o regime de acumulação da grande indústria e provocando a emergência de novas formas de organização da produção e do consumo: novos modelos de negócio. O que podia parecer, num momento inicial, mero redesenho da economia industrial, através da terceirização, gestão de qualidade e/ou implementação de uma gestão cada vez mais *on-line* de estoques, é, na verdade, um deslocamento da própria função produtiva para as atividades imateriais ou "trabalho imaterial" (Lazzarato e Negri, 2001; Gorz, 2003)[70].

Nesse contexto – de transição do capitalismo (ver tabela 1) –, constata-se que as empresas do setor da música, como outras que trabalham com

---

[70] O *trabalho imaterial* — e ainda tudo aquilo que em geral está relacionado, por um lado, à circulação e, por outro, à inovação — encontra-se no cerne de um novo padrão de acumulação que vem se articulando e se colocando em tensão com o regime de acumulação industrial e cujos processos reprodutivos vêm, surpreendentemente, tornando-se imediatamente produtivos. Assim, crescentemente, as informações geradas nos vários estágios de consumo podem, quando sistematizadas pelas empresas, ser utilizadas no processo produtivo. Houve um incremento da capacidade comunicativa da sociedade atual, e isso vem afetando a maneira como a sociedade produz e consome (Cocco, 1996). Cabe destacar que, apesar da ascensão do trabalho imaterial, a atividade tradicional (que opera com velhas divisões como trabalho intelectual e manual) não desapareceu, e sim progressivamente se articula às tarefas imateriais. Mesmo quando se emprega basicamente a força muscular nas tarefas produtivas, esse ato implica hoje, também, em algum nível, o armazenamento e a sistematização de informações (Lazzarato e Negri, 2001). Essas mudanças não poderiam ter acontecido sem a integração crescente das novas tecnologias de informação e comunicação (NTICs) aos processos produtivos, principalmente no que diz respeito à constituição de um emaranhado de redes sociais e técnicas que sustentam a cooperação produtiva, não mais restrita ao chão da fábrica. Claramente, a fronteira entre o ambiente interno e o externo das organizações vem se fragilizando: cada vez fica mais difícil o indivíduo dizer se está no ambiente de trabalho ou doméstico, bem como precisar se está realizando uma tarefa profissional ou de lazer (Gorz, 2005). Basta examinarmos o dia-a-dia de um trabalhador terceirizado que, em sua casa, realiza diferentes atividades simultaneamente nas "várias janelas" abertas do seu computador. Ele pode e deve estar operando ao mesmo tempo em múltiplos ambientes, nos quais trabalha, se diverte, joga, cumpre funções rotineiras etc. Graças a isso, cada vez mais se imagina uma organização menos por sua dimensão física e mais pela dimensão imaterial que engloba redes técnicas e sociais (Lazaratto e Negri, 2001). Em outras palavras, as NTICs foram determinantes na incorporação das atividades de comunicação — atividades imateriais — como um momento estratégico da produção e do processo de agregação de valor a produtos e serviços. No momento atual, Mattelart ressalta que se pode notar a presença crescente de uma "intelectualidade de massa" (ou *general intelect*) na emergente sociedade pós-fordista. Entretanto, ele observa que, diferentemente do que apregoam os apologistas da mudança, não se desenvolveu uma sociedade da criação e da cognição libertada das amarras do produtivismo, ao contrário, vem ocorrendo um processo de intensificação da exploração do capital humano (Mattelart, 2006: 156-157).

idéias e ativos imateriais, vêm, de modo geral, superando em competitividade as tradicionais empresas industriais. Assim, inúmeras empresas de música que estão focadas apenas na produção em grande escala e que não estão empenhadas em perceber tendências e atuar em nichos de mercado maiores vêm tendo dificuldades de obter êxito. Grande parte da "cultura do fracasso" da indústria da música está relacionada a uma incapacidade dos profissionais deste setor de entenderem e saberem enfrentar essas mudanças de paradigma produtivo. Não é sem motivo que um significativo número de *majors* adota como estratégia importante a busca de uma aliança com os selos independentes. O fato é que várias *majors* demonstram dificuldades de flexibilização e vêm buscando, através de sua articulação com as *indies*, incorporar novas estratégias para enfrentar os novos desafios do mundo capitalista atual.

Assim, quando as *indies* investem na articulação com os atores sociais e na cultura local, estão realizando um trabalho dessa natureza (imaterial). DJs e produtores musicais locais fazem um trabalho crucial de mediação entre a produção independente e os nichos de mercado cada vez mais pulverizados em diferentes territórios.

Obviamente, não estou querendo dizer com isso que a tradicional estratégia das *majors* em investirem em artistas capazes de produzir "supervendas"[71] – em escala nacional/internacional – não seja mais empregada de forma exitosa. Continua sendo a principal estratégia adotada por essa grande indústria em transformação hoje. A indústria que parece ter um perfil mais fordista quando lança um CD ou DVD do U2, da Madonna ou do Coldplay é a mesma que busca flexibilizar sua produção, articulando-se a pequenos selos independentes e/ou quando faz contratos (muitas vezes temporários) com jovens que foram capazes de mobilizar um público expressivo utilizando internet, tais como Arctic Monkeys (na Inglaterra) ou Bonde do Rolê e Cansei de ser Sexy (no Brasil). E é em razão disso que se parte do pressu-

---

[71] As *majors* investem em artistas que demonstram capacidade de sobrepujar a concorrência, iniciando assim um "círculo virtuoso" que poderá converter um determinado disco em um campeão de vendas (que geralmente está nas listas dos mais vendidos). Com o aumento das vendas, cresce o espaço ocupado pelo artista ou pela banda nos veículos de comunicação e, conseqüentemente, seu protagonismo no público (Buquet, 2002, p. 79-80).

posto aqui de que este momento é mais de transição do que propriamente de ruptura de paradigma produtivo.

Mesmo com o êxito alcançado em vários momentos por essa tradicional estratégia das *majors,* é possível identificar algumas mudanças que sugerem a presença de uma lógica mais pós-fordista nas empresas do setor. Primeiramente, reduziu-se significativamente a ocorrência de "supervendas", mesmo de artistas de renome. Nos últimos anos, o número de artistas que alcançam este nível de vendas reduziu drasticamente, a ponto de várias associações nacionais e internacionais de música terem reduzido os índices de vendas que eram associados às premiações dos discos (como, por exemplo, de ouro, platina ou diamante). Em segundo lugar, é cada vez mais evidente a dependência crescente das grandes empresas em relação aos profissionais que realizam trabalho imaterial de grande peso simbólico no imaginário dos consumidores, como os marqueteiros e *designers.* E, finalmente, a constatação de que muitas das grandes empresas de música – que hoje são setores dentro dos grandes conglomerados transnacionais de informação e entretenimento – reduziram tanto suas dimensões (com a redução do *cast* de artistas contratados e da estrutura das empresas pelo emprego da prática do *downsizing,* bem como do estabelecimento de parcerias com os selos independentes) e praticamente terceirizam a maioria das suas atividades, seja na produção, distribuição ou vendas.

Crise e perspectivas da indústria da música

Como já sugerimos no argumento desenvolvido até aqui, quando se faz referência à *crise* da indústria da música, na realidade está se considerando o atual contexto como sendo marcado pela reestruturação do grande *business* da música gravada. É notório que a indústria da música encolheu bastante entre 1997 e 2003, não conseguindo atingir ainda o patamar de 1996, quando vendeu 39 bilhões de doláres; evidentemente, vêm emergindo oportunidades de crescimento para as *indies,* especialmente para empreendimentos culturais capitaneados por elas que envolvam a música ao vivo; mas devemos evitar leituras ingênuas que sugerem a simples decadência irreversível das *majors.* Ou seja, o contexto atual sugere mais um momento de transição e de reorganização do mercado.

Apesar de uma maior articulação das associações de *indies*, o mercado continua controlado em grande medida pelas *majors* e várias *indies* são sustentáveis em função de uma relação de complementaridade com as *majors*. Alguns autores sugerem que ao consolidarem um modelo de negócio *on-line*, as *majors* poderão estar completando o estágio atual de transição desta indústria: inclusive mostram que este processo está em curso – destacando que inúmeras companhias transnacionais têm investido pesado no mercado *on-line*, apostando no seu potencial de crescimento num futuro próximo: que várias têm comprado diversos empreendimentos culturais das ponto.com, da mesma forma que tradicionalmente ao longo de sua trajetória absorveram as empresas independentes, fora da rede.

Generalizando, pode-se dizer que a crise da indústria está relacionada aos seguintes fatores: a) um crescimento da competição entre os produtos culturais, entre as empresas que oferecem no mercado globalizado bens e serviços culturais – há claramente um aumento da oferta, das opções de lazer e consumo; b) limites dados pelo poder aquisitivo da população, especialmente em países periféricos como o Brasil; c) e o crescimento da pirataria, não só aquela realizada através de *downloads*, na rede, mas também a concretizada fora da rede.

É importante ressaltar que, em boa medida, esta crise da indústria fonográfica hoje em todo o mundo refere-se em especial a uma perda de legitimidade das *majors* diante do seu público. Segundo alguns autores, a pirataria bastante disseminada no mundo inteiro – especialmente depois da popularização do MP3 – é de certa forma uma "resposta" de um público que não quer pagar o preço dos fonogramas exigido pelas *majors*, através de um *trust* velado já estabelecido há algumas décadas no mundo inteiro. A música gravada, portanto, parece ter perdido *valor*, e a indústria até o momento tenta de alguma forma reagir a esta situação e sair da "crise", adotando estratégias de intensa repressão aos sites *peer to peer* (P2P), que oferecem trocas e *downloads* gratuitos de música, e ao mercado ilegal de venda de CDs – aliadas ao emprego de ferramentas de controle de circulação e reprodução dos fonogramas, oferecidas pelas novas tecnologias.

A própria Associação Brasileira dos Produtores de Discos (ABPD) e mesmo o Escritório Central de Arrecadação e Distribuição (Ecad) reconhecem que há outros fatores que levaram à redução do mercado brasileiro, como a concorrência de novos meios de entretenimento e a queda na renda da população, passada a euforia inicial com a estabilidade dos preços ocasionada pelo Plano Real. De qualquer forma, a pirataria é freqüentemente apontada como a maior "vilã". Relatório da ABPD sobre os resultados de 2003 aponta "o descontrole e a falta de fiscalização sobre o comércio informal no país" (ABPD, 2004: 2) como razão maior para os prejuízos milionários.

Os gigantes do setor lutam contra o intercâmbio entre internautas em todo o mundo. Nos Estados Unidos, um dos principais sites do gênero, o Napster, chegou a ser há alguns anos considerado fora-da-lei pelo Departamento de Justiça. No Brasil, a Associação Protetora dos Direitos Intelectuais Fonográficos (Apdif), ligada à ABPD, notificou em 2004 nada menos que 4.125 administradores de páginas na rede mundial de computadores sobre a oferta considerada ilegal de conteúdo protegido pela legislação de direitos autorais. Do total, 4.113 foram retiradas do ar, mas outras tantas surgem a cada dia, disponibilizando os mesmos arquivos. Rendendo-se às evidências, neste início de milênio, a indústria ensaia tentativas de lucrar com o *download* de músicas, oferecendo sites de vendas via internet. Só no Brasil, no início de 2006, havia mais de 30 sites oferecendo arquivos musicais a preços entre R$ 1,99 e R$ 2,99 – entre eles, o UOL, com acervo de mais de 200 mil faixas, de uma centena de gravadoras.[72]

Apesar dos esforços das gravadoras em mobilizar diversas entidades em vários países, o mercado ilegal de música continua a crescer: estima-se que de cada três CDs vendidos no mundo um é pirata, totalizando, em 2004, aproximadamente 1,2 bilhão de unidades. No caso dos *downloads* gratuitos, o levantamento é muito impreciso, mas trabalha-se com a estimativa de que, em 2004, existiam 870 milhões de arquivos de música circulando na internet (IFPI, 2005). Ao mesmo tempo, de acordo com a IFPI, o Brasil figura entre os países que mais praticam a pirataria no mundo (está na categoria daqueles países em que a atuação ilegal já domina mais do que 50% do mercado), o que tem levado diversas entidades a se empenharem em minimizar este quadro. De acordo com levantamento da Associação Prote-

---

[72] Outra estratégia da indústria para recuperar a rentabilidade perdida é o *ringtone*, toque musical de telefone celular, filão que, pelas contas das grandes gravadoras, gerou para a indústria da música em 2005 aproximadamente R$ 100 milhões (Ganem, 2006).

tora dos Direitos Intelectuais Fonográficos (Apdif), o número de apreensões de equipamentos para gravar CDs virgens saltou de 280, em 2000, para 4.883, em 2003 – nesse mesmo ano, 142 pessoas foram presas por reprodução ilegal de CDs e o total de discos virgens apreendidos chegou a 11,455 milhões, contra apenas 122,1 mil, em 2000.[73]

Curiosamente, mesmo as bandas e os cantores não parecem se opor muito a que a pirataria seja praticada. Apesar de a maioria não apoiar abertamente a livre circulação dos fonogramas, parece haver uma consciência mais ou menos clara não só de que a rede é fundamental para a formação e a renovação de seu público, mas também de que os seus ganhos advirão principalmente da comercialização da música executada ao vivo, e que para isso precisam formar públicos. Em um polêmico artigo, bastante conhecido na internet, um dos músicos do grupo espanhol Metallica, Ignácio Escolar (2002), argumenta que "é mais lucrativo para ele ser pirateado".

Em outras palavras, o aumento do consumo de música através dos sites *peer to peer* (P2P) produz problemas para a grande indústria, mas não necessariamente efeitos negativos para os artistas, pois essas redes "(...) ajudam a proporcionar mais informações aos fãs, que assim podem descobrir músicas, artistas e selos fonográficos que não têm tanta difusão como as *majors* (...)" (Miguel de Bustos e Arregocés, 2006: 42).

Portanto, o quadro que vem se desenhando no Brasil não é muito diferente do que ocorre em outras partes do mundo – com a vantagem para a produção independente de que a população aqui ouve mais música local. Com o desinvestimento das *majors* em repertórios, nota-se que há crescimento (ainda que limitado) da diversidade da produção musical nacional, mas ao mesmo tempo, ainda que contando com as facilidades ofertadas pelas NTICs, o alcance destes fonogramas produzidos autonomamente pelos atores ou pelas *indies* permanece limitado (sua circulação se dá em certos nichos de mercado). Ao mesmo tempo também, mais do que nunca, as *majors* têm deixado a tarefa de garimpar novos talentos e novidades por conta das *indies*.

---

[73] O número de CDs piratas gravados apreendidos no período no Brasil saltou de 3,223 milhões para 5,686 milhões. O problema assumiu tal proporção que, também em 2003, foram criadas uma Comissão Parlamentar de Inquérito (CPI) da Pirataria e uma Frente Parlamentar de Combate à Falsificação (IFPI, 2005).

O fato novo dentro desse contexto de crise é que vem crescendo a consciência dos profissionais de que a produção de *música ao vivo* continua valorizada e muito demandada pelo público. Os músicos, produtores e gestores de *indies* que têm concentrado seu poder nos eventos musicais têm tido não só um retorno interessante, mas também a possibilidade de perceber que a questão da pirataria passa a ser incorporada não mais como um problema, e sim como uma oportunidade – como uma estratégia para se angariar reconhecimento junto ao público. Se, por um lado, talvez no *business* das *indies* seja possível constatar de forma mais clara o crescimento da relevância da música ao vivo e a perda de importância dos fonogramas, por outro, Yúdice nos lembra que os concertos ao vivo – mesmo no universo das *majors* – vêm representando um percentual cada vez maior dos rendimentos produzidos pela indústria da música: segundo dados da IFPI de 2005, vem crescendo, só nos EUA, algo em torno de 15% nos últimos anos (Yúdice, 2007).

Segundo dados divulgados pela revista norte-americana *Pollstar*, se é verdade que até bem pouco tempo os músicos conseguiam dois terços da sua renda através das gravadoras, isto é, das vendas de CDs (o terço restante era obtido através de shows e publicidade/*merchandising*), é preciso ressaltar que atualmente esta proporção se inverteu. Só nos EUA as vendas de shows passaram de 1,7 bilhão de dólares em 2000 para mais de 3,1 bilhões em 2006. A publicação destaca ainda a preocupação das gravadoras hoje em garantir seus lucros: um número expressivo delas está fazendo seus artistas assinarem contratos mais abrangentes, ou seja, acordos de direitos plenos ou múltiplos (Revista *Pollstar*, 2007; Economist.com, 2007). Em outras palavras, como uma alternativa para enfrentar o encolhimento de 30% do mercado de fonogramas dos últimos cinco anos, as gravadoras vêm buscando adotar novas fórmulas, isto é, vêm adotando como medida compensatória às suas perdas a alteração dos contratos que prevêem, entre outras coisas, a taxação de 10% das bilheterias de seus artistas (Ney, 2006).

Cabe destacar ainda que, evidentemente, o interesse pelos concertos ao vivo não vem impedindo que a reprodução *on-line/off-line* e o comércio ilegal venham contribuindo para a "quebra" da cadeia produtiva da indústria da música. No contexto atual, fica difícil imaginar como compositores que não fazem execução ao vivo, empresários do mundo editorial-musical e outros profissionais vinculados aos grandes estúdios de gravação poderão garantir sua sustentabilidade nesta cadeia de produção e consumo. É possível que, quando baixar a poeira e a indústria da música terminar de se reestruturar, constatemos que não só várias atividades profissionais do universo musical estarão em vias de desaparecer, mas também que outras novas estarão emergindo. Em resumo, poder-se-ia afirmar que atualmente a indústria da música vem redefinindo seus modelos de negócio e sua cadeia produtiva e isso certamente trará implicações diretas para os profissionais que trabalham neste setor das indústrias da cultura.

Considerações finais

Mesmo a relativa recuperação que a indústria está vivenciando desde 2002 é conseqüência dos desdobramentos produzidos pela experiência de se consumir música ao vivo. Os dados de 2004 e 2005 indicam que o êxito das vendas dos DVDs tem permitido que a grande indústria da música *respire* e em parte se recupere um pouco nos últimos anos. Entretanto, este sucesso parece ser um reflexo do consumo cada vez mais valorizado de experimentar a música ao vivo. Parece que o consumidor está de fato disposto a consumir e pagar por este tipo de produto.

O crescente número de espetáculos realizados é um forte indicativo da importância econômica desses eventos para mover a indústria atual. Os megaeventos continuam sendo realizados, apesar dos altos cachês dos artistas e das bandas. Ao mesmo tempo, nunca se viram tantos pequenos concertos realizados em diferentes localidades do Brasil e do mundo. Segundo a *Revista Forbes Brasil* (edição de janeiro de 2003), o mercado de espetáculos – de música ao vivo – no Brasil vem crescendo significativamente. O sucesso alcançado pela Lapa ou pelo Pelourinho, e por outras áreas do país que têm na música uma importante atividade econômica – inclusive aglutinadora de outras cadeias produtivas (como as da gastronomia e a turística) –, sinaliza a capacidade dos concertos de gerarem sustentabilidade para os atores sociais e para as organizações (Herschmann, 2007).[74]

---

[74] Poder-se-ia ainda dar alguns dados significativos pelo globo. Na Espanha, por exemplo, a música ao vivo teve um crescimento de aproximadamente 10% em 2005 e 2006 (IFPI, 2007). Na América Latina, são investidos pelo menos 6 bilhões de dólares por ano em espetáculos, nos quais trabalham em média 500 mil pessoas. E no Brasil, em 2004, o público estimado de música ao vivo era de 42 milhões de pessoas (IFPI, 2005).

Além disso, examinando os números do mercado nota-se que há claramente, desde 2005, uma elevação expressiva dos preços dos ingressos até hoje bem acima da inflação registrada no Brasil. Basta examinarmos os preços que eram cobrados por alguns músicos de renome do país – tais como Marcelo D2, Marisa Monte, Caetano Veloso e constatamos isso facilmente. Para que se tenha uma idéia, antes da crise da indústria (que começou em 1996-1997), o preço dos shows era praticamente o mesmo dos CDs.

Enquanto o preço dos CDs vem permanecendo bastante estável já há alguns anos, o das entradas de concertos de vários astros internacionais vem atingindo preços estratosféricos: por exemplo, para assistir a um concerto da Madonna, do The Police ou dos Rolling Stones, um fã teve que pagar em 2006/2007, na Inglaterra, mais de 450 reais.[75] A subida desses valores não afugentou o público e indica que este tipo de receita passou a ser fundamental para os artistas e, em geral, para os profissionais desta indústria.

Outra tendência no mercado é a realização de shows intimistas – para um público VIP ou de superfãs – com megaastros da música mundial. Em 2007, o artista *pop* Prince, por exemplo, realizou um concerto para aproximadamente 200 pessoas no Roosevelt Hotel (em Hollywood) e as entradas para a performance custaram cerca de 3 mil reais cada. Apesar do elevadíssimo preço, o público, de modo geral, dizia-se satisfeito com o serviço, ou melhor, com a "experiência" ofertada.

> Os shows de Prince no Roosevelt (...) atraíram uma multidão completamente mesclada, formada não só pelos ricos e famosos, mas também por médicos, professores e antigos fãs dispostos a fazer pelo menos uma extravagância na vida. Para Robert e Silvia Faris, delegado aposentado e professora de Orange County, a experiência incluiu Prince circulando por sua cabine, como se ele estivesse tocando na sala de estar do casal. "Ele ficou dançando bem na nossa frente", disse Robert, 52. "Daqui a dez anos não vou me lembrar do preço dos ingressos, mas vou me lembrar da *experiência*" (Globo.com, 2007).

---

[75] Não é um fenômeno apenas local: em 2006, a entrada para o show de Elton John em Las Vegas (EUA) custou em média 1300 reais, e a de Robbie Williams, em Hong Kong, algo em torno de 600 reais (Sandall, 2007).

É possível que a indústria da música consolide em breve novos modelos de negócio e as vendas de música *on-line* venham a se constituir em uma alternativa mais efetiva para a atual crise da indústria fonográfica. É importante que se ressalte que as execuções ao vivo – a realização de concertos, turnês e festivais – continuam sendo uma importante estratégia de promoção porque auxiliam o processo de mobilização da mídia para a "cobertura" de um determinado trabalho musical, consolidando uma imagem do produto. Portanto, não se está afirmando aqui que a música gravada vá se tornar necessariamente complementar à música ao vivo, mas que certamente a música ao vivo não é mais tão periférica em relação à gravada como já foi no passado. Os relatórios econômicos da indústria revelam que os maiores ganhos continuam relacionados à música gravada, mas essa proporção já foi bem maior em anos anteriores (IFPI, 2006).

Em suma, é preciso reconhecer que vem ocorrendo uma reestruturação na indústria da música, na qual as experiências e sensações geradas pelas apresentações ao vivo vão adquirindo maior relevo. Este dado é indicativo de mudanças mais profundas, que provavelmente tenderão a ocorrer na indústria do entretenimento e, em geral, nas atividades econômicas nos próximos anos.

Referências bibliográficas

BUQUET, Gustavo. "La industria discográfica: un reflejo tardío y dependencia del mercado internacional." In: BUSTAMANTE, Enrique (org.). *Comunicación y cultura en la era digital.* Barcelona: Gedisa, 2002, p. 67-106.

BURNETT, Robert. *The global jukebox.* Londres: Routledge, 2006.

CASTELLS, Manuel. *A sociedade em rede.* Rio de Janeiro: Paz e Terra, 1999.

CANCLINI, Néstor G.; MONETA, Carlos Juan. (coord.). *Las industrias culturales en la integración latinoamericana.* Buenos Aires: Eudeba, 1999.

COCCO, Giuseppe. *Trabalho e cidadania.* São Paulo: Cortez, 2000.

_____ et al. (org.). *Capitalismo cognitivo.* Rio de Janeiro: DP&A, 2003.

CORSANI, Antonella. "Elementos de uma ruptura: a hipótese do capitalismo cognitivo." In: COCCO, Giuseppe et al. (org.). *Capitalismo Cognitivo.* Rio de Janeiro: DP&A, 2003, p. 15-32.

DW – WORLD.DE. "PopKomm reascende debate sobre música digital",

Berlim, 16 de setembro de 2005. In: *DW — World.DE. Deutsche Welle.* Disponível em http://www.dw.world.de/dw/article/o,2144,1712297,00.html. Acessado em agosto de 2007.

ESCOLAR, Ignácio. Por favor, ¡Pirateen mis canciones! *Baquia*, Madri, 26 abr. 2002. Disponível em http://www.baquia.com/noticias.php?idnoticia=00001.20010118. Acessado em agosto de 2006.

HELAL FILHO, William. "Marisa Monte diz que pode não lançar mais discos." In: *Globo online.* Disponível em http://oglobo.globo.com/cultura/mat/2007/06/26/296511154.asp. Acessado em agosto de 2007.

FRITH, Simon. "La industria de la música popular." In: FRITH, Simon et al. (org.). *La otra historia del Rock.* Barcelona: Ediciones Robinbook, 2006a, p. 53-86.

_____. "La música Pop." In: FRITH, Simon et al. (org.). *La otra historia del Rock.* Barcelona: Ediciones Robinbook, 2006b, p. 135-154.

GLOBO.COM (2007). "Por dólares a mais, astros tocam pertinho do público." Disponível em http://g1.globo.com/Noticias/Musica/0,,MUL69305-7085,00.html. Acessado em agosto de 2007.

GORZ, André. *O imaterial.* Rio de Janeiro: Annablume, 2003.

HARDT, Michael; NEGRI, Antonio. *Império.* Rio de Janeiro: Record, 2000.

HARVEY, David. *A condição pós-moderna.* São Paulo: Loyola, 1992.

HERSCHMANN, Micael. *Lapa, cidade da música.* Rio de Janeiro: Ed. Mauad X, 2007.

HOFSTADE, Geert. *Culturas organizacionais.* Madri: Alianza, 1999.

IFPI. *Global Recording Industry in numbers – 2004.* Londres: IFPI Market Publication, 2005.

IFPI. *Global Recording Industry in numbers – 2005.* Londres: IFPI Market Publication, 2006.

IFPI. *Global Recording Industry in numbers – 2006.* Londres: IFPI Market Publication, 2007.

LASH, Scott; URRY, John. *Economies of sign and space.* Londres: Routledge, 1994.

LASTRES, Helena; ALBAGI, Sarita (org.). *Informação: globalização na era do conhecimento.* Rio de Janeiro: Campus, 1999.

LAZZARATO, Maurizio; NEGRI, Antonio. *Trabalho imaterial.* Rio de Janeiro: DP&A, 2001.

MATTELART, Armand. *Diversidad cultural y mundialización*. Barcelona: Paidós, 2006.

MIGUEL DE BUSTOS, Juan Carlos; ARREGOCÉS, Benjamín. "Hacia un nuevo modelo de la industria musical." In: *Telos. Cuadernos de comunicación, tecnología y sociedad*, Madri: Fundación Telefónica, n. 68, pp. 37-43, jul.-set. 2006.

NEGUS, Keith. *Géneros musicales y la cultura de las multinacionales*. Barcelona: Paidós, 2005.

NEY, Thiago (2006). "Pressionadas, gravadoras buscam novas fórmulas." In: *Folha online*. Disponível em http://www1.folha.uol.com.br/folha/ilustrada/ult90u59410.shtml. Acessado em agosto de 2007.

PINE, B. Joseph; GILMORE, James. *O espetáculo dos negócios*. Rio de Janeiro: Campus, 2001.

PIORE, Michael J.; SABEL, Charlies F. *The second industrial divide*. Nova York: Basic Books, 1984.

REVISTA *POLLSTAR*. "On Tour: Your Favorite Album." Disponível em http://www.pollstar.com/news/viewnews.pl?NewsID=8085. Acessado em agosto de 2007.

SANDALL, Robert (2007). "Off the record." In: *Prospect Magazine*. Disponível em http://www.prospect-magazine.co.uk/article_details.php?id=9735. Acessado em agosto de 2007.

SCHUKER, Roy. *Diccionario del rock y la música popular*. Barcelona: Robinbook, 2005.

SIERRA CABALLERO, Francisco. *Políticas de comunicación y educación*. Barcelona: Gedisa, 2005.

THE ECONOMIST. "A Change of Tune." In: *Economist.com*. Disponível em http://www.economist.com/business/displaystory.cfm?story_id=9443082. Acessado em agosto de 2007.

YÚDICE, George. "La industria de la música en la integración América Latina–Estados Unidos." In: CANCLINI, Néstor G.; MONETA, Carlos Juan. (coord.). *Las industrias culturales en la integración latinoamericana*. Buenos Aires: Eudeba, 1999.

YÚDICE, George. "La transformación y diversificación de la industria de la música." In: Anais do Seminário Internacional La Cooperación Cultura-Comunicación en Iberoamérica. Madrid: Fundación Alternativas, 2007, pp. 1-13.

ZALLO, Ramón. *Economía de la Comunicación y de la cultura*. Madri: Akal, 1988.

Os portais e a segmentação no rádio via internet

*Marcelo Kischinhevsky**

Introdução

"Buscando achar uma luz", entoa o cantor, acompanhado de grupo de músicos que segue à risca a gramática sonora esperada para a programação de uma rádio religiosa. *O amor de Deus* (Sérgio Lopes) é uma das faixas executadas durante o programa "Adoração", apresentado pelo dublê de pastor e diretor-geral da emissora, Suelismar Caetano, diretamente dos estúdios da AtalaiaNet, em Palmas, Tocantins. A transmissão pode ser recebida alta e clara em qualquer ponto do globo onde haja um computador com acesso à internet. A AtalaiaNet é uma *web radio*, ou seja, só existe na rede mundial de computadores. Em seu *site*, apresenta-se como "parte de um projeto evangelístico sem fins lucrativos", que foi iniciado nos Estados Unidos em maio de 2001 e abrange ainda uma *web TV*. Aos internautas, oferece serviços como *webmail* e consulta *on-line* à Bíblia, além de coletar doações em nome de um projeto assistencial – inclusive por meio de cartão de crédito.

---

* Jornalista, doutor em Comunicação e Cultura pela Escola de Comunicação da Universidade Federal do Rio de Janeiro e professor adjunto de Comunicação Social na Pontifícia Universidade Católica do Rio de Janeiro, onde atua também como editor no Centro de Convergência de Mídia. É autor de *O rádio sem onda – convergência digital e novos desafios na radiodifusão* (Rio de Janeiro: Ed. E-Papers, 2007).

Em vinhetas, a AtalaiaNet se apresenta como "a rádio mais ouvida da internet", captada em 120 países. Se considerarmos as estatísticas do portal Radios.com.br, isso é um fato, pelo menos no Brasil. Em junho de 2007, a emissora ficou em quarto lugar no *ranking* geral das mais procuradas por meio do site, com 68.871 cliques, atrás apenas de estações de grande audiência no mundo *off-line* – Jovem Pan AM (São Paulo), com 107.289 cliques, Jovem Pan FM (Maringá), com 99.079, e Transamérica FM (São Paulo), com 73.321.

Criado em 1997 pelo então bancário Willians Spinelli Venga, em Varginha, interior de Minas Gerais, o Radios.com.br tornou-se referência brasileira de rádio via internet. Dez anos depois, oferecia *links* para mais de 12.600 emissoras de todo o mundo. Das 1.837 estações listadas no Brasil, 398 eram exclusivamente *web*[76]. Portais desse tipo têm desempenhado papel fundamental na configuração da radiodifusão *on-line*, nicho estratégico para as indústrias da comunicação e do entretenimento. Esses sites não apenas facilitam, mas também organizam e hierarquizam o acesso à produção radiofônica das estações conectadas à rede.

Emissoras de rádio dos cinco continentes estão hoje a apenas alguns cliques no *mouse* para quem tem acesso rápido à internet. A rede mundial de computadores viabilizou a escuta de conteúdos das mais diversas origens, inclusive de estações que só existem no mundo virtual e, muitas vezes, são mantidas por um único internauta, por *hobby* ou interesses comerciais, sociais, políticos, religiosos etc.

Este artigo enfoca o papel dos portais e o processo de segmentação no rádio via internet, investigando eventuais transposições de categorias estabelecidas na produção radiofônica tradicional para *web radios* e *podcasts* – modalidades que têm sido encaradas como fonte de renovação desse popular meio de comunicação. Para isso, analisaremos a estrutura de três destes portais (também chamados diretórios) e os sistemas de classificação que estabelecem para as emissoras listadas em suas páginas, inserindo-os no contexto das indústrias culturais.

Trabalharemos ainda para clarear conceitos que dividem os pesquisadores de mídia sonora, como a própria segmentação, os gêneros, os forma-

---

[76] Consulta ao site www.radios.com.br, realizada no dia 25 de julho de 2007.

tos radiofônicos e até mesmo o "rádio via internet", nomenclatura questionada num momento em que muitas emissoras *on-line* agregam à sua programação imagens, vídeos, animações e/ou texto. Buscaremos, assim, uma sistematização que – esperamos – possa contribuir para a superação desse campo minado teórico e orientar futuros estudos.

Sem descuidar do pano de fundo econômico e tecnológico, seguiremos uma trilha de investigação amparada pelas contribuições de pensadores da comunicação dedicados ao estudo das mediações. Entre eles, Martín-Barbero, que vê o rádio como importante mediador social, em particular nos países latino-americanos. Entendemos a radiofonia – em todas as suas modalidades – como elemento fundamental na negociação de identidades, na constituição de sentimentos de pertença a um território ou a determinadas comunidades/cenas (Straw, Freire Filho[77]) e na conformação de grupos (regionais, nacionais e/ou transnacionais) de afinidade.

Ouvir rádio é uma das principais experiências mediadas para milhões de brasileiros. Um lugar de recepção em que amplas camadas da população vêem refletidos, em maior ou menor grau, seus anseios, temores, desejos e aspirações. Um lugar em que buscam informação, entretenimento, companhia. E, nos últimos anos, com o surgimento das modalidades *on-line*, também um canal para se fazer ouvir.

Daí a importância de observarmos os mecanismos e os processos que orientam a nova produção radiofônica, a difusão dos conteúdos, as ferramentas de interação e a estruturação da audiência, num momento em que o rádio prepara o salto para a completa digitalização.

Mas, antes, uma breve discussão conceitual.

---

[77] Consideramos as críticas e as dúvidas quanto aos conceitos de cenas, comunidades e movimentos, especialmente entre pesquisadores da música popular massiva, mas julgamos todas estas denominações úteis para pensar a mediação social do rádio. As emissoras via internet podem representar reivindicações de movimentos (rádios livres, sem-terra, organizações não-governamentais etc.), mas também constituem espaço privilegiado para a formação ou a reconfiguração de comunidades (lingüísticas, étnicas, religiosas, migrantes) e cenas (ligadas a gêneros musicais, à margem do chamado *mainstream* ou não). Naturalmente, estes conceitos podem ser utilizados em outras acepções, que não trataremos aqui, por absoluta falta de espaço e por fugir ao foco deste trabalho.

Sobre segmentação, gêneros e formatos radiofônicos

A AtalaiaNet, mencionada na abertura deste artigo, é identificada no portal Radios.com.br como uma emissora *web gospel*. Esta classificação específica desperta o interesse de uma determinada faixa de público, de fé evangélica, mas pode repelir outras audiências. Categorizações desse tipo ganharam terreno nas últimas décadas, com a ocupação do *dial* em Freqüência Modulada (FM) por estações de menor alcance geográfico e, portanto, concebidas para atingir ouvintes de certas classes sociais e interesses culturais, maximizando o retorno de anunciantes de pequeno e médio portes. O processo é conhecido pelos publicitários e executivos da indústria radiofônica como segmentação e coincide com o declínio de investimentos no padrão de rádio chamado de generalista, hegemônico em Ondas Médias (AM). O rádio generalista visa atingir o maior número possível de públicos e depende de grandes anunciantes, como redes varejistas e fabricantes de bebidas.

A segmentação desenvolveu-se primeiramente nos Estados Unidos, a partir dos anos 1960, acompanhando a expansão do padrão FM. Lá, os executivos das emissoras são compelidos a declarar vinculação a um segmento específico, visando à inserção mercadológica – uma imposição do marketing num ambiente altamente competitivo, em que existiam, em 2006, nada menos que 13.873 estações.[78]

Em seu relatório intitulado *Radio Today 2007 – How America listens to radio*, a consultoria Arbitron lista 17 segmentos principais, num universo de 55 possíveis.[79] Quase metade das emissoras do país, contudo, enquadrava-se em

---

[78] Dados da Federal Communications Commission (FCC), referentes a dezembro de 2006, disponíveis no site http://www.fcc.gov/mb/audio/totals/bt061231.html. Eram 4.745 estações AM e 9.083 FM, das quais 2.817 educativas. A conta não inclui outras 771 emissoras FM de baixa potência, equivalentes às rádios comunitárias brasileiras.

[79] Os principais citados são os seguintes: *"Country"*, *"News/Talk/Information"*, *"Adult Contemporary"*, *"Pop Contemporary Hit Radio"*, *"Classic Rock"*, *"Rhythmic Contemporary Hit Radio"*, *"Urban Contemporary"*, *"Urban Adult Contemporary"*, *"Oldies"*, *"Hot Adult Contemporary"*, *"Mexican Regional"*, *"Contemporary Christian"*, *"All Sports"*, *"Alternative"*, *"Classic Hits"*, *"Classical"* e *"Talk/Personality"*. Também são considerados dignos de nota outros cinco segmentos, devido à expansão em determinados mercados regionais ao longo de 2006:

apenas seis: "*Country*" (1.704), "*News/Talk/Information*" (1.503), "*Religious*" (948), "*Adult Contemporary*" (822), "*Oldies*" (780) e "*Variety*" (748).

Discuti em outras oportunidades (Kischinhevsky, 2007 e 1998) a rasteira transposição deste modelo de segmentação de origem norte-americana para a realidade brasileira, no período em que se disseminaram as estações de FM no país. Em muitos casos, os nomes dos segmentos foram simplesmente traduzidos ao pé da letra ("Adulto Contemporâneo", "Alternativo"). Em outros ("*Pop Contemporary Hit Radio*", "*Oldies*", "*All News*"), nem isso ocorreu.

O fato de radialistas e executivos da indústria brasileira de radiodifusão se espelharem nos padrões adotados nos Estados Unidos não é novidade. Remete aos primórdios desse meio de comunicação, configurado pelos investimentos em publicidade aportados por multinacionais como Esso, Standard Oil e Westinghouse (Ferraretto, 2001; Moreira, 1991; Saroldi e Moreira, 1985, entre outros). O que questionamos aqui, no entanto, é a adoção de toda uma segmentação estabelecida para um mercado de características distintas das nossas, em vez de buscar um fazer radiofônico que atenda às especificidades dos ouvintes nacionais. O resultado dessa pouco imaginativa cópia de fórmulas já testadas pode ser conferido no *dial*, com os sucessivos reposicionamentos de emissoras FM que oferecem rentabilidade abaixo da esperada.

Curiosamente, a bibliografia sobre segmentação radiofônica é quase inexistente no Brasil. Os raros estudos restringem-se ao meio publicitário (Richers e Lima). Parte da responsabilidade pode ser atribuída a uma confusão semântica: no mercado norte-americano, embora o processo seja conhecido como *segmentation*, os segmentos radiofônicos são chamados de *formats*. Evitamos aqui esta palavra devido à larga utilização, em língua portuguesa, da expressão "formato" em referência a programas radiofônicos, e não ao posicionamento de emissoras. Entre pesquisadores brasileiros de mídia

---

"*Active Rock*", "*Adult Hits*", "*Album Oriented Rock (AOR)*", "*New AC/Smooth Jazz*" e "*Spanish Contemporary*". Evidentemente, muitos deles se interpenetram, expondo-se mais como estratégias de marketing do que como propostas consistentes de produção radiofônica. De qualquer forma, dada a importância atribuída aos relatórios da Arbitron pela indústria da radiodifusão norte-americana, consideramos essa nomenclatura a principal referência para o mercado do ponto de vista da segmentação, com nítida influência sobre as categorias utilizadas em países periféricos.

sonora, predomina o emprego de expressões como gênero e formato, embora na maioria dos casos seus significados sejam dados como auto-evidentes.

No Brasil, são raros os estudos até sobre o conceito de "gêneros", ora focados no radiojornalismo, ora dando atenção exagerada ao tipo de música veiculada. Recentemente, André Barbosa Filho fez um inventário das pesquisas sobre gênero na comunicação e, mais especificamente, no jornalismo, transplantando a categoria – de larga utilização na teoria literária (Williams) – para o rádio. Mais recentemente, um jovem pesquisador, Heitor da Luz Silva, tentou vincular os gêneros radiofônicos aos gêneros musicais, em análise sobre emissoras FM cariocas. Embora o conceito de "gênero radiofônico" tenha se disseminado nos últimos anos e constitua, inclusive, uma especialidade da Tabela de Áreas de Conhecimento (TAC), adotada pelas agências nacionais de fomento (CNPq, Capes e Finep), há dúvidas sobre seus limites.

Para Meneses, "a teoria dos géneros radiofónicos não evoluiu suficientemente para acompanhar a rádio que se faz hoje. Continua ainda muito presa à origem (os géneros jornalísticos da imprensa), apesar dos alertas de autores como Merayo Pérez". O radialista e teórico português também cita estudos de pesquisadores hispânicos como Martínez-Costa e Herrera Dama, Martí Martí e Cebrián Herreros, para sustentar a argumentação – a nosso ver convincente – de que o conceito de gênero apresenta graves limitações para auxiliar na análise dos conteúdos radiofônicos, confundindo-se com os formatos de programas específicos.

Não estamos aqui buscando desqualificar o conceito de gênero como categoria de análise do rádio. Naturalmente, há gêneros consolidados, que organizam, em parte, a produção e a recepção radiofônica. Podemos falar em musicais, jornalísticos, documentários, radionovelas, gêneros que remetem a outros meios e suportes físicos, como TV, cinema, indústria fonográfica, jornalismo impresso e literatura. Mas não devemos confundir gêneros que orientam a estruturação de determinados conteúdos com a segmentação, processo substancialmente mais abrangente, que consiste não só dos modos de endereçamento (Ellsworth) de programas a determinados públicos, mas também da própria ordenação da grade de programação das emissoras e da busca de certas entonações por parte dos locutores.

Tampouco se devem misturar gêneros e formatos radiofônicos, estruturas técnicas que remetem o ouvinte a conteúdos veiculados anteriormente e reiteram (ou não) o contrato de audiência. Barbosa Filho classifica "formato" como um "conjunto de ações integradas e reproduzíveis", marcado por determinadas escolhas estéticas, ou "contorno plástico" (2003: 71).

Fazemos aqui, portanto, uma distinção entre:

Segmento – Classificação atribuída pelos próprios radiodifusores, que orienta a produção e a recepção radiofônica e deflagra mecanismos de identificação (ou rejeição) de conteúdos, a partir de características socioculturais da audiência e de marcas de enunciação (linguagem, entonação e velocidade de locução, por exemplo).

Gênero – Forma narrativa conferida a produtos midiáticos, como radionovelas e programas jornalísticos ou de debates, mas que não sobredetermina os conteúdos veiculados e não se confunde com a programação em si da emissora.

Formato – Estrutura técnica (tempo de duração, uso de música em *background*, diálogo entre apresentadores, inserção de entrevistas ao vivo, por exemplo) que configura um programa radiofônico.

"Trocando em miúdos": uma rádio segmentada pode ser informativa (*all news, talk*), educativa, religiosa, musical (*top 40, pop rock, adult* etc.), mas estruturar sua grade com programas que transitam por diversos gêneros (jornalísticos, variedades, musicais) e que empregam – e por vezes mesclam – formatos distintos (entrevistas, debates, *talk show, hit parade*).

Naturalmente, é preciso entender segmentos, gêneros e formatos radiofônicos como campos de disputa, e não como objetos estanques, cujas fronteiras possam ser facilmente delimitáveis. Formatos consolidados de programas, bem como gêneros estabelecidos nos mais diversos suportes midiáticos, são reproduzidos de modo massivo, mas também constantemente transgredidos, parodiados, reinventados, num movimento que muitas vezes leva à reiteração e, ocasionalmente, à inovação. Já o processo de segmentação parece estar sujeito a uma inércia maior e a regras mais rígidas, ditadas por uma lógica empresarial estreita, que emula experiências bem-sucedidas de emissoras dos Estados Unidos, maior pólo mundial de radiodifusão.

O que buscaremos aqui é entender os mecanismos de segmentação do rádio via internet e até que ponto os grandes portais/diretórios – muitos deles sediados nos EUA – interferem nesse processo, restringindo a diversidade *on-line* em função de interesses meramente comerciais.

Sobre o rádio via internet

Estudos das mais diversas áreas atribuem à internet um papel central na organização da sociedade contemporânea – ora alertando para o risco de aprofundamento das desigualdades no acesso ao mundo digital, ou para possíveis reflexos negativos sobre o *self* decorrentes de exageros no tempo gasto em conexões, ora festejando a emergência de novas sociabilidades e a suposta ampliação da esfera pública engendradas pelo acesso à rede.

Na academia, há um profundo desacordo sobre os desdobramentos da internet nas relações sociais e no processo da comunicação. Pesquisadores das mais diversas especialidades (sociologia, antropologia, psicologia, comunicação, pedagogia etc.) vêm se dedicando ao tema, aproveitando a rara oportunidade de analisar a emergência de um meio de comunicação que, para muitos, terá mais impacto sobre a sociedade do que o surgimento da TV ou do rádio, décadas atrás. DiMaggio, Hargittai, Neuman e Robinson (2001) listam as variadas abordagens sobre o tema, que incluem desde os "deterministas tecnológicos" e sua utopia de mudança social induzida pelas novas formas de comunicação e pelas novas habilidades distintivas e sensibilidades proporcionadas pelo mero contato com estes meios, até os marxistas e suas leituras centradas no uso dos meios de comunicação pelas elites como instrumentos de controle da política e da produção de conteúdos, por meio da hegemonia cultural.

Neste artigo, trabalhamos a partir da noção de Cebrián Herreros de que a internet não constitui, em si, um novo meio, mas, sim, uma plataforma de comunicações, para a qual convergem todos os demais. Nela, coexistem veiculações de conteúdos em *broadcast*, *narrowcast*, interpessoais ou híbridos – sem falar em novidades como a produção colaborativa, em sites de informação, música e videoarte, por exemplo. O rádio via internet, portanto, nada mais seria do que o bom e velho rádio, só que em um novo suporte.

Em função da recepção assincrônica e da possibilidade de incluir vídeos, imagens e texto – eventualmente, atrelados a *blogs* num mesmo site –, o *podcasting* foi recebido por alguns pesquisadores (Primo, Lemos) como um novo meio de comunicação. Entendemos, porém, que *web radios* e *podcasting* representam novas modalidades de rádio, e não meios distintos, que estariam "remediando" (ou "remediatizando", conforme Bolter e

Grusin) a radiofonia. Estas modalidades herdam do rádio analógico suas principais características, embora permitam a formação de audiências extremamente dispersas do ponto de vista geográfico (mais até do que nas ondas curtas), recepção sob demanda (no caso dos *podcasts*), maior interação e, inclusive, acesso à produção radiofônica (com investimentos relativamente baixos, hoje é possível criar emissoras personalizadas).

Neste artigo, distinguimos as diversas modalidades de rádio *on-line* e *off-line*:

- Quanto ao acesso

1) Aberto — Com transmissão em ondas hertzianas (AM, FM, ondas curtas, tropicais), em formato digital (HD Radio/Iboc, DAB, DRM etc.) e/ou via internet, sem custo para o ouvinte, exceto pela prévia aquisição do aparelho receptor.

2) Por assinatura — Explorado geralmente por consórcios transnacionais, que utilizam transmissão via satélite e/ou microondas e cobram mensalidades e taxas de adesão e de decodificação de sinal. Também se incluem nesta categoria as *web radios* que integram portais/diretórios fechados, em que o internauta paga pelo acesso a conteúdos exclusivos.

3) Modelo misto — Emissoras via internet abrigadas em portais/diretórios, que permitem navegação em algumas áreas dos sites, mas reservam conteúdos exclusivos para assinantes.

- Quanto à recepção

1) Sincrônica — Nas transmissões em *broadcast* oferecidas pelo rádio em suas versões analógica, digital e via internet (*streaming*).

2) Assincrônica — Difusão sob demanda, com *download* não-simultâneo de conteúdos (*podcasting*).

As distinções entre *web radios* e *podcasting* estão crescentemente borradas, pela apropriação desta última modalidade pelos conglomerados de comunicação. Versões *on-line* de jornais e emissoras de rádio põem à disposição de seu público virtual *podcasts* com a íntegra de entrevistas e edições antigas de programas, entre outros conteúdos. Além disso, grande parte dos portais especializados em rádio via internet oferece seus serviços e ferramentas para conteúdos das mais diversas nomenclaturas – *webcast*, *podcast*, *e-radio*, *shoutcast* etc. –, empregadas pela nova geração radiodifusora. A veiculação de arquivos de áudio digital sob demanda, embora constitua um novo e importante palco para expressão das mais diversas manifestações políticas, sociais, culturais, econômicas, religiosas e/ou sexuais (Herschmann e Kischinhevsky, 2007), também se tornou um negócio bilionário.

A migração das emissoras de rádio para o novo ambiente se deu em sucessivas fases, assinala Raquel Porto Alegre dos Santos Alves. Na primeira, houve uma simples transposição dos conteúdos veiculados em AM ou FM para a rede mundial de computadores, com textos jornalísticos reproduzidos nos sites, que muitas vezes se limitavam a divulgar informações institucionais a respeito das emissoras e dos grupos de comunicação aos quais estavam vinculados. Na segunda, constituem-se equipes próprias para *web radio*, que passam a produzir conteúdos complementares e independentes das transmissões em ondas hertzianas, e cresce o uso de ferramentas digitais, como a oferta de *hyperlinks* e áudio em *streaming*. E, na terceira, mais recente, desenvolvem-se conteúdos exclusivos para *web* e explode o uso de recursos multimídia, canais de interatividade e customização, entre outros. Estas diferentes etapas, contudo, parecem coexistir nas centenas de rádios via internet em operação no Brasil, sendo a última uma exceção.

Salvo em casos excepcionais, o rádio virtual preserva as características de um meio de radiodifusão tradicional, operando dentro do modelo de emissão ponto-massa. Não há estudos estatísticos abrangentes sobre a utilização das novas ferramentas digitais nas rádios brasileiras, mas em mercados de menor porte, como Portugal, evidencia-se o parco emprego de recursos como publicação de mensagens eletrônicas, abertura de fóruns de debates e adoção de mecanismos para envio de notícias ou artigos – em 73,4% das emissoras, não há qualquer possibilidade de interação; e, quando ela existe, geralmente diz respeito a atividades voltadas ao entretenimento, como jogos *on-line* (Portela).

No Brasil, o rádio via internet se desenvolveu a partir de meados dos anos 1990, num processo claro de tentativa e erro (Bufarah Júnior). Conglomerados de comunicação se lançaram à rede, na esperança de rápido crescimento no acesso e no consumo dos novos conteúdos veiculados. Usina do Som, do Grupo Abril (maior editora de revistas do país), é uma das iniciativas malsucedidas, por conta de limitações na oferta de serviços – basicamente, um *playlist* personalizável, versão *on-line* da velha caixinha de música.

Como plataforma de comunicações, a internet vem sendo palco de disputas entre conglomerados de comunicação e entretenimento solidamente estabelecidos no mundo *off-line* e corporações ligadas aos setores de informática e telecomunicações, além de *startup companies* – empresas inovadoras, nascidas muitas vezes em garagens, e ágeis para conquistar espaços em importantes nichos de mercado.

Os primeiros portais dedicados ao rádio via internet funcionavam basicamente como compiladores de *links* para as páginas das emissoras. O acesso rápido tornou-se possível na segunda metade dos anos 1990, com o surgimento de *software* para reprodução de áudio (Real Audio Player) e do desenvolvimento de formatos de compressão destes arquivos digitais (dentre os quais o mais popular hoje é o MP3).

Só nos primeiros anos do século XXI, contudo, desenvolveram-se tecnologias que permitiram a rápida proliferação de estações pessoais de baixo custo, como RSS e Atom (*web feeds*, que viabilizam a assinatura e a permanente atualização de conteúdos veiculados na internet por meio de *blogs*, *podcasts*, *videocasts* etc.). Os *feeds* assinados são organizados, então, em programas conhecidos como agregadores (iPodder, iTunes), podendo ser atualizados a cada acesso à rede e ouvidos no próprio computador ou em aparelhos portáteis que tocam áudio em formato MP3.

Nesse processo, o ouvinte se coloca muitas vezes em papel francamente ativo. Caso não existam referências prévias, é necessário navegar por diretórios de rádio para então selecionar a emissora que se deseja escutar e decidir se esta recepção será ao vivo (*streaming*) ou sob demanda (*download*). Este ouvinte, eventualmente, pode tornar-se ele mesmo um radiodifusor, criando sua estação personalizada e atualizando-a, em base diária, semanal ou mensal, conforme sua disponibilidade ou seus interesses.

O crescente grau de participação do internauta na produção de conteúdo pode ser atestado pelo súbito sucesso comercial e de público dos serviços em que a comunicação ponto a ponto (ou todos-todos) é não apenas tolerada, mas incentivada, tornando-se alavanca para impulsionar o acesso a determinados endereços eletrônicos. Entre eles, podemos mencionar os portais YouTube (difusão de vídeos caseiros, profissionais, programas de TV convencional etc.[80]), MySpace (muito usado por grupos musicais para divulgação de seus trabalhos, à margem da indústria fonográfica tradicional[81]), Wikipedia (enciclopédia aberta, escrita e reescrita constantemente pelos usuários), Slashdot, Overmundo (sites colaborativos em que a informação é postada, organizada e editada pelos próprios internautas), Digg, del.icio.us (espécies de listas de favoritos *on-line*, hierarquizadas à medida que são incorporadas ou não pelos demais usuários), entre muitos outros.

Mas persistem as dúvidas sobre o grau de autonomia desse novo receptor, que, em tese, desfrutaria de inédito acesso aos meios de produção de conteúdos. A veiculação e o consumo continuam sendo regidos pela lógica da indústria da comunicação, estruturada em torno de sistemas classificatórios adotados por populares *websites* – e, no caso do áudio *on-line*, claramente influenciados pela segmentação adotada pelo rádio analógico.

As questões são múltiplas. Quem define os segmentos da população a serem alcançados pela veiculação destes novos conteúdos? E como estas novas audiências se organizam do ponto de vista do consumo de bens simbólicos?

A seguir nos deteremos sobre a configuração de alguns dos portais/diretórios que estão definindo a recepção do rádio via internet.

A hierarquização do áudio *on-line*

Os portais/diretórios têm a mesma relevância para o rádio via internet quanto o surgimento de ferramentas de busca (AltaVista, Yahoo!, Excite, Lycos e, mais recentemente, Google) para a popularização da rede mundial de computadores. Devido à grande pulverização, navegar com agilidade por emissoras dispersas por inúmeros *websites* pode tornar-se tarefa peno-

---

[80] O YouTube foi comprado pela Google Inc. em novembro de 2006.

[81] O MySpace foi adquirido em 2005 pela News Corp., do magnata das comunicações Rupert Murdoch.

sa. Rapidamente, a radiodifusão virtual passou a buscar escala, concentrando-se em portais ou listando-se em diretórios com tráfego mais intenso que oferecem *hyperlinks* para outras páginas, muitas vezes gratuitamente – suas receitas vêm da publicidade proporcionada pelo grande volume de acesso.

"A internet tem o potencial de criar arenas para mais vozes do que qualquer meio de comunicação anterior, ao reduzir dramaticamente o custo de reprodução e distribuição de produtos culturais. Contudo, a abundância de informação deixa o problema da escassez de atenção" (Hargittai, 2000, tradução nossa). Não por acaso, ressalta a autora, a necessidade de organizar e classificar conteúdo, devido ao rápido crescimento da rede – que na virada do século já superava a marca de 1 bilhão de *websites* – fez destes portais alguns dos mais visitados e rentáveis. A questão deixa de girar em torno das barreiras à produção de bens simbólicos, transferindo-se para a visibilidade, nas mais diversas áreas das indústrias da cultura e do entretenimento, particularmente na música popular massiva (Kischinhevsky, 2006; Herschmann e Kischinhevsky, 2006; Kischinhevsky e Herschmann, 2006a e 2006b).

A expansão dos grandes portais de busca se acirrou nos últimos anos. Em tráfego, superam em muitos casos as versões *on-line* dos principais meios de comunicação, pioneiros na oferta de informação em ambiente digital. Referência em buscas na internet, a Google Inc. teve sua marca eleita a mais valiosa do mundo em 2007, à frente de corporações como General Electric, Coca-Cola e Microsoft.[82] Quase 70% dos 772 milhões de internautas do planeta – 16% da população com 15 anos de idade ou mais, na ocasião – transitaram em sua página em maio do mesmo ano.[83]

Podemos classificar o Google como um portal de busca generalista, de largo alcance, com serviços agregados (e-mail gratuito, estatísticas de trá-

---

[82] O valor estimado para a marca superava US$ 66 bilhões, segundo levantamento realizado pela consultoria Millward Brown, em parceria com o diário britânico *Financial Times*. Ver Portal Exame, "Google torna-se marca mais valiosa do mundo, diz pesquisa", 23 de abril de 2007. Meses depois, em 10 de julho, a ascensão do portal de buscas, que na ocasião tinha valor de mercado de US$ 161 bilhões, levou à queda do principal executivo do rival Yahoo! Em 2006, o faturamento da Google Inc. totalizou US$ 10,6 bilhões.

[83] Dados da consultoria britânica comScore World Metrix disponíveis no site http://www.comscore.com/press/release.asp?press=1524.

fego em sites, noticiário customizável etc.). A oferta de áudio na internet, no entanto, se organiza em torno de portais específicos, que compilam, em alguns casos, milhares de estações *on-line*.

Buscando maior complementaridade para suas operações, a Google Inc. adquiriu, em junho de 2007, o portal Feedburner, que se apresenta como "provedor líder em distribuição de mídia e serviços para atração de audiência de *blogs* e RSS *feeds*". Mais de 470 mil indivíduos, organizações e empresas de todo o mundo utilizam as ferramentas da empresa – pequena companhia limitada, com 30 funcionários, sediada em Chicago, EUA e com escritórios no Japão e na Espanha – para veicular 800 mil *feeds*, principalmente *blogs*. Desse total, o número de *podcasts* e *videocasts* já supera a marca de 120 mil.[84] Entre seus serviços, estão mecanismos de aferição de audiência/leitura dos conteúdos sob demanda, publicidade *on-line* e e-mail. O valor da aquisição da FeedBurner não foi revelado pelas partes, mas, curiosamente, circulou em *blogs* a informação de que a transação teria atingido a marca de US$ 100 milhões, número que acabou sendo publicado pela prestigiada agência de notícias Reuters.[85]

O investimento de grandes corporações como Google Inc. em *startup companies* na área de distribuição de áudio, vídeo e texto *on-line* reforça a noção de que a visibilidade se tornou chave na arena da internet. Não basta criar conteúdo e colocá-lo em *websites*. No caso dos pequenos radiodifusores, é preciso também lançar mão das novas ferramentas de difusão dos *feeds*, que viabilizam a assinatura do conteúdo sob demanda, e abrigar-se e/ou expor *links* para estas páginas em grandes diretórios/portais de rádio via internet,

---

[84] Dados disponíveis no site da própria Feedburner, em 20 de julho de 2007: na ocasião, o número de *feeds* totalizava 808.707, publicados por 471.686 distribuidores de conteúdo, dos quais 123.995 *podcasts* e *videocasts*. Informações adicionais foram gentilmente fornecidas por Traci Hailpern, diretora de marketing da Google Inc., por e-mail.

[85] Ver Eric Auchard, "*Google acquires Web media distributor FeedBurner*", 1º de junho de 2007 (18h11min., horário de São Francisco, EUA, segunda atualização). Numa curiosa inversão do fluxo de notícias, *blogs* acabaram reportando os rumores a respeito da negociação e repercutindo na mídia *off-line*. Um ponto para reflexão diante das críticas de estudiosos que apontam a mera reprodução do conteúdo de jornais e revistas na maioria dos *blogs* e *podcasts*.

disputando a atenção do público em meio a um fluxo constante de transmissões, inclusive de estações vinculadas a conglomerados de comunicação.

Nosso interesse recai justamente sobre os portais/diretórios aos quais milhares de internautas passam a recorrer quando desejam ouvir rádio *online*. Como são organizados e hierarquizados os conteúdos disponíveis? Qual o grau de utilização das ferramentas digitais de participação dos ouvintes? E qual a estrutura dos portais, do ponto de vista do modelo de negócios?

Eleger portais/diretórios para esta análise já foi, em si, um desafio. Estes sites, embora ofereçam ferramentas de medição de audiência para as emissoras virtuais, raramente divulgam dados sobre seu próprio tráfego ou explicam como estruturam os conteúdos disponíveis. Adotamos, então, como critério o pioneirismo das operações e a popularidade, aferida pelo grande número de citações nos diversos mecanismos de busca. Foram escolhidos, no Brasil, o portal Radios.com.br e, nos Estados Unidos, Feedburner e Live365.com.

Dos três procurados, só dois prestaram informações adicionais: o Feedburner, prestador de serviços para veiculação de conteúdos sob demanda, criado em 2004 e já apresentado acima; e o Live365, fundado em 1997. Embora configurem uma nova categoria de empresas de mídia, infelizmente constatamos que os portais nem sempre primam pela transparência ou mantêm canais apropriados de comunicação, especialmente em países periféricos.

Restringiremos nossa análise aos portais Radios.com.br e Live365.com, pois o FeedBurner opera como prestador de serviços a *podcasters*, *bloggers* e *videocasters*, e não como um diretório.

O Radios.com.br, lançado há uma década, é uma companhia limitada, que não oferece, em seu site, sequer informações sobre seus sócios. Em sua página inicial, pululam mais de 90 anúncios de emissoras AM/FM e de fornecedores de equipamentos de radiodifusão – só no cabeçalho, são 15 *banners*, negociados em parceria com a subsidiária brasileira da Google Inc. No menu, constam *links* para "rádios do Brasil ao vivo", "rádios internacionais", "TVs ao vivo", "*web radios* brasileiras", "futebol ao vivo", "como criar *web radio*", "novas emissoras" e "estatísticas das rádios", além de subcategorias como "Para sua rádio" (com informações comerciais sobre equipamentos de automação, equipamentos de áudio, *streaming* e transmissores analógicos), "Por continente" (divisão geográfica de *links* das emissoras listadas) e "Contatos" (e-mail, captação de anúncios, adição de emissora). Na barra de navegação superior, surge a segmentação, com listas de estações agrupadas pelas categorias "Jazz", "MPB", "Rock", "Pop", "*Hits*", "Notícias", "Gospel", "Adultas", "*Oldies*", "Gauchesca", "Sertaneja" e "Clássica", além de um *link* exclusivo para as *web radios*, um para agenda futebolística (com datas das partidas transmitidas via rádio) e outro para radioescuta de freqüências da polícia, dos bombeiros e do controle de tráfego aéreo, portuário e ferroviário dos Estados Unidos e também de conversas entre radioamadores brasileiros.

É possível ainda acessar outros três menus de apoio, "Rádios do Brasil", "Formato nacional" e "Formato mundiais" (*sic*), que complementam a segmentação mencionada acima. O primeiro inclui estatísticas mensais sobre o acesso às emissoras, divididas por segmentos e distinguindo as que existem também em AM e FM das *web radios*.

Nos menus por segmento, as emissoras são hierarquizadas a partir da ordem alfabética de seus locais de origem. Por exemplo: a primeira rádio de "*classic rock*" listada é a WRKH The Rocket 96,1 FM, do Alabama (EUA). Nas listas, é possível clicar para ouvir a programação em *streaming* ou ir até o site da estação. Podem-se também visualizar informações sobre a data de adição da emissora e quantas vezes ela foi ouvida no portal, além de quantos votos ela recebeu e qual a nota média atribuída pelos ouvintes. Não há qualquer outra forma de interação além do e-mail, e a página inicial é fixa, não sendo alterada pela votação dos internautas.

Criar uma *web radio* e abrigá-la no portal tem um preço variável, de R$12 a R$360, conforme a qualidade de transmissão do áudio (*bit rate*) e a capacidade para ouvintes simultâneos em *streaming* (20 a 200). Outro impedimento que eleva os custos para os pequenos *webcasters*: é preciso transmitir 24 horas por dia, mesmo que a programação seja em grande parte automatizada. Já as emissoras AM e FM têm seus *links* cadastrados gratuitamente. Não há espaço para listar *podcasts*.

O Live365.com também existe há uma década e tem seu quartel-general em Foster City, com escritório avançado para música e mídia em Los Angeles, Califórnia (EUA). Tem 35 funcionários, dos quais 18 da área de tecnologia da informação. Companhia limitada, sem ligações com grandes grupos de comunicação, apresenta-se como um dos cinco maiores serviços de rádio via internet e faturou US$ 4,4 milhões em 2006 com publicidade e assinaturas de emissoras de acesso pago que mantém em suas listas – minoria, já que 90% dos ouvintes acessam o serviço sem qualquer custo. Mensalmente, registra 5 milhões de visitantes únicos em seu site, que abriga mais de dez mil "estações individuais programadas por estações de rádio terrestres (AM, FM), DJs, artistas e selos fonográficos, igrejas, escolas, clubes esportivos e outras empresas e organizações"[86]. Oferece, ainda, "ferramentas tecnológicas e serviços para *webcasters* independentes", de "gerenciamento de *playlists* a vendas de anúncios".

Em sua página inicial, o maior destaque é para um *banner* do próprio site, que divulga as vantagens de ser um usuário VIP. A barra de navegação tem poucos *links*: "*Listen to radio*", "*Broadcast*", "*Community*" e "*Free downloads*". Logo abaixo, vem um menu de apoio, com os tópicos "*Browse genres*", "*Search*", "*Recommendations*", "*Favorites*" e "*Be a VIP*". E, logo abaixo do *banner*, há um motor de busca por palavras-chave e a opção de selecionar estações por segmento.

Na segmentação proposta pelo site, há 23 categorias de emissoras com mais visibilidade: "*Alternative*", "*Blues*", "*Classical*", "*Country*", "*Easy listening*", "*Electronic/Dance*", "*Folk*", "*Freeform*" (característica das *college radios*), "*Hip-hop/rap*", "*Inspirational*", "*International*", "*Jazz*", "*Latin*", "*Metal*", "*New age*", "*Oldies*", "*Pop*", "*R&B/Urban*", "*Reggae*", "*Rock*", "*Seasonal/Holiday*", "*Soundtracks*" e "*Talk*". É possível, no entanto, explorar mais cerca de 250 segmentos, numa lista de ordem alfabética, a partir de um *link* ao lado da categorização principal. Há estações dedicadas à música de décadas passadas (dos anos 1930 aos 1990); outras que tocam exclusivamente trilhas-sonoras de filmes e canções para lua-de-mel, casamentos ou aniversários; transmissões voltadas para a cultura de países dos quatro cantos do globo (do Japão e da Índia ao Caribe e à América Latina, passando pela África e pela Europa) e de minorias étnicas (tamil,

---

[86] Agradeço a Johnie Floater, gerente-geral e de comunicação do portal Live365.com, pelas informações aqui citadas. Dados complementares foram obtidos no próprio site.

migrantes hispânicos); debates e informações sobre os mais variados temas, desde o anime japonês, esportes, patriotismo, até sermões e serviços religiosos; assuntos governamentais etc. A classificação é auto-atribuída, ou seja, os próprios *webcasters* indicam até três segmentos que sintetizam as características de suas estações. Em cada segmento, as emissoras são ordenadas por critérios como número de ouvintes e notas dadas à programação. A audiência também pode recomendar uma estação, e as mais votadas nesse quesito têm *links* expostos na página inicial do site.

As taxas para uso de ferramentas de veiculação e outros serviços de rádio via internet vão de US$9,95 mensais (estações individuais, com veiculação básica, atingindo até 20 ouvintes simultâneos em *streaming*) até US$5.000 (rádios AM e FM, com alta velocidade, grande capacidade de armazenamento de conteúdo e possibilidade de atender até mil ouvintes simultâneos). Estes recursos são algumas das principais fontes de receita do portal, ao lado da publicidade e do acesso VIP, no qual o internauta paga pelo acesso a conteúdos reservados e pode navegar sem ser importunado por anúncios.

Há pacotes também que incluem o recolhimento de direitos autorais sobre as músicas veiculadas. Nesse ponto, é nítida a diferença de comportamento entre as versões *on-line* de emissoras AM e FM e as estações individuais: as rádios comerciais executam majoritariamente faixas de discos de artistas de gravadoras multinacionais (31,7% da Universal, 25,6% da Sony BMG, 15% da Warner, 9,6% da EMI e apenas 18,1% de selos independentes)[87], enquanto os pequenos *webcasters* priorizam a música protegida por *copyleft*[88] (67,6% dos 200 mil artistas listados nas emissoras e 39,3% das faixas veiculadas são de selos sem vínculos com as *majors*).

Predominam no portal as *web radios* e as versões *on-line* de emissoras AM e FM. *Podcasts* ainda são minoria.

---

[87] Praticamente uma reprodução das participações destas grandes empresas no mercado fonográfico mundial.

[88] *Copyleft* é uma nova forma de licenciamento de direitos autorais, mais flexível do que o tradicional *copyright*. Muito usada por músicos interessados em difundir seus trabalhos via internet, mesmo que sem o recolhimento de *royalties*. Naturalmente, nem todos os artistas independentes adotaram o *copyleft*, mas este número é crescente.

Considerações finais

Nos portais pesquisados, é pequena a interação entre ouvintes e *webcasters*. A influência sobre a ordenação dos conteúdos também se mostra limitada e, em alguns momentos, pouco transparente. Nota-se ainda uma transposição de categorias do rádio analógico para a internet, numa dupla estratégia de hierarquização das estações, que atende a interesses de posicionamento mercadológico tanto dos sites quanto dos radiodifusores. A despeito das múltiplas categorizações, parecemos longe do processo de hipersegmentação, alardeado por Cathelat, para quem a especialização de nichos publicitários trazia o risco de fragmentação social. A segmentação do rádio via internet mostra-se quase tão limitada quanto a *off-line*, concentrando-se em torno de um punhado de rótulos, como "*Country*/Sertanejo", "*Talk*", "*Pop*", "Religiosa", "*Oldies*", "*Rock*". E são raras as iniciativas para ampliar a interação com os ouvintes, auscultando seus interesses e perfis de consumo.

Há diferenças notáveis no foco e no nível de desenvolvimento dos portais. O brasileiro Radios.com.br concentra-se no atendimento às emissoras comerciais, faturando com anúncios voltados para esta indústria, enquanto cobra pela adição de *web radios* e impõe exigências técnicas incompatíveis com a realidade da radiodifusão individual, apesar da efervescência desta modalidade de rádio nos últimos anos. Percebe-se ainda a falta de atenção do site – caracterizado pela extraordinária poluição visual – à questão dos direitos autorais, foco de intensos debates entre especialistas em propriedade intelectual: não há uma escassa linha sobre o tema nos textos de apresentação dos serviços e no passo a passo técnico que orienta a criação de emissoras virtuais.

Já no Live365.com, o recolhimento de direitos autorais emerge como fonte de preocupações para a administração do serviço, que teme o fechamento de estações individuais caso avancem as discussões para elevar os *royalties* pagos aos artistas e às gravadoras. O modelo de negócios é híbrido, mesclando acesso pago e gratuito, com forte dependência de publicidade – a meta de atingir, em 2006, o ponto de equilíbrio financeiro, fazendo frente aos US$60 milhões investidos na criação do serviço foi adiada, devido aos custos crescentes com direitos sobre execução de músicas. Apesar da maior sofisticação em termos de *web design*, a interação com os ouvintes se mostra quase tão limitada quanto no portal brasileiro.

Embora as estações sejam hierarquizadas por número de acessos e votação direta, dentro de seus segmentos, esta participação resulta em influência mínima na visibilidade franqueada na página inicial aos preferidos do público. Diferentemente do que ocorre nos novos diretórios especializados em *podcasting*, como podOmatic, em que a porta de entrada aos sites é virtualmente editada pelos próprios ouvintes (por meio de votações, inclusão de comentários, ranking de acesso) e por uma série de outros critérios (rodízio aleatório dos conteúdos disponíveis, últimas atualizações, mais novos no site etc.).

De qualquer forma, estes e outros portais de rádio via internet estão reconfigurando a forma como consumimos e nos relacionamos com este meio de comunicação. Suas estruturas ainda poderão ser redefinidas ao longo dos próximos anos, mas é patente o importante papel que desempenham como mediadores sociais, privilegiando grupos específicos (emissoras comerciais, igrejas, empresas ou estações individuais) e propiciando-lhes visibilidade, num momento em que o acesso à produção de conteúdos deixa de ser um obstáculo e cresce a relevância das estratégias de difusão.

Salta aos olhos também o processo de formação de novos conglomerados da comunicação e do entretenimento, com interesses cada vez mais específicos. Esta concentração traz riscos à diversidade na oferta de bens simbólicos e deve ser acompanhada de perto pelos órgãos reguladores e pelos estudiosos do campo da comunicação.

Num cenário de abundante oferta de conteúdos segmentados, ao vivo e sob demanda, qual é a eficácia das estratégias de visibilidade (listagem em portais/diretórios, formação de comunidades virtuais etc.) adotadas pela nova geração de pequenos radiodifusores e pelas emissoras comerciais? Como classificar esse novo ouvinte que, ocasional ou freqüentemente, assume também o papel de emissor? Que novas sociabilidades são engendradas pelo consumo de bens simbólicos veiculados por *web radios* ou *podcasts*? Como se organiza esta produção radiofônica artesanal/caseira? E quais são as possibilidades de interação mediadas pelo rádio via internet em tempos de convergência digital?

Este artigo, portanto, sinaliza essas e diversas outras questões em aberto, que deverão ser aprofundadas posteriormente por pesquisadores interessados no tema.

Referências bibliográficas

ALVES, Raquel Porto Alegre dos Santos. "O Radiojornalismo nas Redes Digitais: Um estudo do conteúdo informativo em emissoras presentes no ciberespaço". Dissertação de Mestrado. Salvador: Facom/UFBA, 2004.

BARBOSA FILHO, André. *Gêneros radiofônicos – Os formatos e os programas em áudio*. São Paulo: Edições Paulinas, 2003.

BOLTER, Jay David, GRUSIN, Richard. *Remediation: Understanding new media*. Cambridge: MIT Press, 1999.

BUFARAH JUNIOR, Álvaro. "Rádio na internet: Convergência de possibilidades". *Anais do XXVI Congresso Brasileiro de Ciências da Comunicação*, da Sociedade Brasileira de Estudos Interdisciplinares da Comunicação (Intercom), 2003.

CASTRO, Gisela G. S. "*Podcasting* e consumo cultural". *E-Compós* (Revista da Associação Nacional dos Programas de Pós-Graduação em Comunicação), 2005.

CATHELAT, Bernard. *Styles de vie, vol. 1*. Paris: Les edition d'Organizations, 1985.

CEBRIÁN HERREROS, Mariano. *La radio en la convergencia multimedia*. Barcelona: Gedisa Editorial, 2001.

DIMAGGIO, Paul (*et al.*). Social implications of the internet, in *Annual Review of Sociology*, n. 27, pp. 307-336. Palo Alto: Annual Reviews, 2001.

DU GAY, Paul (*et al.*). *Doing cultural studies: the story of the Sony walkman*. Londres: Sage, 1997.

ELLSWORTH, Elizabeth. *Teaching positions: Difference, pedagogy and the power of address*. Nova York: Teachers College Press, 1997

FERRARETTO, Luiz Artur. "Aqui, o rádio de lá: Uma análise histórica da influência dos Estados Unidos nas emissoras brasileiras". *Anais do XXIV Congresso Brasileiro de Ciências da Comunicação*, da Sociedade Brasileira de Estudos Interdisciplinares da Comunicação (Intercom), 2001.

FRANQUET, Rosa. "*La radio ante la digitalización: renovarse en la incertidumbre*", in BUSTAMANTE, Enrique (org.), *Hacia un nuevo sistema mundial de comunicación – Las industrias culturales en la era digital*. Barcelona: Gedisa Editorial, 2003.

FREIRE FILHO, João. "Repensando a resistência juvenil: música, política e a recriação do espaço público", In: PRYSTHON, Angela. *Imagens da cidade: Espaços urbanos na comunicação e cultura contemporâneas*. Porto Alegre: Sulina, 2006.

HARGITTAI, Eszter. "*Open portals or closed gates? Channeling content on the world wide web*". Working Paper Series 10, Center for Arts and Cultural Policy Studies, Princeton University, primavera de 2000.

HERSCHMANN, Micael; KISCHINHEVSKY, Marcelo. "A 'geração podcasting' e os novos usos do rádio na sociedade do espetáculo e do entretenimento". Anais do *XVI Encontro Anual da Associação Nacional dos Programas de Pós-graduação em Comunicação* (Compós), Curitiba, 2007.

_____. "A indústria da música brasileira hoje – Riscos e oportunidades", pp. 87-110, In: FREIRE FILHO, João; JANOTTI JUNIOR, Jeder (orgs.). *Comunicação & música popular massiva*. Salvador: Edufba, 2006.

KISCHINHEVSKY, Marcelo. *O rádio sem onda – Convergência digital e novos desafios na radiodifusão*. Rio de Janeiro: E-Papers, 2007.

_____. "Manguebit e novas estratégias de difusão diante da reestruturação da indústria fonográfica". *Ciberlegenda*, n. 16, Niterói, 2006.

_____. "A morte do rádio – Convergências de mídias e suas conseqüências culturais". Dissertação de Mestrado, mimeo. Rio de Janeiro: ECO/UFRJ, 1998.

KISCHINHEVSKY, Marcelo; HERSCHMANN, Micael. "A nova música regional no Brasil", pp. 159-181, In: PRYSTHON, Angela. *Imagens da cidade*: Espaços urbanos na comunicação e cultura contemporâneas. Porto Alegre: Sulina, 2006a.

_____. "Manguebeat – A 'parabólica na lama' modernizando o passado. Representações da nova música regional no Brasil", pp. 101-131, In: FREIRE FILHO, João; VAZ, Paulo (org.), *Construções do tempo e do outro: Representações e discursos midiáticos sobre a alteridade*. Rio de Janeiro: Mauad X, 2006b.

LEMOS, André. "Podcast: emissão sonora, futuro do rádio e cibercultura". *404nOtFOund*, v. 1, n. 46, Salvador, junho de 2005.

MARTÍN-BARBERO, Jesús. *Dos meios às mediações — comunicação, cultura e hegemonia*. Rio de Janeiro: Ed. UFRJ, 1997.

MENESES, João Paulo. "Os equívocos da rádio generalista: reflexões sobre a rádio em Espanha, nos EUA e em Portugal" in *Observatorio*, vol. 1, n. 1, 2007.

MOREIRA, Sônia Virgínia. *O rádio no Brasil*. Rio de Janeiro: Rio Fundo Ed., 1991.

PORTELA, Pedro José Ermida Figueiredo Fernandes. "Rádio na internet em Portugal: A abertura à participação num meio em mudança". Dissertação de Mestrado em Ciências da Comunicação. Braga: Universidade do Minho, 2006.

PRIMO, Alex Fernando Teixeira. "Para além da emissão sonora: As interações no podcasting". *Intexto*, n. 13, Porto Alegre, 2005.

RICHERS, Raimar; LIMA, Cecília Pimenta (org.). *Segmentação: opções estratégicas para o mercado brasileiro*. São Paulo: Ed. Nobel, 1991.

SANTINI, Rose Marie. *Admirável chip novo: A música na era da internet*. Rio de Janeiro: E-Papers, 2006.

SAROLDI, Luiz Carlos; MOREIRA, Sônia Virgínia. *Rádio Nacional, o Brasil em sintonia*. Rio de Janeiro: Funarte, 1985.

SILVA, Heitor da Luz. "Dos gêneros musicais aos gêneros radiofônicos: uma análise a partir das emissoras de rádio FM do Rio de Janeiro." *Anais do I Congresso de Estudantes de Pós-graduação em Comunicação do Rio de Janeiro* (Coneco), 2006.

STRAW, Will. Scenes and sensibilities. *E-Compós* (Revista da Associação Nacional dos Programas de Pós-Graduação em Comunicação), 2006.

WILLIAMS, Raymond. *Marxismo e literatura*. Rio de Janeiro: Zahar Editores, 1979.

Consumindo música, consumindo tecnologia

*Gisela Castro**

Introdução: música, tecnologia e consumo

Desde a consolidação da indústria fonográfica, quando a música gravada passou a atrair o gosto do grande público e os aparelhos domésticos de som – vitrolas, gravadores cassete e, mais tarde, uma variedade de sistemas multifuncionais que uniam toca-discos, rádio AM/FM e *tape deck* – foram disseminados, a interdependência entre música, tecnologia e consumo tornou-se evidente.

A estranheza causada pelas experiências iniciais com a captura e reprodução do som por meios técnicos, como os pioneiros fonógrafos no começo do século passado, hoje é parte da história. O som gravado ocupa um lugar de destaque na cena contemporânea, e ouvir gravações de música se tornou uma prática emblemática do cotidiano de parcelas significativas das populações do planeta, reunidas nos centros urbanos.

Concentrada em quatro gigantescos conglomerados midiáticos transnacionais,[89] a indústria fonográfica (parte integrante da cultura da mídia)

---

* Doutora em Comunicação pela Universidade Federal do Rio de Janeiro e professora do Programa de Mestrado em Comunicação e Práticas de Consumo da Escola Superior de Propaganda e Marketing em São Paulo.

[89] A saber: Universal, Warner, EMI e Sony-BMG, que, juntas, detêm cerca de 80% do mercado mundial de música.

vive hoje um momento em que seu principal modelo de negócios – a venda de CDs – vem sendo desafiado por novas modalidades de consumo, possibilitadas pela entrada em cena de tecnologias de produção e distribuição surgidas na esteira do desenvolvimento da microinformática em escala global.

Na recente virada do século XX para o XXI, quando estúdios digitais domésticos tornaram-se acessíveis e a rede mundial de computadores se consolidou como multimidiática, o duradouro monopólio das grandes gravadoras, na produção e distribuição de discos de qualidade técnica profissional, viu-se ameaçado. As conseqüências desta desestabilização ainda estão sendo devidamente aquilatadas. Percebe-se um grande reordenamento em curso na indústria fonográfica, que passa a conviver com práticas alternativas tanto na cadeia produtiva quanto no consumo musical.

O alto custo e a grande complexidade de operação do equipamento utilizado nos estúdios de gravação de outrora garantiam à indústria a exclusividade da posse dos meios de produção comercial da música. A passagem do analógico para o digital, em meio ao intenso desenvolvimento da microinformática nas últimas décadas, representou um marco significativo na relação entre consumidores e a indústria da música.

A tecnologia digital traz em seu bojo novas possibilidades e maior facilidade para a manipulação do som. Uma análise dos desdobramentos estéticos da disseminação dessas novas práticas musicais foge ao escopo da discussão aqui proposta.[90] Dentre as características do som digital, devemos destacar a aparente ausência de degradação na qualidade de sua reprodução a partir de uma matriz digital. Sendo assim, um CD comercial de música pode funcionar como *master copy* para um número ilimitado de reproduções perfeitas, por exemplo. Com a proliferação dos gravadores domésticos de CD e, sobretudo, após o surgimento de tecnologias de

---

[90] É interessante mencionar a importância do *punk rock* ao investir no idealismo do "faça-você-mesmo" (DIY) como alternativa às mirabolantes megaproduções em que haviam se transformado os concertos das mais famosas bandas de rock. Hoje, a chamada "cena alternativa" apresenta-se efervescente em produções independentes. Grupos de artistas com propostas estéticas próprias surgem fora da grande rede midiática, fazendo um contraponto a produções massificadas como o pop internacional, tido como esteticamente diluído e pasteurizado.

compactação que tornaram possível a transmissão de arquivos de áudio via internet, esquemas alternativos de distribuição e consumo musical[91] tornaram-se lugar-comum.

Web music

Uma cartografia dos novos modos de consumo cultural evidencia a forte presença da internet na difusão de música, configurando um campo que em trabalhos anteriores denominei *web music*.[92] O consumo de música digital distribuída diretamente pela internet ocupa hoje uma posição privilegiada. Ao analisarmos este cenário, devemos levar em conta não apenas os já expressivos números de *downloads* feitos através de sites comerciais[93] de venda de música *on-line*, mas também as legiões de internautas que expandem suas coleções de música por meio de serviços de compartilhamento gratuito de conteúdo na *web*. Embora o Napster[94] tenha sido desativado em 2001, o compartilhamento gratuito de música continua sendo uma prática corriqueira – apesar do empenho da indústria fonográfica em torná-la ilegal.

Na ânsia de tornar segura a distribuição de música via internet, impedindo que fonogramas em formato digital sejam indiscriminadamente copiados, diferentes padrões e formatos hoje coexistem, tornando inoperantes certos conteúdos em determinados modelos de equipamento. Esse fato não

---

[91] Penso na intensa produção musical independente que hoje se alia a novas práticas tais como a confecção caseira de CDs personalizados; o *podcasting*; as *web radios*; o *file sharing*; o *download* por faixa, *playlist* ou álbum; o *sideloading*, dentre outras.

[92] Ver Castro, 2004a e 2005b. O uso do termo não pretende aludir a eventuais modificações estéticas na linguagem musical, conforme indicado no campo semântico da *web art*, mas apenas sinalizar a relevância da *world wide web* no contexto das múltiplas associações entre música, tecnologia e consumo hoje.

[93] No início de 2007, a loja virtual iTunes, líder no mercado, já contabilizava mais de 2 bilhões de *downloads*.

[94] Pioneiro aplicativo de compartilhamento *peer to peer* que chegou a reunir milhões de usuários no ano 2000, tornando popular o *download* gratuito de música via internet. Para uma análise mais pontual sobre esse aplicativo, ver Castro, 2001.

é novo na história da indústria fonográfica e faz lembrar a célebre "guerra dos formatos" travada décadas atrás. Lançados por empresas rivais, o LP (*long play*) e o EP (*expanded play*) disputavam a preferência do público naquela época. Nessa disputa foram contabilizadas grandes perdas de receita para a indústria, até que o LP viesse a se tornar o formato dominante. Também foi notória a convivência entre discos em rotação 45 e outros de rotação 33 e 1/3 (ou simplesmente 33), tornando necessário que sistemas domésticos de som permitissem a audição de música em *singles* e LPs, e em ambas as rotações.

Na atual ausência de interoperacionalidade entre diferentes padrões e formatos, parece significativo que o atual campeão de vendas de música *on-line* pertença à indústria da informática, e não à indústria fonográfica propriamente dita. Ao que parece, as gravadoras hoje lutam para se adaptar aos novos tempos. O relatório anual da IFPI[95] (*International Federation of the Phonographic Industry*) indica que o segmento de música digital cresceu significativamente durante o ano de 2006, havendo a indústria duplicado o acervo disponibilizado em versão eletrônica para mais de quatro milhões de títulos em 2006. Todo esse esforço, segundo a indústria fonográfica, visa atender a uma demanda bastante explícita de consumidores que hoje ouvem música nos mais variados lugares e situações, consumindo a tecnologia de tocadores portáteis ou mesmo telefones celulares de última geração.[96]

Como dissemos, dentre os novos hábitos de consumo destaca-se o compartilhamento de arquivos de áudio *on-line*. Através desse tipo de prática, milhões de internautas em todo o mundo trocam músicas e ampliam seus conhecimentos sobre artistas, bandas e cenas musicais. A partir da popularização do padrão mp3 de compactação[97] e de aplicativos de

---

[95] *IFPI: 07 Digital Music Report*; disponível em www.ifpi.org, acessado em maio de 2007.

[96] Para uma análise da preponderância dos telefones celulares no consumo de música, ver Sá, 2004.

[97] Um arquivo em formato mp3 ocupa 1/12 do espaço de um arquivo não-compactado, facilitando sua transmissão pela rede e reduzindo de modo significativo o tempo necessário para o *download*. Embora haja perda de qualidade na reprodução do som, esta não parece ser significativa na opinião dos milhões de internautas que fizeram do "mp3" o campeão de ocorrências

compartilhamento via internet desde o pioneiro Napster, tornou-se mais fácil entrar em contato com a produção de novas bandas ou artistas independentes. Fora do glamoroso e restrito *cast* das grandes gravadoras, muitos disponibilizam seu material para compartilhamento gratuito em mp3 no intuito de se lançar no mercado musical.

Construir uma base de fãs por meio da internet tornou-se viável e tem provado ser um caminho possível na trajetória de muitos aspirantes ao sucesso. As estratégias utilizadas freqüentemente conjugam plataformas de compartilhamento de conteúdo e a *homepage* do artista em questão, aliadas a *blogs*[98] de relacionamento através dos quais eles podem manter contato mais direto, fidelizando seu público. Estratégias multifacetadas como essas têm sido também adotadas como parte do esquema promocional de artistas mais consagrados, indicando a internet como um cenário privilegiado para a consolidação da relação entre fãs e seus ídolos.

Este novo cenário também contribui para tornar novamente acessíveis antigos sucessos, artistas, bandas e álbuns raros, muitas vezes já fora de catálogo. A promessa de um acervo virtual aparentemente ilimitado e diversificado, constantemente atualizado e ampliado pelos próprios usuários, vem atraindo mais e mais fãs de música em todo o mundo, consolidando a rede como arena preferencial no consumo de música digital.

Música e mobilidade

Além da praticidade da música desejada ao clique do *mouse*, outros aspectos da música digital têm contribuído para modificar os hábitos dos consumidores atuais. Tocadores portáteis de música e seus fones de ouvido

---

nos mecanismos de busca na internet na virada do século, atrás apenas da palavra "sexo". Hoje já existe o padrão mp4, com maior capacidade de compactação e melhor qualidade de reprodução. Entretanto, o mp3 segue sendo o mais popular até o momento. Para mais informações, ver Castro, 2001. Ver também DeMarchi, 2005.

[98] Contração para *weblogs*, espécie de diários interativos *on-line*, que podem versar sobre os mais variados assuntos, acolhendo comentários e contribuições periódicas dos leitores, que podem versar sobre os mais variados assuntos, acolhendo cometários e contribuições periódicas dos leitores.

já fazem parte integrante da cena urbana contemporânea. Com crescente capacidade de armazenamento, teclas *shuffle*[99], *design* arrojado e tamanho diminuto, esses *gadgets* atuais, descendentes diretos do Sony Walkman da década de 1980, rapidamente se tornaram um *must* de consumo, consolidando a prática de o indivíduo se encapsular em um envelope acústico personalizado onde quer que esteja.[100] Grandes coleções de música são hoje contabilizadas em *gigabytes*,[101] acompanhando a sempre crescente capacidade de memória de HDs e *players* portáteis que garantem a onipresença da música na trilha sonora do cotidiano e a individualização da escuta musical.

De acordo com o último relatório anual da IFPI, o total de tocadores digitais portáteis vendidos no mercado global saltou de 84 milhões em 2005 para 120 milhões em 2006, revelando um crescimento de vendas da ordem de 43%. No mesmo período, segundo o mesmo relatório, o total de faixas musicais baixadas pela internet aumentou 89%, passando de 420 milhões em 2005 para 795 milhões em 2006. O consumo de *singles* nunca foi tão intenso, sendo que em alguns países seu consumo em formato digital foi superior ao seu consumo em suporte material.

Um fator apontado como decisivo nessa modalidade de consumo é a disponibilidade de conexão banda larga. Esta também vem se tornando mais disseminada em todo o mundo,[102] impulsionando o *download* de música pela internet. Em levantamento feito junto a jovens consumidores de música em São Paulo,[103] quase 90% deles declaram utilizar conexão banda larga

---

[99] Tecla através da qual a seleção de músicas a serem tocadas é feita randomicamente, sendo que em alguns modelos o usuário pode controlar o grau de aleatoriedade preferido para cada seleção.

[100] Além da ubiqüidade dos fones de ouvido dos minúsculos tocadores portáteis, hoje onipresentes, destacam-se ainda lançamentos curiosos, como o tênis Nike equipado com iPod e tecnologia sensível que seleciona as faixas a serem tocadas em função do ritmo impresso pelo usuário durante sua corrida.

[101] Uma típica canção popular em formato mp3 tem cerca de 5 *megabytes*.

[102] O relatório *IFPI:07* registra um aumento de 34% no total de linhas de internet de banda larga no mercado global de 2005 para 2006.

[103] Levantamento feito inicialmente junto a 145 universitários paulistas, utilizando questionário criteriosamente elaborado após entrevistas preliminares com dezenas de jovens internautas. Esse estudo faz parte da pesquisa "Nas tramas da rede: estratégias no consumo de música digital", coordenada pela

para baixar música na internet. As vantagens desse tipo de conexão para o *download* de músicas, bem como de filmes, são grandes. Arquivos de áudio e vídeo costumam ser muito pesados e sua transmissão corre o risco de se tornar muito lenta e penosa se efetuada por meio de conexão discada. Sendo assim, torna-se atraente, embora onerosa, a aquisição de conexão banda larga e equipamentos de tecnologia avançada, num contexto de rápida obsolescência programada.

Clipes e DVDs de música representam hoje uma importante fatia do mercado e fonte de renda para a indústria fonográfica. Como analisei em trabalhos anteriores,[104] a implantação da cultura audiovisual tem sido uma marca das novas tecnologias e uma estratégia recorrente na cultura midiática, que promove seus astros e estrelas por meio da atuação conjunta de diferentes meios: rádio, TV, imprensa, *web*, filmes etc. A imagem da banda ou do artista desempenha papel preponderante na fruição musical, sendo prática habitual o *download* de clipes musicais em *iPods*[105] ou celulares, além dos computadores pessoais. Com a crescente tendência de se produzir e distribuir conteúdo via internet, fãs também colecionam e trocam imagens feitas com câmeras digitais ou celulares, além de gravações pessoais de shows e performances ao vivo de seus ídolos do mundo da música.

Consumidores e produtores

Sites como YouTube[106] e MySpace despontaram em termos de popularidade ao tornarem possível ao usuário comum transformar-se em produtor de conteúdo *on-line*. Significativamente, a prestigiosa revista *Time* elegeu

---

autora na ESPM/São Paulo. Para relatos parciais desta pesquisa, ver Castro, 2006a e 2007. Em seu estágio atual, dados estão sendo coletados junto a centenas de jovens em São Paulo e na Cidade do México. Uma análise comparativa dos resultados obtidos deverá apontar semelhanças e diferenças no consumo musical nas duas principais megalópoles latino-americanas. Para considerações iniciais nesse sentido, ver Castro, 2006c.

[104] Ver, por exemplo, Castro, 2004b.

[105] Como se sabe, o mais popular dos *players* portáteis tem modelos equipados com tela de vídeo de alta resolução.

[106] Recentemente comprado pelo Google.

o internauta como "pessoa do ano" de 2006, levando em conta o extraordinário crescimento do conteúdo disponibilizado pelos usuários da internet em sites como esses, além de *blogs, fotologs* e outras plataformas de relacionamento. A divulgação dessas informações, a legitimação e "celebrização" do internauta pressupõem e fomentam a aquisição de tecnologias sempre mais avançadas, funcionando também como garantia da entrada de novos consumidores para essas tecnologias.

É como se a internet estivesse cumprindo sua promessa de descentralização, facilitando a comunicação muitos/muitos e liberando o pólo receptor de sua aparente passividade diante do pólo emissor. Apesar disso, essa tão propalada liberação é discutível, uma vez que sabemos que nem todo consumidor tem interesse e/ou condições de se tornar produtor de conteúdo. A presença de grandes portais na *web* sugere uma migração dos hábitos e práticas que vigoravam e ainda vigoram na cultura de massas para o seio da libertária cibercultura. Mesmo dentro de sistemas colaborativos como o projeto Wikipedia, por exemplo, percebe-se intenso insumo de dados produzidos profissionalmente em grandes corporações de negócios, ao lado de contribuições "espontâneas" e "desinteressadas" dos próprios usuários da rede.

Outro ponto de destaque é que hoje temos várias gerações interagindo com os mais variados dispositivos eletrônicos. Já atinge a maioridade a geração que cresceu depois da popularização do computador. De fato, é notória a familiaridade dos jovens com as tecnologias digitais. O *gap* entre iniciados e não-iniciados marca um novo tipo de choque de gerações. Segundo dados do Ibope/NetRatings, embora cresça a participação dos mais velhos, a internet brasileira é predominantemente jovem. Expostos ao ciberespaço desde tenra idade, nossos jovens internautas marcam presença maciça em sites como o Orkut e o novíssimo Second Life, por exemplo, batendo sucessivos recordes mundiais em termos de tempo de uso residencial da internet. A eles são prioritariamente dirigidos os discursos publicitário-mercadológicos que permeiam e sustentam a cultura midiática.

Direitos autorais em questão

A questão dos direitos autorais, pedra de toque de renhidas disputas comerciais e jurídicas no mundo atual, tem merecido séria revisão num contexto de fluxos instantâneos e da imaterialidade dos *bits* e *bytes*. Novos tipos de regulamentação que levem em conta as idiossincrasias do mundo digital têm sido propostos e discutidos, com destaque especial para as licenças criadas pelo coletivo Creative Commons (CC), já reconhecidas no Brasil.[107]

Convive-se hoje com a presença disseminada de tecnologias DRM (*digital rights management*) em CDs e arquivos digitais comercializados na internet. Embora já se mostre lucrativa e apresente um grande potencial de crescimento, a venda de música por meio de sites de distribuição comercial ainda é minoritária. Como dissemos, é intenso o uso de compartilhadores de música na *web*, prática que a indústria fonográfica qualifica como pirataria digital. Além da proteção compulsória por meio de tecnologias DRM, estratégias antipirataria operam também por meio de intrincadas manobras tecnológicas que disseminam vírus em redes *peer to peer*, obstruem seu tráfego, degeneram arquivos, bloqueiam o acesso com *banners* eletrônicos de advertência e/ou redirecionam a rota dos usuários para sites comerciais.

Examinando o lado do consumidor, nossa pesquisa tem indicado que o compartilhamento não se configura claramente como uma prática ilícita na percepção da maioria de nossos jovens internautas. Quanto ao DRM, muitos declaram se sentirem indignados com a existência de barreiras que limitem o consumo de produtos comprados legalmente e dedicam-se a desenvolver contramedidas tecnológicas visando desativar esses mecanismos, tornando inócua a proteção.

Convivemos com a compra e venda de CDs piratas nas ruas das grandes cidades. Esse comércio parece ser tolerado por meio de tortuosos esquemas de propinas – e parece contar com a tolerância e a conivência das populações.

---

[107] Para maiores detalhes sobre o Creative Commons e as licenças propostas por este coletivo, ver Castro, 2006a.

Algumas considerações finais

Um breve levantamento das tecnologias consagradas no mercado de consumo via audição de música revela uma miríade de opções em um período de tempo relativamente curto, se comparado às transformações tecnológicas do passado. Torna-se evidente também um investimento econômico com altíssimos valores por parte do público consumidor, instigado a adquirir as tecnologias de ponta num cenário em que tudo se torna efêmero em ritmo veloz.

Desde a invenção do transistor, que substituiu as pesadas válvulas e tornou portáteis aparelhos de rádio que se espalharam ao redor do mundo, a audição de música e a mobilidade passaram a conviver mais de perto. Dos primeiros "egoístas" acoplados aos onipresentes radinhos de pilha transistorizados, passando pelos *headphones* dos portáteis tipo Walkman, os *earphones* do Discman, e chegando aos discretos fones de ouvido dos minúsculos tocadores digitais portáteis de hoje, formas individualizadas de escuta musical privada foram introduzidas no espaço público. Parte integrante do vestuário urbano atual, os fones de ouvido tornaram-se ubíquos, garantindo um consumo intenso e quase ininterrupto de música como pano de fundo para as mais diversas atividades do dia-a-dia, perfazendo o que se poderia interpretar como uma estetização do cotidiano.

Em nossa cultura midiática predominantemente audiovisual, o discurso publicitário-mercadológico explora a enorme popularidade da música para estimular o consumo dos mais variados produtos. Tendo como tema "a música conecta as pessoas", campanhas de marcas globais como a Nokia chamam bastante atenção. Celebrando a diversidade de gêneros musicais hoje vigentes, a campanha propõe diferentes trilhas sonoras num mesmo filme publicitário, utilizando o recurso da tecla SAP.[108]

---

[108] Entre nós, a tecla SAP (*Second Audio Program*) ficou conhecida por permitir aos espectadores, cujos aparelhos de TV sejam equipados com este tipo de tecnologia, sintonizarem a trilha sonora original de filmes e programas dublados em português. A campanha em questão se serve deste recurso para transmitir simultaneamente trilhas sonoras diferenciadas e contrastantes. Numa alusão à hoje difícil distinção entre original e cópia, a brincadeira é ouvir ambas as trilhas saboreando as nuances de variação no significado global do filme ao ser acompanhado por cada uma das músicas.

A atuação da indústria fonográfica, focada em investir majoritariamente na criação de ídolos globais, estilos e gêneros musicais que possam ser apreciados em diferentes partes do mundo, parece ter um efeito paradoxal. Para que venha a render os lucros astronômicos a que se propõe, essa produção excessivamente massificada exige esquemas milionários de promoção e marketing. Por essa razão, a indústria hoje trabalha com elencos altamente especializados e de pequeno porte, controlando de perto todo o processo de produção, difusão e comercialização da música e da imagem de seus artistas. Tratando-se de um investimento que visa retorno financeiro, as decisões que norteiam a cadeia produtiva da música massificada hoje são tomadas muito mais em função de aspectos mercadológicos do que propriamente estéticos. A própria segmentação em gêneros e estilos no mercado musical obedece a critérios de marketing, pouco observando a pertinência das características próprias das músicas em questão.

Para muitos, a superexposição de grandes astros e estrelas mundiais termina por contribuir para o esgotamento de suas qualidades artísticas. No sedutor mundo do espetáculo midiático, celebridades são criadas e destruídas em breves períodos de tempo. Entretanto, a produção majoritária não responde pela totalidade da indústria cultural. Diversos fãs de música hoje procuram nas produções independentes a diversidade e o frescor que sentem ter sido perdido na maior parte da produção *mainstream*. Paralelamente, em busca de maior controle de sua imagem e obra, nomes de peso nas paradas musicais criam seus próprios selos ou associam-se a pequenas gravadoras, que hoje dispõem de alta tecnologia para imprimir qualidade profissional à sua produção.

Em meio a este cenário de intensas transformações, e varrido por variáveis as mais imprevisíveis, os caminhos para o "sucesso" nunca estão garantidos. Ao enfatizarmos nessa discussão a associação entre música, consumo e tecnologia, pretendemos contribuir para a compreensão da formação de hábitos de consumo cultural na contemporaneidade.

Referências bibliográficas

BANDEIRA, Messias G. "Música e cibercultura: do fonógrafo ao mp3". Anais *Compós*/2001.

BAUMAN, Zygmunt. *Modernidade Líquida*. Rio de Janeiro: Jorge Zahar, 2001.

BOLTER, Jay D. & GRUSIN, Richard. *Remediation: understanding new media*. Massachusetts & London: MIT Press, 2000.

BRIGGS, Asa e BURKE, Peter. *Uma história social da mídia: de Gutenberg à Internet*. Rio de Janeiro: Jorge Zahar, 2004.

BRITTOS, Valério & OLIVEIRA, Ana P. "Processos midiáticos musicais, mercado e alternativas". Revista *Comunicação, Mídia e Consumo* n.5. São Paulo: ESPM,2005.

CASTELLS, Manuel. *A Galáxia da Internet: reflexões sobre a internet, os negócios e a sociedade*. Rio de Janeiro: Jorge Zahar, 2003.

CASTRO, Gisela. "O caso Napster". Revista *Logos* n.15. Rio de Janeiro: Uerj, 2001.

_____. *Web Music*: produção e consumo de música na cibercultura. Revista *Comunicação, Cultura e Consumo* n.2. São Paulo: ESPM, 2004a.

_____. Novas posturas de escuta na cultura contemporânea. Revista *Intertexto* n.10, Porto Alegre: UFRGS, 2004b.

_____. As canções inumanas. Revista *E-compós* n.2, Brasília, abril de 2005a.

_____. "Web Music: música, escuta e comunicação". *Revista Brasileira de Ciências da Comunicação*. Vol. XXVIII, n.1. São Paulo, janeiro/junho de 2005b.

_____. "*Podcasting* e consumo cultural". Revista *E-compós* n.4, Brasília, dezembro de 2005c.

_____. "As tribos de ciberouvintes". Revista *Logos* n.22, Rio de Janeiro: Uerj, 2005d.

_____. "Para pensar o consumo de música digital". Revista *Famecos* n.28, Porto Alegre: PUC-RS, dezembro de 2005e.

_____. "Nas tramas da rede: estratégias no consumo de música digital". *Cadernos de Pesquisa ESPM* Ano II, n.1. São Paulo: ESPM, jan-abr 2006a.

_____. Pirataria na música digital: internet, direito autoral e novas práticas de consumo. Revista *Razón y Palabra* nº 52, México, 2006b.

_____. Notas sobre mídia, consumo e cidadania cultural: uma perspectiva latino-americana. Em: COSTA, Maria Cristina C. (Org.). *Gestão da Comunicação*: terceiro setor, organizações não governamentais, responsabilidade social e novas formas de cidadania. São Paulo: Ed. Atlas, 2006c.

_____. "'Não é propriamente um crime': considerações sobre pirataria e consumo de música digital". Revista *Comunicação, mídia e consumo* n.10. São Paulo: ESPM, 2007.

CHANAN, Michael. *Repeated Takes: a short history of recording and its effects on music.* Nova York & Londres: Verso, 1995.

COLEMAN, Mark. *Playback: from the victrola to mp3, 100 years of music, machines, and money.* Cambridge, MA: Da Capo Press, 2003.

DELALANDE, François. "De uma tecnologia a outra: cinco aspectos de uma mutação da música e suas conseqüências estéticas, sociais e pedagógicas". In: VALENTE, Heloísa A.D. (Org.). *Música e Mídia: novas abordagens sobre a canção.* São Paulo: Via Lettera/FAPESP, 2007.

DeMARCHI, Leonardo. "A angústia do formato: uma história dos suportes sonoros". Revista *E-compós* n.2, abril/2005.

DIAS, Márcia T. *Os Donos da Voz: indústria fonográfica brasileira e mundialização da cultura.* São Paulo: Boitempo Editorial, 2000.

DOMINGUES, Diana. *Arte e tecnologia no século XXI: a humanização das tecnologias.* São Paulo: Unesp, 1997.

HARING, Bruce. *Off the charts: ruthless days and reckless nights inside the music industry.* Nova York: Birch Lane Press, 1996.

INTERNATIONAL FEDERATION OF THE PHONOGRAPHIC INDUSTRY. *IFPI: 07 Digital Music Report.* Disponível em www.ifpi.org, acessado em maio de 2007.

KELLNER, Douglas. *A cultura da mídia.* São Paulo: Edusc, 2001.

LEMOS, André. *Cibercultura: tecnologia e vida social na cultura contemporânea.* Porto Alegre: Sulina, 2002.

LESSIG, Lawrence. *The Future of Ideas.* Nova York: Random House, 2001.

LÉVY, Pierre. *Cibercultura.* Rio de Janeiro: Editora 34, 2003.

MERRIDEN, Trevor. *Irresistible Forces: the business legacy of Napster & the growth of the underground internet.* Oxford: Capstone Publishing Ltd., 2001.

MORAES, Dênis de (org.). *Sociedade midiatizada.* Rio de Janeiro: Mauad, 2006.

SÁ, Simone P.; DeMARCHI, Leonardo. "Notas para se pensar as relações entre música e tecnologias da comunicação". Revista *Eco-Pós*. vol. 6, n.2. Rio de Janeiro: UFRJ, 2003.

SÁ, Simone P. "Telefones móveis e formas de escuta na contemporaneidade". Revista *Razón y Palabra*, México, out/nov, 2004.

SPAR, Debora L. *Ruling the Waves: from the compass to the internet, a history of business and politics along the technological frontier*. Nova York, San Diego & Londres: Harcourt Inc., 2001.

STERNE, Jonathan. *The audible past: cultural origins of sound reproduction*. Durham & Londres: Duke University Press, 2003.

VAIDHYANATHAN, Siva. *Copyrights and Copywrongs: the rise of intellectual property and how it threatens creativity*. Nova York & Londres: New York University Press, 2001.

ZIELINSKI, Siegfried. *Arqueologia da mídia: em busca do tempo remoto das técnicas do ver e ouvir*. São Paulo: Annablume, 2006.

Categorização dos gêneros musicais na internet - para uma etnografia virtual das práticas comunicacionais na plataforma social Last.FM

*Adriana Amaral**

> A explicação interpretativa (...) é um sistemático desfazer de malas no mundo conceptual.
>
> Clifford Geertz
> *O saber local: novos ensaios em antropologia interpretativa.*

A segmentação dos gêneros e subgêneros musicais em cenas é um fenômeno que acontece desde os primórdios do consumo da música e das primeiras manifestações culturais juvenis. Nos últimos anos, tem-se observado que gêneros como o rock e a eletrônica possuem uma tendência à segmentação extrema, seja no cotidiano dos shows e *clubs* ou na construção de perfis e avatares nas plataformas de redes sociais como Orkut, MySpace, Last.fm etc. A proposta é de apresentar como funciona a folksonomia enquanto prática e método de categorização colaborativa a partir do uso de *tags* livremente escolhidas (Palmer, 2006) como um processo comunicacional auxiliar à formação de gêneros e subgêneros musicais, proporcionado por plataformas sociais na internet como no caso do Last.fm, objeto das reflexões aqui descritas.

---

* Doutora e mestre em Comunicação Social pela Pontifícia Universidade Católica do Rio Grande do Sul, onde também se graduou em Comunicação Social – Jornalismo. Atualmente, é professora do Programa de Pós-graduação em Comunicação e Linguagens da Universidade Tuiuti (Paraná). Autora do livro *Visões perigosas:* uma arque-genealogia do cyberpunk (Porto Alegre: Sulina, 2006).

Em estudos recentes (Amaral, 2007a, 2007b), problematizei o uso do termo cena e do termo cybersubcultura em relação às apropriações dos mesmos nas plataformas de redes sociais na internet, como, por exemplo, o MySpace (www.myspace.com), analisando as especificidades da chamada subcultura electro-goth ou electro-industrial. O presente artigo dá continuidade a essas pesquisas, em busca de um mapeamento dos perfis de consumo de seus participantes a partir de suas práticas comunicacionais nas plataformas sociais, tensionando a análise netnográfica (ou etnografia virtual) e os estudos pós-subculturais com as teorias da cibercultura.

A chegada da Internet colocou um desafio significante para a compreensão dos métodos de pesquisa. Através das ciências sociais e humanidades, as pessoas se encontraram querendo explorar as novas formações sociais que surgem quando as pessoas se comunicam e se organizam via e-mail, websites, telefones móveis e o resto das cada vez mais mediadas formas de comunicação. Interações mediadas chegaram à dianteira como chave na qual as práticas sociais são definidas e experimentadas[109] (Hine, 2005: 01).

Este texto é um relato empírico-descritivo, advindo das observações anotadas no diário de campo durante os meses de junho, julho e agosto das interações via Last.Fm com participantes dessa mesma subcultura[110] no contexto brasileiro e a partir das intervenções e trocas entre os informantes da pesquisa[111] e a pesquisadora via rede. Os contatos aconteceram tanto no *on-line*, através de mensagens no próprio site em questão, e em perfis de outros sites, listas de discussão (em especial as listas Rejekto[112], Sinthetique e A Industrya), *blogs*

---

[109] Tradução da autora: *The coming of the Internet has posed a significant challenge for our understanding of research methods. Across the social sciences and humanities people have found themselves wanting to explore the new social formations that arise when people communicate and organize themselves via email, websites, mobile phones and the rest of the increasingly commonplace mediated forms of communication. Mediated interactions have come to the fore as key ways in which social practices are defined and experienced* (Hine, 2005, p.01).

[110] Para uma compreensão mais descritiva da cybersubcultura em questão, ver Amaral, 2007a e 2007b.

[111] Sejam eles produtores, DJs, artistas, participantes em geral, jornalistas etc.

[112] http://rejekto.com

específicos, e-mails e chats via MSN etc, como no *off-line,* em alguns esporádicos encontros, como, por exemplo, no Industrial Noise Fest[113].

Tais práticas foram observadas no contato diário da pesquisa a partir do perfil construído pela própria pesquisadora[114], que funcionou como um dos primeiros contatos com os informantes da netnografia e possibilitou algumas trocas iniciais, estabelecendo a relação de confiança mútua e reciprocidade. Este texto é constituído basicamente de apontamentos retirados do diário de campo da pesquisa, elemento essencial para qualquer etnografia, e que, nos domínios do ciberespaço e da etnografia virtual, encontra-se disperso em descrições, análises, levantamentos de hipóteses e questionamentos fragmentados escritos em *blogs*, fóruns, listas de discussões e perfis em *websites* de plataformas sociais na internet.

Netnografando os aplicativos do Last.fm: etiquetagem, rastreamento e distintivos

> O estudo interpretativo da cultura representa um esforço para aceitar a diversidade entre as várias maneiras que seres humanos têm de construir suas vidas no processo de vivê-las (Geertz, 2000: 29).

O presente artigo, de cunho essencialmente descritivo-interpretativo, apresenta nossa entrada em campo ou *"entrée* cultural" (Kozinets, 2002), que, conforme proposta por diversos etnógrafos, é o momento no qual descrevemos algumas práticas comunicacionais utilizadas pelos participantes da subcultura electro-industrial através do site Last.fm (www.last.fm). Essa entrada em campo se dá a partir da análise da construção dos seus perfis e, principalmente, dos usos de uma gama de recursos como o *social tagging*[115], *o scrobbling e os widgets.* Vejamos brevemente as funções de cada um:

---

[113] O primeiro festival industrial/noise de Curitiba foi realizado nos dias 29 e 30 de junho de 2007 no Porão Rock Club. Foram duas noites só com a temática industrial/noise/eletrônica alternando discotecagem e bandas se apresentando. As informações completas sobre o evento foram disponibilizadas somente no *on-line*, a partir de scraps e da comunidade no Orkut, disponível no endereço http://www.orkut.com/Community.aspx?cmm=28313171 Acesso em 12/07/2007.

[114] Disponível em http://www.last.fm/user/AdriAmaral

[115] Optamos por não traduzir nenhum dos recursos descritos, mas o mais aproximado seria "etiquetagem social".

. **Social Tagging:** "Sistemas de etiquetagem social que permitem aos usuários compartilhar suas *tags* como recursos particulares. Além disso, cada *tag* serve como um link para recursos adicionais etiquetados da mesma forma pelos outros"[116] (Marlow et al., 2006).

. **Scrobbling:**[117] *plug-in* de rastreamento dos *softwares* de leitura de arquivos de música (mp3, wav) que estão na máquina do usuário a partir dos programas de áudio como o Windows Mídia Player, o Winamp, iTunes etc. De acordo com o FAQ[118] do Last.fm,

> *Scrobbling* (rastrear) uma canção significa que quando você a escuta, o nome da canção é enviado ao Last.fm e adicionado ao seu perfil musical. Uma vez que você tenha entrado e baixado o *plug-in*, você pode rastrear as canções que você escuta no seu computador ou iPod automaticamente. Comece você a rastrear e veja quais artistas você escuta mais. As canções que você ouve também aparecerão no seu perfil para que os outros vejam. Milhões de canções são rastreadas todos os dias. Esses dados ajudam o Last.fm a organizar e recomendar músicas às pessoas; nós também o utilizamos para criar estações de rádio personalizadas, e muito mais além disso[119].

---

[116] Tradução da autora: *Social taggin systems, as we refer to them, allow users to share their tags for particular resources. In addition, each tag serves as a link to additional resources tagged the same way by others* (Marlow et al., 2006).

[117] Não há similar em português para essa palavra, específica da internet. Utilizaremos, então, a palavra rastreamento apenas para compreensão didática do termo.

[118] Frequently Asked Questions (questões mais perguntadas).

[119] Tradução da autora: *Scrobbling a song means that when you listen to it, the name of the song is sent to Last.fm and added to your music profile. Once you've signed up and downloaded Last.fm, you can scrobble songs you listen to on your computer or iPod automatically. Start scrobbling yourself, and see what artists you really listen to the most. Songs you listen to will also appear on your Last.fm profile page for others to see. Millions of songs are scrobbled every day. This data helps Last.fm to organise and recommend music to people; we use it to create personalised radio stations, and a lot more besides.* Disponível em: http://www.last.fm/help/faq/ Acesso em 10/08/2007.

Widgets: de acordo com o *Longman Dictionary of Contemporary English*, é um termo informal utilizado para se referir 1) a uma pequena peça de equipamento que não sabemos o nome; 2) a um produto imaginário que uma companhia poderá vir a produzir (Longman, 2005: 1886). No campo da informática, ele adquire um sentido diferente, existindo diversos tipos como de interface gráfica, de mecanismo ou da *web*.

Segundo a Wikipédia, o *Webwidget*, que é o caso aqui utilizado no site Last.fm, é

> um "pedaço" portátil de código que pode ser instalado e executado dentro de qualquer página de *web* baseada em HTML, separada por qualquer usuário sem requerer compilação[120] adicional. Eles são derivados a partir da idéia de código reutilizável que existe há anos. Por exemplo, o primeiro produto a usar o termo foi um produto comercial de 1995, chamado *Web Widgets*[121]: *plugins* ou extensões que permitiam aplicações no *desktop* de acesso à *web*. Atualmente outros termos são usados para descrever os *web widgets*, incluindo: *gadget*, distintivo, módulo, cápsula, *snippet*, mini e *flake*. Web widgets quase sempre usam as linguagens de programação Adobe Flash ou JavaScript. Usuários finais podem utilizar *Web Widgets* para aumentar o número de servidores baseados na *web* ou alvos a serem atingidos. Categorias de alvos a serem atingidos incluem redes sociais, *blogs*, *wikis* e páginas pessoais[122].

---

[120] Um compilador é um programa de computador (ou um conjunto de programas) que traduz texto escrito em linguagem de computador (a linguagem fonte) para outra linguagem de computador (a linguagem do alvo). http://en.wikipedia.org/wiki/Compiler

[121] http://www.v-graph.com/vgraphinc/Webwidget.htm

[122] Tradução da autora: *A web widget is a portable chunk of code that can be installed and executed within any separate HTML-based web page by an end user without requiring additional compilation. They are derived from the idea of reusable code that has existed for years. For example, the first product to use that term was a commercial product from 1995, called Web Widgets [1], which were plugins or extensions that allowed desktop applications to access the web. Nowadays other terms are used to describe a web widget including: gadget, badge, module, capsule, snippet, mini and flake. Web widgets often but not always use Adobe Flash or JavaScript programming languages. End users can utilize Web Widgets to enhance a number of web-based hosts, or drop targets. Categories of drop targets include social networks, blogs, wikis and personal homepages.* Disponível em: http://en.wikipedia.org/wiki/Web_widget. Acesso 12/08/2007.

No caso do Last.fm, a maior parte dos *widgets* oferecidos é do tipo *badge*, distintivo para ser disponibilizado no *blog* (LiveJournal, Blogger, Wordpress), página pessoal, *fotolog*, perfil em outros sites (MySpace, Face Book) com as músicas mais ouvidas do mês ou as músicas que estão sendo ouvidas em tempo-real e até mesmo a possibilidade de disponibilizar uma rádio *on-line* com as músicas favoritas e/ou escolhidas pelo usuário. Há possibilidade desses *widgets* serem atualizados via RSS ou XML. O site também permite integração com o sistema de microblogging Twitter[123].

Uma breve arqueologia do compartilhamento de perfis musicais no Last.fm

Após observarmos alguns de seus principais aplicativos, passamos a uma breve arqueologia do site e do comportamento de compartilhamento dos perfis observados. Em princípio, meu primeiro contato com o mesmo aconteceu em 2004, quando o site ainda se chamava *Audioscrobbler* e no qual criei um perfil. A senha desse perfil foi perdida e minha antiga máquina formatada; posteriormente, deletei o antigo perfil. O Last.fm foi fundado em 2002 na Inglaterra e é uma das maiores plataformas sociais de música, com 15 milhões de usuários ativos em mais de 232 países. Em 30 de maio de 2007, ele foi adquirido pela CBS Interactive pelo valor de 280 milhões de dólares, considerada a maior compra européia até o momento[124].

Para ingressar no site é preciso criar uma conta/perfil, enfatizando os estilos e gostos musicais, e efetuar o *download* do *plug-in* (o audioscrobbler) que, uma vez instalado, rastreia todas as músicas escutadas e as disponibiliza *on-line*, para compartilhamento das listas e *tags* com outros usuários do programa. A partir dessa análise do artista/nome da música, o site indica uma gama de informações como o nome do álbum, data, fotos, *releases* e outros artistas similares (todas essas informações construídas a partir dos dados e *tags* disponibilizadas pelos próprios usuários da plataforma). O Last.fm como conhecemos atualmente foi uma fusão de duas fontes dife-

---

[123] http://twitter.com

[124] Informações provenientes da Wikipedia http://en.wikipedia.org/wiki/Last.fm Acesso em 15/08/2007.

rentes que aconteceu em 2005: entre o *plug-in audioscrobbler* (criado por um estudante de ciências da computação, o inglês Richard Jones) e a plataforma social Last.fm (uma espécie de rádioweb construída pelos austríacos Felix Miller e Martin Stiksel e pelos alemães Michael Breidenbruecker e Thomas Willomitzer). O nome mais sonoro acabou batizando oficialmente a comunidade[125], cujo slogan é "a próxima revolução social"[126].

Em 24 de janeiro de 2007, criei um novo perfil já com intenção de análise do site e, a partir dele, comecei a estabelecer algumas anotações e análises acerca dos comportamentos e experiências geradas nos perfis para fins netnográficos como pesquisadora e participante[127] da cena electro-industrial. O perfil do Last.fm exibido *on-line* (o painel *dashboard* – com configurações exclusivas do usuário – não será analisado aqui) é igual para todos os seus membros (não são permitidas alterações de cores e *layout*, ao contrário do MySpace, por exemplo) e nele são inseridos os dados/fotos no canto esquerdo da tela; ao centro, as últimas músicas rastreadas; logo abaixo, as músicas mais ouvidas da semana e as mais ouvidas em geral (desde o início da conta). No perfil, recebemos a mensagem de quantas músicas foram rastreadas ao total e temos a possibilidade de ingressar em grupos/comunidades de estilos como Industrial, EBM, Techno, Indie Rock etc. Abaixo do perfil, há a lista de *tags* favoritas do usuário, categorizando os artistas a partir dos gêneros e subgêneros escolhidos por ele/ela.

No canto superior direito temos uma *shoutbox* (espécie de bloco de recados onde os usuários podem se comunicar em tempo real, caso estejam *on-line*). Logo abaixo disso, existem os perfis dos amigos e mais abaixo, os "vizinhos", que aparecem randomicamente a partir da compatibilidade musical com o perfil em questão. Também desse mesmo lado há um "Gostômetro" (Taste-o-meter) no qual é possível calcular o grau de compatibilidade musical com qualquer usuário da plataforma, que também mede os principais artistas em comum.

---

[125] Mais detalhes em http://en.wikipedia.org/wiki/Last.fm

[126] Mais uma vez, observamos que o discurso das tecnologias como revolucionárias é usado como slogan de marketing.

[127] As fronteiras entre pesquisador-pesquisado ainda não estão sendo colocadas em questionamento nesse momento da pesquisa, mas já foram pontuadas para futuras contribuições epistemológicas e éticas.

Além dos *widgets* produzidos pelo próprio site, os grupos de usuários também fazem os seus próprios aplicativos. Entre os mais recentes está o *Mainstrem-o-meter*[128], o medidor de porcentagem do quão "*mainstream*" é o seu perfil e no qual a análise é calculada de acordo com o aparecimento de determinados artistas mais populares (ou comerciais) naquela semana.

O fato de os usuários do site construírem uma ferramenta que permite visibilizar tais características, eminentemente valorativas, aponta para a dicotomia entre *mainstream* ou *underground*[129], parecendo bem sintomático das configurações e construções de informações musicais que constituem os perfis que se apresentam na plataforma, enquanto valores a serem medidos e compartilhados com os "outros" na cultura das redes.

Esse fator serve para demonstrar como na música popular massiva há uma tensão entre o sistema de produção/circulação das grandes companhias musicais (*mainstream*) e sua contrapartida, o consumo segmentado (*underground*) que acaba sendo uma espécie de espaço mítico na trajetória de expressões musicais (Cardoso Filho e Janotti Júnior, 2006: 18).

Além disso, a plataforma dispõe de recursos como a construção de um *blog*[130], agenda de shows e eventos, caixa de e-mails privada (recurso não muito utilizado pelo que constatamos em uma primeira análise), recomendações musicais que podem ser enviadas a outros usuários, vídeos – que podem ser disponibilizados em outros perfis ou *blogs* do usuário, grupos/

---

[128] Disponível em http://*mainstream*.vincentahrend.com/ Acesso em 20/08/07.

[129] As discussões acerca das tensões *underground versus mainstream* não serão abordadas neste artigo, por escaparem ao escopo de nossa análise no momento, centrada na questão das importâncias das *tags* na categorização dos gêneros musicais na internet. No entanto, voltaremos a esse debate nos próximos artigos. Para mais referências, ver Amaral (2007a) e Cardoso Filho e Janotti Júnior (2006).

[130] Observamos que esse recurso é muito mais utilizado para postagem de dicas musicais, indicações, recomendações de shows, artistas, assim como espaço para postagem de *press-releases* sobre os artistas e datas de shows (este caso específico ocorre quando o perfil do usuário é também um instrumento de divulgação do trabalho artístico-musical do mesmo. Por exemplo: perfis de integrantes de bandas, Djs, produtores musicais etc.).

comunidades de discussão, rádios *on-line*, *widgets* (com a disponibilização das tabelas, gráficos e outros recursos), entre outras ferramentas.

Tags e a co-produção
na folksonomia de gêneros musicais

No entanto, o elemento hierarquicamente que mais se destaca no funcionamento da folksonomia e na dinâmica social da plataforma, bem como para a geração, busca e resgate das informações musicais é a *tag*.

> A *web* 2.0 traz uma nova forma de registro, organização e recuperação de informações que funciona com base no hipertexto, subverte antigas formas de taxonomia e converge com os ideais de cooperação derivados da noção de *web* 2.0: a folksonomia, que traduz o neologismo entre os termos folk e taxonomia, nomeada pelo arquiteto da informação Thomas Vander Wal (Primo, 2006: 4); trata-se de um sistema de indexação de informações que permite a adição de *tags* (etiquetas) que descrevem o conteúdo dos documentos armazenados. Baseada na livre organização, a folksonomia traz um novo tipo de link, a *tag*, criada pelos próprios usuários da *web*, que assim, de forma coletiva, registram, organizam e recuperam os dados na Rede (Aquino, 2007).

Essas *tags* construídas completamente pelos usuários do site (em contraponto ao sistema do MySpace, que, por exemplo, possui um número fixo de *tags* oferecidas) permitem a criação e a co-produção de um imenso banco de dados sobre os artistas, gêneros, subgêneros, a partir dos algoritmos desenvolvidos pelos programadores do site (cuja sede física está em Londres).

> O Last.fm apóia o *tagging* ou rotulação de artistas, álbuns e faixas pelos usuários finais para criar uma ampla folksonomia de música. Os usuários podem buscar via *tags*, mas o mais importante benefício é a *tag* de rádio, que permite aos usuários tocar a música que foi etiquetada de uma certa maneira. Esse *tagging* pode ser feito por gênero (garage rock), humor, característica do artista ou qualquer outra forma de classificação definida pelo usuário (como, por exemplo, "vi ao vivo"). Entretanto, desde que o *tagging* não seja moderado, é possível a manipulação pelos usuários do site, quase sempre resultando

em discordância de gêneros entre os usuários ou empurrando certos artistas para promover certas *tags* (o exemplo mais conhecido foi ter colocado Paris Hilton no topo da *tag* de "death metal brutal"[131].

Essa co-produção é entendida aqui no sentido da inspiração dos escritos antropológicos sobre etnografia em múltiplos lugares, um processo de produção em conjunto disparada por vários atores sociais que pode abranger os *hyperlinks* como suas expressões. "Esse conceito de co-produção ecoa o trabalho de natureza distribuída da cognição. (...) co-produção enquanto um processo de múltiplos atores criando um repertório cultural que pode ser baseado nos atores singulares" (Forte, 2005: 97)[132].

A possibilidade de co-produção altera a indexação, as buscas e a própria organização da *web* e é vista positivamente pela comunidade. Em uma entrada recente no *blog* institucional do Last.fm[133], um dos membros da equipe agradece a colaboração dos *"taggers"* (os usuários que produzem as *tags*). As *tags* não precisam necessariamente estar vinculadas com o gênero/estilo musical em si e podem agregar valores subjetivos como "breakfast radio" (rádio do café da manhã), "músicas que eu amo" etc. No caso específico da cena electro-goth/industrial, temos os estilos base como EBM, electro, industrial, gothic rock, synthpop e fusões e apropriações entre duas ou mais *tags* como electro-industrial, TBM, industrial-rock, dark-electro,

---

[131] Tradução da autora: *Last. Fm supports user-end tagging or labeling of artists, albums, and tracks to create a site-wide folksonomy of music. Users can browse via tags, but the most important benefit is tag radio, permitting users to play music that has been tagged a certain way. This tagging can be by genre ("garage rock"), mood ("chill"), artist characteristic ("baritone"), or any other form of user-defined classification ("seen live"). However, since the tagging is not moderated, it is prone to manipulation by the site's users, most often resulting in genre disagreements among users or pushing certain artists higher up certain tags (the most well known example of this is boosting Paris Hilton to the top of the "brutal death metal" tag).* Disponível em http://en.wikipedia.org/wiki/Last.fm#Tags Acesso em 15/08/07.

[132] Tradução da autora: *This concept of co-production echoes work on the distributed nature of cognition.(...) co-production as a process of multiple actors creating a cultural repertoire that can then be drawn upon by singular actors* (Forte, 2005: 97).

[133] Disponível em http://blog.last.fm/ Acesso 24/08/07.

gothabilly etc. As discussões sobre a natureza e a autenticidade dos subgêneros acabam realizadas em vários fóruns e não apenas no Last.fm, apontando uma multiplicidade de um determinado grupo, desdobrando-se em distintos locais e redes.

A partir do recurso das *widgets*, essas *playlists* podem ser disponibilizadas nos sites, *blogs*, *fotologs*, perfis em outros sites como no MySpace, Facebook, entre outros, permitindo trocas, conexões e interações entre as diferentes redes, perfis e usuários (de uma mesma cena ou de uma cena diferente), convergindo gostos e funcionando como elemento de auto-apresentação e autopromoção (Hine, 2000).

Uma questão intrigante é o fato dessa auto-apresentação estar ou não de acordo com outros traços distintivos dos próprios perfis – seriam essas manifestações de autênticos participantes das cybersubculturas? – como leituras, filmes, locais freqüentados, festas, shows, estilo visual das fotos inseridas... Esse "agir de acordo" ou "dever ser" do participante *off-line* com o perfil/avatar construído aponta para a questão das hierarquias e das autenticidades dentro das cenas (detalhadamente analisadas por Caspary e Manzenreiter na cena *noise* japonesa e por Thornton na cena *clubber* inglesa dos anos 90, respectivamente).

Um exemplo de que esse tipo de comportamento está intimamente relacionado aos usos dos dispositivos tecnológicos encontra-se no fato de que muitos usuários desligam o *audioscrobbler* (rastreador) quando vão escutar alguma música/artista que parece "não combinar" com o perfil desejado. Essa informação surgiu em momentos distintos através de comentários na minha *shoutbox* (caixa de recados) feitos por dois informantes de dentro da cena: um alertando-me para o fato de que um artista que eu havia escutado recentemente não tinha nenhuma relação com o resto de meu "perfil musical" e outro comentando que eu deveria utilizar o recurso de desligar o *plug-in*.

A era das recomendações – remediando a crítica musical

No início de nossa exploração etnográfica, eu falava da importância do processo de categorizar gêneros, subgêneros e cenas em palavras-chave ou etiquetas pelos usuários-participantes, para podermos compreendê-los e manter uma espécie de *briefing* mental do estilo procurado.

Recomendações são calculadas usando um algoritmo colaborativo de filtragem para que os usuários possam pesquisar e escutar prévias de uma lista de artistas não listados em seu próprio perfil, mas que aparecem nos de outros perfis com gostos musicais similares. Essa página também lista músicas que foram diretamente recomendadas aos usuários e grupos aos quais eles pertencem, diários escritos por usuários sobre artistas que eles escutam e outros usuários que tenham escutado música similar recentemente. Há também uma estação de "rádio de recomendações" que tocará música especificamente filtrada com base na última semana de escuta do usuário. O Last.fm também permite que os usuários recomendem manualmente artistas específicos, canções ou álbuns para outros usuários na sua lista de amigos ou nos grupos aos quais ele pertence. Prover a recomendação em questão está presente no banco de dados do Last.fm[134].

A possibilidade de recomendação, quando vinda de participantes da cena (ou mesmo de um algoritmo que calcula as recomendações desses membros), adquire um status mais forte que a recomendação de um veículo de mídia massiva ou mesmo um veículo segmentado. Nesse sentido, a proposta de Anderson (2006) de que o marketing e o consumo na cauda longa da internet funcionam na base das recomendações, a partir de quem constrói a credibilidade dentro dos nichos, pôde ser observada a partir do momento que meu perfil no Last.fm foi construído. À medida que os contatos com os informantes aumentam e que minha participação nas discussões e debates em fóruns, *blogs* e listas vai sendo ampliada, é perceptível o aumento de adições de perfis de amigos ao meu, por conta de membros dos

---

[134] Traduzido de: *Recommendations are calculated using a collaborative filtering algorithm so users can browse and hear previews of a list of artists not listed on their own profile but which appear on those of others with similar musical tastes. The page also lists music that has been directly recommended to the user and groups the user belongs to, journals written by users about artists the user listens to, and other users who have listened to similar music recently. There is also a 'recommendation radio' station which will play music specifically filtered based on the user's last week of listening. Last.fm also permits users to manually recommend specific artists, songs or albums to other users on their friends list or groups they belong to, providing the recommendation in question is included in the Last.fm database.* http://en.wikipedia.org/wiki/Last.fm#Features

mesmos grupos (as listas *rejekto*, *sintethique* e a visita a alguns *blogs* musicais, por exemplo). Além disso, as próprias recomendações do site (como descritas no parágrafo acima) corroboram esse fato.

Nesse sentido, observamos que o fortalecimento dos laços e relações *on-line* se dá por uma diversidade de plataformas que vão sendo construídas nos interstícios entre *on-line* e *off-line*, nas afinidades entre os perfis que vão sendo desveladas ao adicionar e ser adicionado em uma comunidade, lista ou em um comunicador instantâneo. Dessa forma, todos os participantes-usuários da cena assumem potencialmente, e num determinado limite de espaço-tempo, o papel de "crítico musical" e daquele que pode fazer as recomendações musicais a partir da subjetividade do gosto pessoal e das afinidades de gêneros musicais, não mais dependendo da mídia especializada para tais observações, mas, sim, optando pela co-produção através de espaços de recomendação e interesses.

Assim, nos processos de *social tagging* apontados nessa exploração netnográfica inicial do site Last.fm, observamos as trocas entre os participantes da cena electro-industrial a partir do intercâmbio de links em formas de *tags* que servem como proposições de categorias para os diferentes gêneros musicais a ela associados (como synthpop/futurepop, EBM/TBM, electro, industrial, electro-industrial, industrial rock etc.).

Essas práticas comunicacionais, ao mesmo tempo que constituem novas formas de sociabilidade, tomam para si, em um espaço e um tempo determinados, o papel de "formadores de opinião" e indicadores de novidades ou clássicos a serem compartilhados, além de disseminar e/ou popularizar termos desconhecidos da audiência "comum". Por outro lado, elas incorporam mediações previamente conhecidas, dentro das noções de autenticidade, legitimidade e hierarquia dentro das cybersubculturas.

Considerações finais

A partir dessas primeiras constatações, observamos que a plataforma social Last.fm proporciona experiências comportamentais interativas cujo elemento central é a co-produção de *tags*. As múltiplas sociabilidades nela contidas (através de seus espaços e ferramentas disponíveis como *widgets*, tabelas, *playlists*, recomendações, caixas de diálogos, entre outros) merecem uma análise detalhada das relações entre suas ferramentas e dispositivos e os processos comunicacionais por eles gerados nas trocas entre os seus usuários.

Também proponho como hipótese de trabalho que essa auto-rotulação (e uso rótulo aqui no sentido classificatório das *tags* como etiquetas/ marcadores que funcionam como identificadores e organizadores das informações) incorpora e remedia (Bolter e Grusin, 1999) os velhos hábitos do jornalismo e da crítica musical agora em um outro contexto: o dos usuários-produtores de conteúdo, participantes da cybercena[135]. Afinal, foram os críticos que popularizaram e/ou criaram a maioria dos termos hoje tão desgastados como punk rock, indie, electro entre outros gêneros e subgêneros musicais. No entanto, é uma hipótese que ainda merece uma maior riqueza de detalhes e aproximação com a questão da crítica musical enquanto gênero *per se*.

Esses marcadores didáticos (como electro, breakbeat, psy-trance, space-disco, por exemplo) funcionam como codificadores sintéticos de um gênero ou subgênero que nos remete a determinadas sonoridades caracteristicamente definidas. Tais sonoridades, contextualizadas culturalmente, trazem consigo códigos, comportamentos, rituais, roupas, gestos, gírias etc., o que acaba sendo importante para a construção e desconstrução de identidades e subjetividades, seja na vida *off-line* ou na vida *on-line*[136].

Apresentamos aqui apenas alguns apontamentos iniciais de uma netnografia em curso, cuja proposta de folksonomia dos gêneros musicais procura dar conta da importância dos processos colaborativos no contexto da *Web* 2.0, a partir de um olhar culturalista, que privilegia não apenas a tecnologia em si, mas os usos e apropriações da mesma em seus significados sociais e coletivos e que influenciam e são influenciados por uma estética do estar-junto na contemporaneidade.

---

[135] Cada espaço de apresentação tecnológica de auto-apresentação e autopromoção das subculturas (sites oficiais e não-oficiais dos artistas, fóruns de discussão, *blogs*, *fotologs*, perfis e comunidades no Orkut e no MySpace etc.).

[136] Para alguns autores como Orgad (2005: 51), a análise empírica passa por dois estágios dentro da *entreé cultural*, a primeira em que o contato com os informantes se estabelece primeiramente no *on-line*, mas depois prescinde de contatos *on-line* e *off-line*.

Referências bibliográficas

AMARAL, Adriana. A estética cibergótica na Internet: música e sociabilidade na comunicação do MySpace. In: *Revista Comunicação, mídia e consumo*, p. 75-87, n°. 09, São Paulo, 2007.

_____. Cybersubculturas e cybercenas. Explorações iniciais das práticas comunicacionais electro-goth na Internet. *Anais do GT Comunicação e Sociabilidade* do XVI Encontro Anual da Compós, 2007.

ANDERSON, Chris. *A cauda longa*. Do mercado de massa para o mercado de nicho. São Paulo: Makron Books/Editora Campus, 2006.

AQUINO, Maria Clara. Hipertexto 2.0, folksonomia e memória coletiva: um estudo das tags na organização da web. *Anais do XI Colóquio Internacional sobre a Escola Latino-Americana de Comunicação*, Celacom, Pelotas, 2007.

BOLTER, Jay; GRUSIN, Richard. *Remediation:* Understanding new media. Cambridge: MIT Press, 1999.

CARDOSO FILHO, Jorge; JANOTTI JÚNIOR, Jeder. A música popular massiva, o mainstream e o underground, trajetórias e caminhos da música na cultura midiática. In: FREIRE FILHO, João; JANOTTI JÚNIOR, Jeder (orgs.). *Comunicação e música popular massiva*. Salvador: EDUFBA, 2006.

CASPARY, Costa; MANZENREITER, Wolfram. From subculture to cybersubculture? The japanese noise alliance and the Internet. In: GOTTLIEB, Nanette e McLELLAND, Mark (eds.). *Japanese cybercultures*, p.60-74. New York: Routledge, 2003.

FORTE, Maximilian. Centring the links: understanding cybernetic patterns of co-production, circulation and consumption. In: HINE, Christine (ed.). *Virtual methods*. New York: Berg, 2005

GEERTZ, Clifford. *O saber local:* novos ensaios em antropologia interpretativa. Rio de Janeiro: Vozes, 2000 [1983].

HINE, Christine (ed.). *Virtual methods*. New York: Berg, 2005.

HINE, Christine. *Virtual ethnography*. London: Sage, 2000.

KOZINETS, Robert. The field behind the screen: using netnography for marketing research in online communities. In: *Journal of* marketing *research*, p.61-72, n°. 39, 2002.

MARLOW, Cameron et al. Position paper, tagging, taxonomy, flickr, article, ToRead. 2006. Disponível em: http://alumni.media.mit.edu/~cameron/cv/pubs/

2006-ht06-*tag*ging-paper.pdf Acesso em 05/08/2007.

ORGADI, Shani. From online to offline and back: moving from online to offline relationships with research informants. In: HINE, Christine (ed.). *Virtual methods*. New York: Berg, 2005.

PALMER, Sally. *Television disrupted: the transition from network to networked TV*. Oxford: Focal Press, 2006.

THORNTON. *Club cultures*. Music, media and subcultural capital. Connecticut: Wesleyan University Press, 1996

Websites:

LAST.FM - http://www.last.fm

LAST.FM – THE BLOG - http://blog.last.fm/

MY SPACE – http://www.myspace.com

ORKUT – http://www.orkut.com

WIKIPEDIA – http://www.wikipedia.org

**Novas tecnologias e
desdobramentos do entretenimento**

Mídia locativa e uso criativo em telefones celulares: notas sobre deslocamento urbano e entretenimento portátil

Fernanda Eugenio*
João Francisco de Lemos**

Neste artigo analisaremos a trajetória de conversão do telefone celular em novo veículo de mídia, acompanhando na bibliografia especializada as perspectivas utópicas e destópicas que se erigiram em torno deste fenômeno. Apontamos os usos criativos dos celulares, lado a lado com sua emergência como provedores portáteis de entretenimento para consumo em contexto de mobilidade. Buscamos, ainda, refletir a respeito da interface entre tecnologias digitais e espaço urbano na produção de "sensibilidades locativas" em torno de dispositivos portáteis para a comunicação.

---

* Doutora e mestre em Antropologia Social pelo Museu Nacional da Universidade Federal do Rio de Janeiro. Atualmente, é pesquisadora associada do Centro de Estudos Sociais Aplicados e professora auxiliar do Departamento de Sociologia e Política da Pontifícia Universidade Católica do Rio de Janeiro. É autora do livro *Corruptelas. O livroblog* (Rio de Janeiro: Multifoco, 2007) e co-organizadora das coletâneas *Comunicação, consumo e espaço urbano: novas sensibilidades nas culturas jovens* (Rio de Janeiro: Mauad X/Ed. PUC-Rio, 2006) e *Culturas jovens: novos mapas do afeto* (Rio de Janeiro: Jorge Zahar Ed., 2006).

** Graduado em Ciências Sociais pela Pontifícia Universidade Católica do Rio de Janeiro e mestre em Saúde Coletiva pelo Instituto de Medicina Social da Universidade Estadual do Rio de Janeiro. Atualmente, é doutorando do Programa de Pós-graduação em Comunicação da Universidade Federal do Rio de Janeiro.

Utopias e destopias: perspectivas nas pesquisas sobre telefones celulares

A difusão dos telefones celulares em meados da década de 1990 suscitou, tal como ocorrera com a expansão da internet comercial, posturas acadêmicas de desconfiança ou de desaprovação. Muitas análises partilhavam de um descontentamento inicial em relação a esses aparatos, vistos como ferramentas que acentuavam potencialmente características negativas do mundo contemporâneo, como a tendência ao isolamento dos sujeitos e à produção de comportamentos e de relações superficiais e vazias. Há uma "tribuna moral" que freqüentemente insere o tema das novas tecnologias no quadro das transformações da sociedade globalizada, capitalista, marcada pela flexibilização, pela fluidez e pela erosão dos laços sociais (Bauman, 1998). As chamadas Novas Tecnologias da Informação e da Comunicação efetivamente instauraram novas sociabilidades e práticas comunicativas e é possível detectar resistências e preconceitos nas análises que primeiro exploraram as modalidades emergentes de interação entre sujeitos e máquinas. Nicolaci-Da-Costa (2006) identifica tais posicionamentos na bibliografia internacional, que se estende tanto às práticas em torno dos telefones celulares quanto aos relacionamentos mediados pela internet. Na avaliação da autora, geralmente tais pesquisas negligenciavam uma perspectiva fundamental para o entendimento destes fenômenos: o ponto de vista dos indivíduos envolvidos em tais práticas. O avanço na produção bibliográfica sobre o tema estimulou reflexões menos moralizantes que, embora minoritárias, contemplavam os protagonistas destas novas experiências, incluindo entrevistas, observações participantes e etnografias que permitiram surpreender a positividade das práticas de comunicação com os celulares (Plant, 2002; Taylor e Harper, 2003).

Apesar de alguns estudos terem ultrapassado a constatação de um "mal-estar" generalizado diante da presença tecnológica e seus efeitos, ainda persistem investigações que sublinham impactos negativos dos usos dos celulares atinentes a uma radiografia pessimista do contexto atual. Ao sugerirem, acertadamente, que os celulares favorecem a emergência de percepções inéditas de temporalidade (algo que muitos estudos concordam), García-Montes et al. (2006) relacionam a inauguração de um "presente extensivo" – critério temporal particular da aceleração tecnológica – com a necessidade dos sujeitos de coordenar seus descontínuos papéis sociais nas dinâmicas cotidianas de comunicação. Nesta visão, a fragmentação de papéis sociais, estimulada pelos aparelhos móveis e pelas novas tecnologias, estaria associada a uma personalidade dita "esquizóide", típica dos processos identitários contemporâneos e do próprio "espírito de época" que a acolhe.

Como contrapartida às paisagens pessimistas desses estudos, é possível apontar as alternativas esboçadas pelas coletividades que utilizaram os aparelhos celulares e a internet para organizar intencionalmente resistências às formas de controle contemporâneas, como é o caso das famosas, mas nem tão freqüentes, *Smart Mobs* (ou *Multidões Inteligentes*, como foram traduzidas no Brasil. Cf. Rheingold, 2002; Valentim, 2005). Estudos sobre *Smart Mobs* de caráter politizado e/ou ideológico articulam, assim, os temas do poder das multidões no cenário atual e dos agenciamentos políticos produzidos a partir das tecnologias em contexto de mobilidade. Tais iniciativas são entendidas aí como brechas ou "linhas de fuga", nas quais as novas tecnologias acionam estratégias contra forças, imaginários e discursos hegemônicos, que podem tomar a forma de reivindicações contra o Estado, da defesa de minorias políticas ou da expressão de causas sociais de repercussão global. Tais fenômenos, em que multidões de indivíduos se organizaram através de comunicação mediada pelos celulares e pela internet, foram marcados pelo acentuado caráter expressivo de suas aparições e por terem revelado um insuspeito potencial político desses aparatos. Este tipo de evento parece equilibrar algumas análises mais críticas sobre o processo de digitalização da cultura, do qual os celulares participam.

May e Hearn (2005) constataram em seu diagnóstico que o desenvolvimento das novas tecnologias durante o século XX foi acompanhado por visões que sedimentaram cenários de utopia e distopia. Perspectivas demasiadamente otimistas ou alarmantes impressões proféticas (e mesmo esotéricas) sobre o futuro também se revezaram nas investigações sobre os telefones celulares, como indica o levantamento. Neste caso, chama atenção a ênfase conferida ao tema da maximização do individualismo contemporâneo, assinalada na contínua personalização dos aparelhos de comunicação móveis e nos comportamentos deflagrados por seu uso em espaços coletivos. Alguns pesquisadores relatam impactos sobre a participação dos sujeitos na esfera pública. A interferência das ligações telefônicas esfacelaria a relação dos indivíduos com os espaços coletivos, permanentemente dividindo o sujeito e reduzindo seu engajamento nestas esferas. Destacam-se, ainda, os tópicos que motivam a acusação dos celulares pela opinião pública e pela imprensa: o *cyber-bullyng*, a economia lingüística provocada pela substituição das conversas pelos recados SMS, a possibilidade de que os alunos colem nas provas, entre outras (May e Hearn, 2005).

Geser (2004), em sua proposta para uma sociologia dos telefones celulares, elenca algumas denúncias usualmente ligadas à presença e ao uso desses aparelhos, mas recorda que estas visões devem ser relativizadas diante de um escopo de tendências que revertem as expectativas pessimistas, apontando para as linhas de escape que se abrem na mesma medida em que se consolidam novas formas de controle. Ele afirma que os celulares seriam capazes de deslocar o peso dos sistemas de dominação classicamente estabilizados para sistemas sociais mais informais. Este tipo de tecnologia individualizada poderia descentralizar a concentração de poder em benefício de grupos menos favorecidos. A introdução dos celulares no mundo do trabalho, por exemplo, foi duramente criticada por expandir as demandas laborais ao tempo de folga, mas também fez com que a privacidade dos trabalhadores alcançasse os escritórios. Do mesmo modo, se os celulares permitiram um aumento considerável do controle dos pais sobre a vida dos filhos, estes conseguiram meios de evasão do controle ampliando significativamente as formas de comunicação que escapam ao olhar parental (Geser, 2004).

May e Hearn (2005) sinalizam a necessidade de que as pesquisas sobre telefones celulares ultrapassem a dicotomia maniqueísta da crítica e da apologia em direção a procedimentos metodológicos mais rigorosos. Sugerem a adoção de uma agenda de pesquisa afinada com a importância da crescente exploração da telefonia celular no acesso à informação, serviços e negócios, bem como as apropriações culturais dos telefones, seus usos e conseqüências sociais. Desponta, neste estudo, uma constatação mais definitiva e profícua sobre os celulares para o campo de pesquisas em comunicação: o entendimento do telefone celular como um novo veículo de mídia móvel. Com a convergência e o borrar das fronteiras entre as indústrias tecnológicas, da informação e do entretenimento na "economia digital", os telefones celulares, hoje, são capazes de efetuar uma série de operações que o elevaram à categoria de dispositivo de mídia móvel (ou locativa)[137] ultrapassando a função inicial da telefonia. Esses aparelhos, também conhecidos como *Smart Phones*, combinam múltiplas especialidades, tornando-se sofisticados computadores pessoais com acesso à internet, com câmeras digitais de fotografia e vídeo. A possibilidade de produzir, reproduzir e exibir conteúdos variados (filmes, notícias, músicas, games, álbuns de imagens) confere aos *Smart Phones* as qualidades que já foram antes encontradas apenas nas telas maiores, como a televisão e o monitor do PC ou outros meios. A miniaturização dos suportes de conteúdo midiático incita novas abordagens. Os telefones celulares, convertidos em sofisticados dispositivos de comunicação, entretenimento e informação móveis, são agora mídias centrais de uma "era da conexão" centrada na possibilidade do acesso *wireless* e na computação ubíqua (Lemos, 2004; 2007).

A emergência do telefone celular como mídia

A ascensão dos telefones celulares que podem "transmitir" conteúdos (e também produzi-los) incentiva debates que estão sendo travados em torno da crescente migração para as telas digitais. Quais serão as características das produções destas mídias? Em que medida tais tecnologias de fato democratizam a produção de conteúdos? Qual o grau de fidelidade e adesão das audiências diante destas novas e personalizadas telas? Como pensar a influência da propaganda e da publicidade nestes novos espaços? Ainda há mais questões abertas do que estudos elucidativos, apesar do interesse localizado no âmbito da comunicação. Indicaremos algumas impressões gerais para problematizar o

---

[137] Acontece em setembro de 2007 na Universidade de Siegen, na Alemanha, o *Locative Media Summer*, promovido pelo centro de pesquisas "Media Uphveals". O encontro interdisciplinar reunirá especialistas e pesquisadores de todo o mundo em torno das inquietações sobre as "mídias locativas". O texto de descrição arrola as questões mais candentes sobre os dispositivos de mídia digital (denominadas locativas) que são aplicadas aos espaços reais. A vasta gama de objetos reunidos sob tal classificação ultrapassa os telefones celulares do tipo *Smart Phone*, tratando de projetos que desenvolvem linguagens e sensores capazes de mapear, rastrear ou gerar informações sobre o espaço e a geografia através de sua mobilidade. Perguntas como se estas mídias locativas representam o paroxismo da sociedade de controle ou se fornecem subsídios para novos arranjos espaciais (e políticos) figuram no quadro de chamadas do evento. Ver: www.co-network.net/2007/04/locative_media_summer_conferen.htm

telefone celular como nova mídia: a) a miniaturização dos suportes e sua personalização; b) a convergência de tecnologias, que amplia os usos e possibilita a produção de conteúdos; e c) a experiência de mobilidade e deslocamento como centrais para a relação dos sujeitos com esses dispositivos e sua fruição.

Se o tamanho das telas, a princípio, já foi visto como um obstáculo para a popularização dos telefones com internet móvel, o próprio avanço tecnológico tem trabalhado para superar estas limitações e atualmente os aparelhos vêm alcançando altos níveis de resolução e apresentam teclados e visores maiores, respondendo às necessidades dos usuários. Uma adaptação de sentidos, no entanto, é previsível se levarmos em consideração a trajetória dos meios de comunicação em uma abordagem que situe as tecnologias em face da dimensão da corporalidade. Dispositivos como a televisão e o cinema introduziram sensibilidades audiovisuais e reflexos engendrados no convívio com os aparelhos e não será diferente com os celulares. Neste caso, a novidade está na relação de proximidade entre veículo e usuário. Portando o celular na palma da mão, telas sensíveis devem garantir a digitação rápida e mostrar imagens e textos selecionados habilmente pelo menu de opções. Com uma mídia de uso pessoal e diário, que pode ser transportada em todos os trajetos funcionando como uma *extensão corporal ativa*, aumentam as oportunidades de acessar conteúdos (filmes, notícias, seriados), mas é preciso aí redimensionar a idéia de "espectador" ou "audiência", categorias cujos contornos se tornam difusos em um regime de deslocamento.

O aspecto da convergência suscita a questão da interatividade e da possibilidade que o usuário/consumidor teria, a princípio, de produzir e intervir com seu próprio aparelho, tornando-se simultaneamente também um produtor de conteúdos. As câmeras digitais acopladas aos celulares fornecem o exemplo mais freqüentemente indicado. Tornaram-se uma verdadeira febre, desencadeando uma pulsão por registros do cotidiano[138]. Captu-

---

[138] A atração pelo registro fílmico do cotidiano feito com as câmeras dos celulares despertou o interesse da programação dos canais de televisão. É o caso de "Retrato Celular", série em oito episódios dirigida por Andrucha Waddington e exibida pelo canal a cabo Multishow. Na série, jovens residentes em algumas capitais brasileiras (Rio de Janeiro, São Paulo, Belo Horizonte e Porto Alegre) são mostrados em momentos cotidianos capturados por suas próprias câmeras, posteriormente editados por Andrucha. O programa evidencia a injunção entre a tecnologia dos telefones celulares e um perfil de identidade jovem urbana, assim como a sedução pelos temas da simultaneidade e do deslocamento.

ram fragmentos da vida diária configurando um dispositivo que atua sobre a relação afetiva da memória: tudo pode ser integrado ao acervo digital biográfico, ao passo que não se deve esquecer que esta mesma lógica do acúmulo e da abundância sem descarte desafia a operação mais característica da montagem de memória, pautada pela seleção e pela edição (Bourdieu, 1986). Aparelhos que também podem filmar (*handycams*) expandem estes inventários, alargam a possibilidade de intervenção criativa dos sujeitos. Proliferaram também os espaços de exibição virtual de imagens e filmes realizados pelo que antes entendíamos por "amadores", vide a popularização de álbuns como *fotolog, Flickr* e sites como *YouTube*. A produção de conteúdos é assim facilitada através dessas tecnologias que se tornaram mais acessíveis e cuja operação requer pouca ou nenhuma técnica mais específica. Operadoras de telefonia vêm estimulando este tipo de produção para oferecê-lo no cardápio disponibilizado aos usuários[139]. O consumo de música em formato mp3 é uma das frentes mais lucrativas do comércio de entretenimento pelo celular, sobretudo entre o público jovem, e acompanha a reorganização dos modelos tradicionais de distribuição de música que afeta as indústrias fonográficas. Além dos *ringtones* "baixados" para personalizar as chamadas, pode-se transportar e reproduzir música em arquivo digital, outro passo em direção à convergência das mídias nos celulares, convertidos em suportes para a audição musical. Isto redefine padrões para a escuta de música e altera o estatuto dos meios de comunicação, que atravessariam um período de hibridização (Sá, 2006).

Reproduzir, escutar e compartilhar música pelo celular possivelmente aponta para *novos alfabetos perceptivos* (Canevacci, 2003) que combinam as indústrias de telefonia, os departamentos de marketing e a inventividade tecnológica, criando inéditas formas de consumo e produção de mídia. Tais usos são flagrantes entre as culturas jovens urbanas, vorazes consumidoras de tecnologias, através das quais expandem suas sociabilidades e múltiplas estilizações (Almeida e Eugenio, 2006; Canevacci, 2005). Algumas destas

---

[139] Algumas operadoras remuneram os usuários que enviarem filmes curtos para a empresa ou oferecem bônus no uso do telefone. Estes filmes curtos são disponibilizados para *download* para outros usuários que pagam para assistir aos vídeos, gerando *hits* localizados de audiência deste novo padrão de entretenimento e consumo num meio portátil.

culturas juvenis participam de circuitos mediados que se comunicam globalmente em muitos aspectos. Wang (2005) analisou a importância da música nas culturas jovens da China enfocando a apropriação que fazem dos celulares, em pesquisa orientada pela agência de publicidade responsável por redesenhar estratégias para a Motorola naquele país. Jovens foram convidados a fotografar instantâneos do cotidiano permitindo ao pesquisador acessar álbuns de narrativas biográficas representativas de uma geração formada por filhos únicos. Wang detectou a busca destes jovens por companhia e amizade – expectativas estendidas aos *gadgets* tecnológicos móveis como os telefones celulares, itens altamente afetados por um "desejo de personalização" neste universo. A investigação confirma uma acentuada incorporação da tecnologia pelos jovens nas metrópoles globais, a despeito das diferenças culturais encontradas nestes universos.

Em nossa incursão pelas cenas eletrônicas do Rio de Janeiro também nos deparamos com a centralidade dos aparatos tecnológicos na construção de sociabilidades que gravitam ao redor das músicas eletrônicas. Clubes noturnos, festas de grande porte afastadas do perímetro urbano e espaços inusitados convertidos em pista de dança formam circuitos informados por micromídias como os sites, comunidades virtuais, *fotologs* e *blogs* na Internet. A freqüentação destes indivíduos acontece por uma intensa troca de fluxos de mensagens pessoais, como fotografia, imagens, filmes e recados de texto enviados pelos aparelhos celulares. A deambulação dos freqüentadores da cena acompanha a composição de um circuito virtual, do qual os integrantes igualmente participam[140] (Eugenio, 2005; Eugenio e

---

[140] Atenta aos circuitos de consumo e lazer centrados no uso intensivo das tecnologias, a Nokia promoveu recentemente novos *Smart Phones* focando grupos freqüentadores das cenas eletrônicas. O projeto Nokia *Mob Jam*, com o slogan "a música nos conecta", desenvolveu uma campanha com cinco *DJs* famosos mixando a partir dos aparelhos. O filme comercial foi depositado no *YouTube*. Pelo site da empresa, interessados puderam se inscrever e receber, por SMS, convites para o lançamento. Foram selecionados blogueiros e *habitués* das cenas eletrônicas para participarem do evento. A experiência foi devidamente propagada nos circuitos eletrônicos, através de comentários "postados" nos sites pessoais, fotografias digitais e espaços de relacionamento virtual. Apesar do caráter mercadológico da ocasião, podemos afirmar que a empresa apenas tomou parte em uma dinâmica midiática já instituída entre o grupo.

Lemos, 2007). Como os jovens chineses metropolitanos observados por Wang (2005), os freqüentadores da cena travam relações espaço-afetivas mediadas pelas tecnologias. Digitalizam sua trajetória pela cidade, comunicam-se pelos celulares, permanecem em constante conexão, fotografando e filmando suas vivências e alocando estes vestígios na internet.

Cresce o cenário de iniciativas para a produção audiovisual a partir dos celulares. Circuitos de exibição de filmes produzidos com câmeras acopladas aos telefones, módulos em festivais de cinema para o gênero "filmes de bolso" (feitos com câmeras de vídeo de celulares), exposições fotográficas, editais de pesquisas de linguagem florescem gradativamente e estimulam o potencial destes aparatos como máquinas criativas[141]. A experimentação midiática e artística com celulares confirma a possível vertente criativa a partir do *uso* destes dispositivos, que participam de um contexto mais amplo de digitalização das experiências que aos poucos preenche a paisagem contemporânea. A mobilidade e o deslocamento são as condições sublinhadas na relação com os celulares, com as tecnologias móveis ou mídias locativas (Lemos, 2007).

---

[141] Na França, o Pocket Films, festival inteiramente dedicado aos filmes realizados com câmeras de celulares, organizado pelo Forum des Images, já está em sua terceira edição. Cento e noventa filmes foram exibidos nos três dias de festival de 2007, que contou com a presença de mais de seis mil espectadores no Centre Georges Pompidou, em Paris. Filmes brasileiros foram selecionados para a mostra. A organizadora do festival, Laurence Herzberg, diz ainda achar difícil definir esta produção, mas identifica uma "espontaneidade" na safra: "Muitas vezes não se gruda mais o olho na lente. É liberado o olhar entre quem filma e que é filmado. Isso se sente". (Terra Magazine, 2 de julho de 2007 em http://terramagazine.terra.com.br/interna/0OI1727626-EI6782,00.html). No Brasil destaca-se o Telemig Celular Arte Mov - Festival Internacional de Arte em Mídias Móveis, que também acolhe e prioriza produções audiovisuais em suportes "locativos", como os filmes feitos com telefones celulares e demais explorações de linguagem. Há uma mostra competitiva para estes modelos alternativos de captação de imagem, que devem considerar sua exibição em celulares, computadores de mão e *handhelds*. Ver: www.artmov.net. O Festival Internacional de Curtas-Metragens de São Paulo incluiu em 2005 a modalidade "MicroMovies" para filmes com até 90 segundos de duração feitos com telefones celulares. A 12ª edição de Festival Brasileiro de Cinema Universitário também integrou o formato, com a mostra competitiva dos "Filmes de Bolso". O prestigiado Festival de Cinema do Rio de Janeiro trouxe uma seleção do Pocket Filmes francês para apresentar a tendência ao público carioca.

Tais experimentações encontram na cidade global de fluxos informativos seu contexto de emergência. É no âmbito da metrópole tecnológica que os usos dos telefones celulares se revelam mais presentes, e é aí que estes surgem como sintomas de um estilo de vida forjado na interface, num regime de afetação do urbano pelo digital, que a tudo parece contaminar.

Sensibilidades locativas na cidade contemporânea

A "superfície-limite" da cidade, como nos diz Virilio, "não parou de sofrer transformações, perceptíveis ou não, das quais a última provavelmente é a *interface*" (1993: 9). Primeiro movimento: da cidade-fortaleza, dada por suas cercas ou muralhas (limites-contorno) à sua reconfiguração em cidade "metropolex", na qual o *aeroporto* passou a encarnar a "última porta do Estado". Contudo, tratava-se aí de um regulador das trocas e das comunicações ainda notadamente "físico". Virilio acentua que a construção de aeroportos internacionais teria sido, nas diversas grandes cidades do mundo, um dos imperativos fortes da década de 1970: o aeroporto como "pórtico-magnético" na defesa da soberania nacional contra "piratas do ar" (op.cit.:7). "Desde então, não se trata mais, como no passado, de isolar pelo encarceramento o contagioso ou o suspeito, trata-se sobretudo de interceptá-lo em seu trajeto" (op.cit.: 8). Um movimento adicional de reconfiguração urbana nos teria conduzido à contemporânea *cidade superexposta*, na qual a incorporação da interface da tela como instância comunicativa teria operado a transfiguração – aqui não nas palavras do autor, mas em palavras afins – dos *limites-contornos* (os da cerca ou ainda os do pórtico magnético) em *limites-tensões*. O atravessamento do urbano pela interface teria colocado em jogo precisamente a noção de dimensão.

Este é um ponto importante no desenhar em volante circuito das cidades contemporâneas: a intensa contaminação pelo regime de funcionamento tecnológico a desestruturar a capacidade "geodésica" da arquitetura urbana, visível não apenas em ambientes ("públicos" ou "privados") marcados pela "co-presença real/virtual" (virtual aí entendido restritamente como tecnológico, e real, por oposição, como "físico", "material", "concreto") de que fala Weissberg (1993), mas no nível mesmo de sua operacionalidade nômade – aquela "que se reterritorializa na própria desterritorialização"

(Deleuze e Guattari, 2002b: 53) –, dada pela *velocidade* mais que pelo *movimento*, na qual "a chegada suplanta a partida: tudo 'chega' sem que seja preciso partir" (Virilio, op.cit.:11; grifos do autor).

Uma abordagem comunicacional desta "cidade ciborgue" (Lemos, 2004), que emerge da relação de contaminação recíproca entre o concreto da urbe e o das redes telemáticas nos permite flagrar espaços móveis de sociabilidade, dados pelas possibilidades da fase atual da computação ubíqua, dos objetos sencientes, dos computadores pervasivos e do acesso sem fio à internet – tanto através das práticas de "Wi-Fi" quanto através de telefones celulares "inteligentes", que vêm se convertendo em "controles remotos do cotidiano", espécies de "teletudo" que permitem que a rede venha até o usuário e não mais o contrário, conformando um ambiente de acesso envolvente (Lemos, idem). A experiência urbana que se oferece ao habitante, aí, corta transversalmente as dicotomias real/virtual, público/privado e centro/periferia, colocando em relação de sinergia instâncias outrora impenetráveis e reorganizando a urbe no elogio da mistura e da hibridização. Com isso, grande parte de nossas representações sobre o espaço urbano se tornam obsoletas, pois os mapas contemporâneos revelam-se instantâneos espaço-temporais: transcendem a estrutura física da cidade e aparecem enquanto fenômeno no emaranhado multidirecional de fluxos comunicativos (convergentes, divergentes, concorrentes, paralelos, simpáticos, conflitivos etc.) que se apresenta, desse modo, como conjunto dinâmico e multiplicador de paisagens concretas.

A cidade sempre foi, desde sua montagem como "espaço de exterioridade" (Caiafa, 2007), uma oportunidade para a experiência quase extática de espalhamento na mistura humana, na contigüidade com a alteridade, na aventura do anonimato, no perder-se em uma sempre-mutante multidão, empilhamento heteróclito de corpos em deslocamento. Como nos diz Antonio Cicero ao tratar das paisagens urbanas como *configurações* marcadas pelo *desenraizamento*, a cidade "não surge, à maneira de uma planta, da terra em que se localiza, mas, sim, *em cruzamentos e de cruzamentos*" (2005: 15).

Interessa-nos recorrer a Cicero no que ele assinala como *cosmopolitismo*, a afetar a poesia – seu tema de reflexão –, mas, se quisermos alargar o que entendemos por poesia, a afetar a poesia também das "identidades", a afetar tudo o que se compõe e se poetiza na voltagem urbana: o *cosmopolitismo* como "o mais alto grau de desenraizamento do mundo" (op.cit.: 16). Assim, para tratar acuradamente da especificidade das cidades desta "era das conexões", é preciso que se note que a temporalidade em que vivemos não criou o desenraizamento. Sua especificidade, no entanto, assenta-se no fato de que tomou posse dele como nenhuma outra, convertendo-o em ideal de conduta, em valor. Uma temporalidade que encontra o que é seu no *agravamento*: ou, como diz Cicero, "na verdade, nosso tempo *consumou*, mas não criou, o desenraizamento" (ibidem).

A telefonia celular de última geração, aliada à internet sem fio, é um dos elementos a concorrer para a montagem desta *consumação*, conduzindo a um redesenhar das relações entre espaços públicos e privados. Por um lado, privatização do espaço público urbano: "Onde estamos quando nos conectamos à Internet em uma praça ou quando falamos no celular em meio à multidão das ruas?", pergunta-se Lemos (*op.cit.*: 21). Por outro lado, publicização do espaço privado – seja ela voluntária e orientada por uma "poética da celebridade" (Calligaris, 1998), como em sites de relacionamentos na Internet, ou involuntária, como a que se processa através dos imateriais rastreamentos de nossas ações "virtuais", a conformar um imenso e infinitamente crescente banco de dados planetário. De todo modo, é no borrar dos contornos explícitos dos tradicionais "espaços de lugar", e em sua cada vez mais generalizada conversão em "espaços de fluxos" (Castells, 1996), que vemos se configurar o agravamento do "desenraizamento cosmopolita", a emergência da mobilidade como nosso valor de época característico e, com ela, de uma "cultura telemática" a conformar novas modalidades de consumo, de entretenimento e de práticas de sociabilidade.

"Mundo cíbrido", no dizer de Giselle Beiguelman (2005), no qual as experiências *on e off-line* se processam em simultaneidade e participam da montagem de um mesmo plano fenomenológico. Uma tal "entrada em máquina" (Guattari, 1993) das subjetividades contemporâneas se coloca a serviço do reforço e do elogio da coletividade e da *togetherness*, da manutenção permanente do canal comunicativo, através de sua ininterrupta alimentação com *inputs* de todos os tipos, na deliberada intenção de reforçar a acessibilidade do sujeito para seus pares e de ampliar sistematicamente sua "área de cobertura". Este movimento é particularmente visível nas culturas jovens urbanas, entre as quais temos realizado nossas pesquisas. No uso jovem das ferramentas tecnológicas para a sociabilidade, esmaecem-se as descontinuidades entre *on e off-line*, em favor de agenciamentos híbridos, "um misto em que as duas entidades são simultaneamente requisitadas" (Weissberg, *op.cit.*: 120), desenham os contornos de uma *sensibilidade locativa*. Assim, por exemplo, os amigos reunidos em uma mesa de bar podem, através dos recursos de um telefone celular, interagir com os presentes e com os "telepresentes", podem trocar e-mails, fotos e recados, abrindo a possibilidade para que aqueles que "não estão lá" possam "fazer-se estar". Com o auxílio de um *mp3 player* portátil, nesta mesma mesa de bar os amigos podem ouvir as músicas recém "baixadas" da internet, e a *ambiência* daí resultante não será nem apenas real, nem apenas virtual. A máquina fotográfica digital permitirá, de modo similar, registrar e rever em ato a fruição, e logo em seguida as fotos podem ser carregadas em um site como o Fotolog, viabilizando a manutenção da troca e da interação através dos comentários deixados pelos amigos.

Agenciamentos "reais" e "virtuais", pois, organizam-se em esquemas de retroalimentação, incorporam-se uns aos outros, interpenetram-se, de modo que faz pouco sentido tentar separá-los em intercursos de naturezas distintas, quando o que se verifica é que eles *se acumulam para significar* (Almeida e Eugenio, 2006). O composto real/virtual, assim em contigüidade, "insiste em sua agregação": a tela converte-se em "órgão de visão", e sua película divisória de mundos, por assim dizer, torna-se cada vez mais imperceptível à medida que os recursos "dentro da tela" e os "fora da tela" misturam-se em uso e em ato. Funda-se assim um outro regime de transporte das mensagens de comunicação: um regime de equivalência entre continente e conteúdo, um regime de *superfícies de contato, em contato*. E em crescente ampliação. O regime das imagens que *presentam sem representar*, "fenômeno que substitui a lógica da emissão/recepção pela da divisão corporal de um mesmo sujeito em diversos lugares simultaneamente" (Weissberg, *op.cit.*: 126). Aí encontramos o *divíduo* característico das sociedades de controle (Deleuze, 1992), o indivíduo desdobrado e espalhado, capaz de (mas também quase compulsorizado a) alimentar simultaneamente múltiplas e eventualmente divergentes frentes de contato com o mundo, o indivíduo em *formação permanente* – que, mais do que chegar ao termo de possuir um saber ou um conhecimento, *sabe saber* ou *aprendeu a aprender* (Bateson, 1985).

MÍDIA LOCATIVA E USO CRIATIVO EM TELEFONES CELULARES: NOTAS SOBRE DESLOCAMENTO URBANO E ENTRETENIMENTO PORTÁTIL

Diante dos tantos festejos, talvez apressados, a uma suposta produção do coletivo e da alteridade que uma "era da conexão" traria, Janice Caiafa (2007: 20), menos ruidosa, lembra-nos de que não há nenhuma virtude liberadora *a priori* nos recentes processos de comunicação: estes "não são receptáculos neutros, mas surgem como figuras de mutações do capitalismo". Trata-se de um modelo por princípio comercial, o da comunicação em rede, cujo aspecto descentralizado e múltiplo está a serviço da axiomática capitalista, cada vez mais fragmentada e desterritorializada. A interatividade, que em geral é chamada a sustentar os diagnósticos por demais otimistas, seria para Caiafa (*op.cit.*: 24) uma "forma fantasmática de acesso", que não chegaria a compensar a "baixa" que as novas técnicas fazem incidir sobre as cidades, agravando a privatização e o despovoamento. Há de se lembrar, ainda, que se há ocasião aí para que uma multiplicidade de vozes se revele, as assimetrias entre essas tantas vozes são dadas de início; elas têm, portanto, poder de jogo diferenciado.

Há, ainda assim, "potencialidades criadoras" na molecularidade dos novos processos comunicativos; explorá-las seria possível apenas através de um uso transformador, capaz de redirecionar as novas técnicas, de fazê-las funcionar "em outros arranjos, contrariando esse papel nas configurações de dominação política e econômica" (*op.cit.*: 20). Conquanto o acontecimento dessas potencialidades através do uso das novas e recentes ferramentas para comunicação seja possível, não é um dado característico delas; antes, um uso radical.

Com efeito, as "paisagens eletrônicas" (Furtado, 2002) em que se têm convertido as cidades contemporâneas, através do espraiamento da tela e da câmera de vigilância, aliadas à presença cotidiana das novas tecnologias móveis (laptops, palms, celulares), ao mesmo tempo que abrem novas frentes para a "invenção de percepções" de que nos fala Guattari (1986) e acenam com a potência da desterritorialização e da mobilidade, também se reterritorializam como dispositivos de controle e captura.

Por um lado, os instrumentos tecnológicos tendem amplamente a funcionar como *rastreadores*, produzindo um lastro infinitesimal das pegadas de cada um pelo "mundo cíbrido". De algum modo, assim, a potência do "anonimato" característica da vida metropolitana desde a emergência da cidade moderna (Simmel, 1978) revela-se ameaçada, por mais a possibilidade de trafegar sem o suporte do corpo físico pelas redes virtuais pareça indicar apenas o contrário. Por outro lado, embora ampliem as oportunidades comunicativas, por si sós as ferramentas tecnológicas de última geração não garantem que estas ocorram, antes operando como suportes para o tráfego de uma "informação" convertida em bem de consumo. Assim, no uso dos telefones celulares como "teletudo", há de se notar, em primeira instância, sua conversão em *prótese* e em prolongamento do raio de ação do habitante/navegador, bem como seu papel como "instrumento de informação". Mas, como bem nota Lemos (idem: 29), "a era da conexão não é necessariamente uma era da comunicação", pois "o controle sobre o cotidiano, tendo o celular como controle remoto da vida, não garante uma sociedade de comunicação aberta, melhor ou em direção ao entendimento".

É interessante, assim, observar que a emergência do celular como suporte locativo de mídia, alçando-o à galeria das *facilities* urbanas, tende a colocá-lo antes e principalmente a serviço da penetração de um capitalismo em versão cada vez mais capilarizada:

> O celular passa a ser um 'teletudo', um equipamento que é ao mesmo tempo telefone, máquina fotográfica, televisão, cinema, receptor de informações jornalísticas, difusor de e-mails e SMS, WAP, atualizador de sites (moblogs), localizador por GPS, tocador de música (mp3 e outros formatos), carteira eletrônica (Lemos, *op.cit.*: 24).

Mas aí mesmo nesta molecularização é que também se manifestam as possibilidades de linhas de fuga e uso criativo, das quais se podem citar o exemplo tanto dos usos artísticos (dos "filmes de bolso", passando pela videodança e chegando à "arte para congestionamentos" de Beiguelman 2005) quanto da arregimentação via celular das multidões que se reúnem e se dispersam velozmente nas grandes cidades do mundo em *flashmobs* e *smartmobs*, mobilizações de forte cunho hedonista que se apresentam, simultaneamente, como "novas formas micropolíticas de ação".

Para finalizar, gostaríamos de salientar que, ao que nos parece, cruzar essas duas matrizes reflexivas – o estudo da geografia urbana e o da ambiência digital – é, também, acessar fenomenicamente a cidade contemporânea do ponto de vista do "navegador" (o habitante, que é também o *usuário-produtor*). Este é simultaneamente o pedestre e seus ritmos (que vão da pressa à deambulação), aquele que trafega em automóveis e experimenta pela janela uma *cidade videoclip* (fragmentos de quadros embalados pela trilha sonora do rádio, como nos diz Canclini, 1995), o internauta que "viaja sem sair do lugar" (montando assim, a cada circuito contingente de cliques no teclado do computador ou do celular, uma nova cidade) etc. A cidade que aparece na adoção desta perspectiva já não é nem exclusivamente aquela dos movimentos de monumentalidade e confinamento, nem aquela dos movimentos devorantes das expressões singulares – "caricaturas" que se revelam, assim, não visões equivocadas, mas parciais. Pois a cidade contemporânea, embora esquadrinhada e sobrecodificada, comporta igualmente, também e sempre, linhas de fuga. A cidade que aparece, portanto, é a *cidade relacional* daquele que transita pelas redes comunicativas da malha urbana – malha esta que já não é, do ponto de vista das vivências, ou física ou imaterial, mas ambas, em entrelaçamento complexo, contingente e sempre renovado.

Referências bibliográficas

ALMEIDA, Maria Isabel de; EUGENIO, Fernanda. O espaço real e o acúmulo que significa: uma nova gramática para se pensar o uso jovem da Internet no Brasil. In: NICOLACI-DA-COSTA, Ana Maria (org). *Cabeças digitais*: o cotidiano na era da informação. Rio de Janeiro: Editora PUC-Rio/Edições Loyola, 2006.

BAUMAN, Zygmunt. *O mal-estar da pós-modernidade*. Rio de Janeiro: Jorge Zahar, 1998.

NICOLACI-DA-COSTA, Ana Maria. Jovens e celulares: a cultura do atalho e da sociabilidade instantânea. In: ROCHA, Everardo; ALMEIDA, Maria Isabel Mendes de; EUGENIO, Fernanda (orgs) *Comunicação, consumo e espaço urbano:* novas sensibilidades nas culturas jovens, p.53-70. Rio de Janeiro: Mauad-PUC, 2006.

BATESON, Gregory. The logical categories of learning and communication. In: *Steps to an ecology of mind*, p.279-308. New York: Ballantine Books, 1985.

BEIGUELMAN, Giselle. *Link-se*. Arte/mídia/política/cibercultura. São Paulo: Peirópolis, 2005.

_____. *O livro depois do livro*. São Paulo: Peirópolis, 2003.

BOURDIEU, Pierre. L'ilusion biographique. In: *Actes de la recherche en sciences sociales*, nº 62/63, p. 69-72, jun. 1986.

CAIAFA, Janice. *Aventura das cidades.* Ensaios e etnografias. Rio de Janeiro: FGV, 2007.

CALLIGARIS, Contardo. Verdades autobiográficas e diários íntimos. In: *Estudos históricos*, vol. 11, nº 21, p.19-34. Rio de Janeiro: FGV, 1998.

CANCLINI, Nestor Garcia. *Consumidores e cidadãos.* Conflitos multiculturais da globalização. Rio de Janeiro: Editora UFRJ, 1996.

CANEVACCI, Massimo. *Antropologia da comunicação visual.* Rio de Janeiro: DP&A, 2001.

_____. *Culturas extremas.* Mutações juvenis nos corpos das metrópoles. Rio de Janeiro: DP&A Editora, 2005.

CASTELLS, Manuel. *A era da informação:* economia, sociedade e cultura. São Paulo: Paz e Terra, 1996.

CÍCERO, Antonio. Poesia e paisagem urbana. In: *Finalidades sem fim.* Rio de Janeiro: Companhia das Letras, 2005.

DELEUZE, Gilles. Post-scriptum sobre as sociedades de controle. In: *Conversações 1972-1990*, p.219-226. São Paulo: Ed. 34, 1992.

EUGENIO, Fernanda. Corpos voláteis: estética, amor e amizade no universo gay. In: ALMEIDA, Maria Isabel Mendes de; EUGENIO, Fernanda (orgs). *Culturas jovens.* Novos mapas do afeto, p.158-176. Rio de Janeiro: Jorge Zahar, 2006.

EUGENIO, Fernanda e LEMOS, João Francisco de. Tecno-territórios: ocupação e etnografia das cenas eletrônicas cariocas. Paper apresentado no GT Comunicação e Sociabilidade. XVI Encontro Anual da Associação Nacional dos Programas de Pós Graduação em Comunicação - COMPÓS: Curitiba/PR, 2007.

FURTADO, Beatriz. *Imagens eletrônicas e paisagem urbana:* intervenções espaço temporais no mundo da vida cotidiana: comunicação e cidade. Rio de Janeiro: Relume-Dumará; Fortaleza: Secretaria da Cultura e Desporto, 2002.

GARCÍA-MONTES, José M. *et al.* Changes in the self resulting from the use of mobile phones. In: *Media culture & society*, vol. 28, p.67-82. Sage Publications, 2006.

GESER, Hans. Towards a sociological theory of the mobile phone. Disponível em: http://socio.ch/mobile/t_geser1.htm

GUATTARI, Felix; ROLNIK, Suely. *Micropolítica.* Cartografias do desejo. Petrópolis: Editora Vozes, 1986.

GUATTARI, Félix. Da produção de subjetividade. In: PARENTE, André (org).

Imagem-máquina. A era das tecnologias do virtual, p.177-191. São Paulo: Ed 34, 1993.

HARVEY, May; HEARN, Greg. The mobile phone as media. In: *International journal of cultural studies*, vol. 8, p. 195-211. Sage Publications, 2005.

LEMOS, André. Cibercultura e mobilidade: a era da conexão. In: LEÃO, Lucia (org). *Derivas:* cartografias do ciberespaço, p.17-43. São Paulo: AnnaBlume/Senac, 2004.

_____. Mídias locativas e territórios informacionais. Paper apresentado no XVI Encontro Anual da Associação Nacional dos Programas de Pós Graduação em Comunicação – GT Comunicação e Cibercultura. Compós: Curitiba/PR, 2007.

PLANT, Sadie. On the mobile. The effects of mobile telephones on social and individual life. 2002. Disponível em: http://www.motorola.com/mot/documents/0,1028,333,00.pdf

RHEINGOLD, Howard. *Smart mobs: the next social revolution*. New York: Perseus, 2002.

SÁ, Simone M. P. Andrade. Mediações musicais através dos telefones celulares. In: FREIRE FILHO, João; JANOTTI JUNIOR, Jeder (orgs.). *Comunicação e música popular massiva*, v. 1, p. 111-130. Salvador-Bahia: Editora da UFBA, 2006.

SIMMEL, Georg. A metrópole e a vida mental. In: VELHO, Otavio G. (org) *O fenômeno urbano*, p.11-25. Rio de Janeiro: Ed. Guanabara,1978.

TAYLOR, Alex S e HARPER, Richard. Age-old practices in the new world: a study of gift-giving between teenage mobile phone users. In: *GHI 2002 - Conference of human factors in computing systems*, p.439-446. Minneapolis, Minessota, 2002.

VALENTIM, Júlio. A mobilidade das multidões. Comunicação sem-fio, smart mobs e resistência nas cibercidades. Paper apresentado no GT Comunicação e Cibercultura. XIV Encontro Anual da Associação Nacional dos Programas de Pós Graduação em Comunicação - Compós: Niterói/RJ. 2005.

VIRILIO, Paul. *O espaço crítico e as perspectivas do tempo real*. São Paulo: Ed. 34, 1993.

WANG, Jing. Youth culture, music, and cell phone branding in China. In: *Global media communication*, vol.1, p. 185-201. Sage Publications, 2005.

WEISSBERG, Jean-Louis. Real e virtual. In: PARENTE, Andre (org.). *Imagem-máquina*. A era das tecnologias do virtual, p. 117-126. São Paulo: Ed. 34, 1993.

Código e luta por autonomia na comunicação em rede

*Henrique Antoun**
*Ana Carla de Lemos***
*André Pecini****

> O problema, claro, é que há muitas pessoas inteligentes no mundo, algumas com um monte de tempo nas mãos [...].[142]
>
> Steve Jobs
> (proprietário da Apple, sobre a quebra dos códigos de proteção DRM)

---

* Doutor em Comunicação pela Universidade Federal do Rio de Janeiro, tendo realizado estágio pós-doutoral em Comunicação pela Universidade de Toronto. Atualmente, é professor do Programa de Pós-graduação em Comunicação da UFRJ e pesquisador do CiberIdea (Núcleo de Pesquisa em Tecnologia, Cultura e Subjetividade) da ECO/UFRJ.

** Mestranda do curso de Pós-graduação da Escola de Comunicação da Universidade Federal do Rio de Janeiro e bacharel em Comunicação pela Universidade Federal de Pernambuco.

*** Mestrando do curso de Pós-graduação da Escola de Comunicação da Universidade Federal do Rio de Janeiro e bacharel em Publicidade e Propaganda pela mesma universidade.

[142] Tradução nossa. No original: *The problem, of course, is that there are many smart people in the world, some with a lot of time on their hands [...]* (Jobs, 2007).

Sinais de mudança

Um dos sintomas de que a distribuição de produtos culturais ou imateriais e as leis que a regulam estão de fato mudando pôde ser notado em um evento chamado *Musical Myopia, Digital Dystopia: New Media and Copyright Reform*, que ocorreu na Universidade McGill, Canadá, em março de 2007.[143] Um dos palestrantes, Bruce Lehman, reconheceu que as tentativas de controle pelo *copyright* não foram bem-sucedidas e completou o diagnóstico dizendo que estaríamos vivendo uma era pós-*copyright* na música (Geist, 2007). A fala de Lehman foi classificada por outro palestrante do dia, Michael Geist, como "surpreendente", e a surpresa se justifica. Ex-secretário assistente de comércio e comissário de patentes e marcas registradas dos EUA durante o governo Clinton (1993-1998), além de fundador e CEO do IIPI (*International Intellectual Property Institute*), Lehman foi um dos idealizadores do DMCA (*Digital Millennium Copyright Act*)[144], grupo de emendas que amarra como nunca a distribuição, edição e o uso de bens imateriais. O DMCA criminalizou a produção de tecnologias que permitissem superar quaisquer restrições de cópia de arquivos protegidos com *Digital Rights Management* (DRM). Lehman parece endossar, agora, uma luta que toma proporções cada vez maiores contra as atuais leis de *copyright*.

DRM é a sigla que se refere às tecnologias de controle do acesso, cópia e edição de bens digitais.[145] À primeira vista, trata-se de técnicas para proteger os direitos de quem produz conteúdo digital (ou imaterial), como o CSS dos DVDs e o *Protected Media Path* do recém-lançado sistema operacional Windows Vista. Mas têm sido usadas, entretanto, de forma

---

[143] Um vídeo do evento pode ser conferido em http://www.archive.org/details/bongboing.mcgill. Acessado em agosto de 2007.

[144] Sobre o DMCA, ver o verbete "Digital Millenium Copyright Act" da *Wikipedia*, disponível em http://en.wikipedia.org/wiki/Digital_Millenium_Copyright_Act. Acessado em agosto de 2007. Um sumário do documento pode ser obtido no sítio do governo dos EUA, disponível em http://www.copyright.gov/legislation/dmca.pdf. Acessado em agosto de 2007.

[145] Para definição mais detalhada ver o verbete "Digital rights management" da *Wikipedia*, disponível em http://en.wikipedia.org/wiki/Digital_rights_management. Acessado em agosto de 2007.

abusiva em diversos casos, como o famoso *rootkit* da Sony/BMG, código malicioso que era instalado sem aviso na inserção de CDs de áudio nos computadores dos consumidores, ou mesmo o software usado pela EMI nos CDs "Universo particular" e "Infinito ao meu redor", de Marisa Monte, impedindo que as músicas tocassem em *iPods* e deixando conteúdo no computador dos consumidores mesmo depois de desinstalado (Assis, 2006).

Um caso interessante foi mostrado em matéria da *Electronic Frontier Foundation*. A iTunes Music Store (ITMS), loja *on-line* de venda de músicas da Apple, teria sido criada para impulsionar as vendas do *iPod* mais do que com a finalidade de ganhar dinheiro com músicas, como afirmava o vice-presidente sênior Phil Schiller à CNET News em 2003.[146] Entretanto, a tecnologia *FairPlay* da Apple estaria servindo prioritariamente para impedir que outros MP3-*players* pudessem tocar as músicas vendidas pela iTunes (Lohmann 2004). Um indício é a fragilidade da segurança dos arquivos que, segundo Lohmann, pode ser quebrada simplesmente com a sua gravação em um CD e *ripando*[147] a música novamente. Comparou-se, inclusive, a Apple com a Lexmark, fabricante de impressoras que entrou na Justiça americana em 2003 contra uma empresa que fabricava *chips* para cartuchos que serviriam em suas impressoras, alegando a violação do DMCA.[148]

As tecnologias de DRM têm como principal empecilho presumir a culpa do usuário do arquivo. Usando o ditado "paga o justo pelo pecador" como palavras de ordem, os sistemas de proteção de cópia acabam afastando consumidores e usuários (até o limite em que podemos usar esses termos para designar os leitores, ouvintes ou espectadores de bens culturais digitais). No estado em que estão as limitações, mesmo as pessoas que compram os bens legalmente sofrem diversas restrições, numa relação em que não se é real-

---

[146] Cf. Ina Fried, "Will iTunes make Apple shine?" CNET News, 16 de Outubro de 2003, disponível em http://news.com.com/2100-1041-5092559.html. Acessado em agosto de 2007.

[147] *Ripar* é extrair o conteúdo digital de uma mídia e copiá-lo para outra mídia.

[148] Cf. Declan McCullagh, "Lexmark invokes DMCA in toner suits," *CNET News*, 8 de Janeiro de 2003, disponível em http://news.com.com/2100-1023-979791.html. Acessado em agosto de 2007.

mente dono do bem pelo qual se paga. Desta forma, os serviços que usam tecnologias de DRM criam forte rejeição entre os consumidores.

Constata-se, por exemplo, a baixa popularidade de serviços gratuitos (ou quase) de assinatura de música digital, como o Napster, em universidades americanas. Matéria do *The Wall Street Journal* mostra que a oferta desses serviços, mesmo gratuitamente ou a preços baixos, não surtiu o efeito esperado entre os estudantes no combate à cópia ilegal.[149] Parte do problema dever-se-ia ao fato de as músicas não poderem ser tocadas em computadores Apple, nem em *iPods* (usados por 19% e 42% dos estudantes, respectivamente). No entanto, alunos entrevistados demonstram que as pessoas querem possuir as músicas que ouvem, não alugá-las. Mesmo com as ameaças de processos pela RIAA por terem suas redes usadas para a cópia ilegal de músicas, as universidades de Cornell e Purdue pararam de oferecer o serviço de cópia legal por causa da baixa demanda (Timiraos, 2006).

Sinal de que as tecnologias DRM não têm tido grande sucesso, seja para controlar a distribuição de arquivos digitais, seja para "manter honestas as pessoas honestas", como apregoam seus defensores.[150] Sobre manter as pessoas honestas, é interessante notar que a resposta da *Motion Picture Association of America* (MPAA)[151] à questão "por que usar DRM se os arquivos acabam nas redes ilegais?" é oferecer ao usuário garantias de que ele está consumindo conteúdo legal, alegando que sem o DRM, não haveria como se guiar, e assim o consumidor honesto poderia eventualmente se

---

[149] Cf. Nick Timiraos, "Free, Legal and Ignored," *The Wall Street Journal Online*, 06 de Junho de 2006, disponível em http://online.wsj.com/public/article/SB115214899486099107vuoIhGUthiYcFwsQK0Dj-egSRPwQ_20070706.html?mod=blogs. Acessado em agosto de 2007.

[150] Cf. Ken Fisher, "MPAA: DRM 'helps honest users,'" *Ars Technica*, 10 de Fevereiro de 2006, disponível em http://arstechnica.com/news.ars/post/20060210-6153.html. Acessado em agosto de 2007.

[151] A MPAA é uma associação que defende os interesses comuns dos grandes estúdios de cinema: Sony Pictures, Buena Vista (The Walt Disney Company), Paramount Pictures, 20th Century Fox, Universal Studios e Warner Bros. A entidade funciona como um cartel das empresas de cinema, de maneira muito semelhante à RIAA (Recording Industry Association of America).

tornar um pirata.[152] Completa dizendo que o DRM não tem como principal objetivo manter os arquivos fora das redes P2P ilegais, e sim garantir um mercado "ordenado" para facilitar as transações entre consumidores e produtores. O que, convenhamos, ganha tons de hipocrisia quando relembramos os diversos processos movidos pela RIAA e pela própria MPAA contra pessoas que teriam conteúdo ilegal em seus computadores, além das diversas reclamações de consumidores sobre as restrições que sofrem para usufruir dos bens pelos quais pagam.

Em carta aberta, datada de 6 de fevereiro de 2007,[153] Steve Jobs, co-fundador e CEO da Apple, anuncia publicamente sua mudança de posição em relação ao DRM. Uma atitude de certa forma coerente com o que a Apple anunciava nos idos de 2003 sobre a iTunes e a preocupação menor com o lucro sobre as músicas vendidas e mais com os *players*. Na carta, Jobs diz que a Apple só vende músicas com DRM por pressão das "quatro grandes" do mercado musical (Universal, Sony BMG, Warner e EMI), que menos de 3% das músicas ouvidas em seus *iPods* são compradas nas lojas iTunes (percentual calculado sobre a venda de 2 bilhões de faixas vendidas pela *iTunes* contra 90 milhões de *iPods* vendidos pela Apple) e que abraçaria a iniciativa de vender músicas sem o DRM pelo bem da interoperabilidade de lojas *on-line* e *players* de música digital. Termina a carta sugerindo que "aqueles descontentes com a situação atual deveriam redirecionar suas energias para persuadir as companhias de música a vender suas músicas livres do DRM."[154]

---

[152] A tradução é nossa. No original: *[...] Content owners use DRMs because it provides casual, honest users with guidelines for using and consuming content based on the usage rights that were acquired. Without the use of DRMs, honest consumers would have no guidelines and might eventually come to totally disregard copyright and therefore become a pirate, resulting in great harm to content creators. [...].* Cf. Dave Morris, "What's the point of DRM?" In: "Digital film: Industry answer," *BBC News*, 9 de Fevereiro de 2006, disponível em http://news.bbc.co.uk/1/hi/entertainment/4691232.stm#7. Acessado em agosto de 2007.

[153] Cf. Steve Jobs, "Thoughts on Music", *Apple Hot News*, 6 de Fevereiro de 2007, disponível em http://www.apple.com/hotnews/thoughtsonmusic. Acessado em agosto de 2007.

[154] A tradução é nossa. No original: [...] *those unhappy with the current situation should redirect their energies towards persuading the music companies to sell their music DRM-free* (Jobs, 2007).

As "propostas" de Jobs foram prontamente respondidas pela Macrovision, uma das pioneiras na implantação de tecnologias de DRM, também em carta aberta, de Fred Amoroso, CEO da empresa. Amoroso começa sua carta com certa ironia, agradecendo a Jobs por oferecer uma perspectiva tão provocante sobre o DRM e colocar o foco em algo que considera, obviamente, muito importante.[155] Destaca, depois, em quatro pontos um tanto curiosos, a perspectiva da empresa sobre o DRM. No primeiro, diz que Jobs fala apenas de música, mas o DRM se aplica a muito mais coisas do que música, pois o DRM seria um capacitador (*enabler*). Em segundo lugar, o DRM aumentaria o valor de consumo, ao invés de diminuí-lo. Neste ponto, cita as diversas situações em que uma pessoa paga menos pelo conteúdo apenas para usá-lo uma vez, argumentando que se o DRM for banido, as pessoas só teriam um modo de consumir música, aumentando esses custos para muitos consumidores. O terceiro ponto, que chega a soar *nonsense*, defende que o DRM aumenta o poder de distribuição de conteúdo digital, pois os proprietários desse conteúdo provavelmente não entrariam nesse "mundo digital emergente", ou não permaneceriam, caso já tivessem entrado nele, se não houver algum tipo de tecnologia de controle.[156] Fica aí uma questão: Amoroso é capaz de imaginar algum futuro em que haja a possibilidade de as indústrias da música ou do cinema "não entrarem" ou "não permanecerem" neste "mundo emergente digital"? O último ponto é uma resposta bastante direta: argumenta que as tecnologias DRM podem ser licenciadas e usadas por diversas lojas e *players*, aí sim, do modo que Amoroso gostaria, permitindo a "verdadeira" liberdade para

---

[155] Cf. Fred Amoroso, "Macrovision's response to Steve Jobs open letter", *Macrovision News*, 15 de Fevereiro de 2007, disponível em http://www.macrovision.com/company/news/drm/respon-se_letter.shtml. Acessado em agosto de 2007. Os argumentos da carta da Macrovision são ridicularizados em artigo do sítio Engadget. Cf. Ryan Block, "Macrovision, the original DRM company, replies in open letter to Jobs", *Engadget*, 16 de Fevereiro de 2007, disponível em http://www.engad-get.com/2007/02/16/macrovision-the-original-drm-company-replies-in-open-letter-to/. Acessado em agosto de 2007.

[156] *Quite simply, if the owners of high-value video entertainment are asked to enter, or stay in a digital world that is free of DRM, without protection for their content, then there will be no reason for them to enter, or to stay if they've already entered* (Amoroso, 2007).

experimentar e transportar o conteúdo digital da forma que os consumidores decidirem. Encerra a carta oferecendo à Apple toda a ajuda necessária para transformar a *FairPlay* em uma tecnologia "interoperável", assim como assumindo a responsabilidade por sua manutenção; reafirma, por fim, sua posição de que não se pode minimizar o papel que as tecnologias DRM desempenham na distribuição de conteúdo digital, sem as quais a chegada de conteúdo "Premium" aos consumidores apenas será atrasada. No fim das contas, nada diferente do que se poderia esperar da indústria do DRM.

A história recente mostra que a adoção de padrões por diversas empresas, como sugere Amoroso, torna o consórcio mais forte do que eventuais concorrentes solitários, como no exemplo do padrão VHS da JVC contra o Betamax, da Sony. A JVC licenciou a fabricação de fitas VHS (para empresas que poderiam inclusive ser vistas como competidoras), abrindo suas especificações e ao mesmo tempo criando uma cadeia de produção de suprimentos que se baratearam e desenvolveram mais rapidamente. Como resultado, o padrão Betamax, que proporcionaria melhor qualidade de imagem, foi deixado em segundo plano pelo mercado (Galloway, 2004: 124-126). Entretanto, quando se trata de protocolos para bens digitais, há de se considerar um dos pontos lembrados por Jobs em suas reflexões. Diferentemente dos padrões técnicos para a produção de fitas VHS, as minúcias técnicas para implantação de tecnologias de DRM como a *FairPlay*, uma vez "vazadas", demandam tempo e organização para serem refeitas, a fim de se restabelecer o controle sobre a distribuição do conteúdo protegido por ela, na medida em que o bloqueio digital é uma artificialização da escassez de bens. Sendo estes bens conjuntos de informações, que inicialmente não oferecem nenhuma resistência arquitetural à sua reprodução. Segundo Lessig (2006: 122-125), o código (ou a arquitetura) é um dos quatro vetores de regulação do ciberespaço (junto com as leis, as normas sociais e o mercado). Portanto, funcionando como cadeados digitais, as alterações na estrutura dos arquivos visam imputar-lhes características que inibam algumas condutas, como a cópia e a distribuição do conteúdo dos HD-DVD ou as músicas vendidas pela ITMS. Ainda de acordo com Lessig, cada vetor seria usado para cobrir falhas ou ineficácias de outros.

Sinais de mudança II

Quase dez anos se passaram desde que Jon Johansen (ou, como ficou mais conhecido, DVD Jon) criou, em 1999, o programa DeCSS, que permitia a quebra da proteção anticópias em DVDs. Desde então, associações como a *Motion Picture Association of America* (MPAA) vêm se apoiando na famigerada DMCA para impedir (ou retardar) o inevitável. Os esforços e os gastos não têm sido poucos. Gigantes que integram a MPAA e empresas de tecnologia e comunicação do porte de Microsoft, Toshiba, Intel, IBM, entre outras, dedicaram-se, por exemplo, a sustentar um consórcio para a criação do padrão de criptografia AACS (*Advanced Access Content System*), que funciona como proteção anticópia dos filmes e jogos distribuídos em discos óticos de alta definição, do tipo HD-DVD (*High-Definition DVD*) e BD (*Blu-Ray*).

No final de 2006, aconteceu episódio semelhante. Um *hacker* conhecido como Muslix64 publicou o código de proteção de um HD-DVD, encerrando o rápido período em que esta tecnologia se manteve imune às tentativas de abertura. Segundo conta no fórum Doom9, o que deixou Muslix64 "louco" foi não ter conseguido assistir ao filme que tinha comprado legalmente em seu monitor de alta definição, usando um HD-DVD *player* Xbox 360, da Microsoft. Então começou o trabalho de quebra da criptografia que bloqueava o filme. Depois disso, compilou uma aplicação em Java com essa função e colocou no fórum.

Cerca de dois meses depois, no fim de fevereiro de 2007, outro participante do fórum Doom9,[157] de apelido "arnezami", publicou um pequeno tutorial sobre como encontrar o "volume ID" dos HD-DVDs, número necessário para a quebra da proteção de qualquer disco. Com isso, foi criada a oportunidade de montar um *keygen* (contração de *key generator*, gerador de chaves) que funciona tanto para o formato HD-DVD quanto para o Blu-Ray. Em pouco tempo, chegou-se à seqüência 09 F9 11 02 9D 74 E3 5B D8 41 56 C5 63 56 88 C0 – que finalmente tornava possível romper a proteção dos DVDs de alta definição. Interessante chamar atenção para a surpresa

---

[157] Cf: http://forum.doom9.org/showthread.php?t=119871.

de arnezami com a aparente previsibilidade dos números, que mesmo em formato hexadecimal formam a data e a hora de produção dos discos.[158]

A seqüência de números e letras ganhou o ciberespaço por meio de sites e *blogs*, que passaram a exibir livremente o código sob as formas mais diversas. Em represália, o consórcio AACS enviou ofícios a vários sites e, apoiando-se na DMCA e na ameaça judicial, cobrou a retirada do código da rede – apesar da apropriação da seqüência por um incontável número de internautas. Entre os destinatários das cartas, estavam nomes fortes, como o Google[159] (responsável pela manutenção do Blogger) e o sítio Digg.[160] Este último caso merece especiais atenção e análise por ter redefinido a capacidade do código de funcionar como vetor de regulação do ciberespaço.

Código, Web 2.0 e economia do compartilhamento (*sharing economy*)

O Digg funciona como uma rede social de notícias – sobretudo ligadas à área de tecnologia – em que todo o conteúdo é submetido à avaliação e à valoração da comunidade.[161] As melhores informações, conceituadas pelo grupo, ganham posições na primeira página do site. Trata-se, portanto, de uma rede cujos usuários são promovidos a parceiros pelos proprietários do sítio na medida em que colaboram para organizar informações e conhecimento.

Mesmo dentro das características do que se identifica como projeto "*Web 2.0*", um dos fundadores do Digg, Kevin Rose, nega que o sítio vá entrar na febre de adição de funcionalidades inúteis apenas para se manter atualizado; Rose também se diz contra o pagamento por contribuições dos participantes, a fim de não mudar as motivações pelas quais alguém contribui

---

[158] Cf. http://forum.doom9.org/showthread.php?t=121866.

[159] Cf. http://www.chillingeffects.org/notice.cgi?sID=3218.

[160] Cf. http://www.digg.com.

[161] A página inicial do sítio informa: *Digg is all about user powered content. Everything is submitted and voted on by the Digg community. Share, discover, bookmark, and promote stuff that's important to you!*

para o sítio.[162] O Digg se autodenomina uma "democracia midiática digital" que funciona em quatro passos: "descubra, selecione, compartilhe, discuta".[163] Funciona, desta forma, sob o que se denomina uma economia de compartilhamento (*sharing economy*)[164], ou seja, uma economia em que os produtores de conteúdo compartilham seus produtos e, ao mesmo tempo, se tornam aqueles que agregam valor aos empreendimentos de que participam. Desta forma, a contrapartida da oferta que fazem se traduz em maior poder de escolha nos projetos colaborativos e também maior qualidade nos serviços ofertados, na medida em que são revisados e avaliados pelos próprios consumidores finais, transformados desta maneira em usuários.

De acordo com Lessig (2006a),

> A economia do compartilhamento (*sharing economy*) é diferente da tradicional economia comercial. Não se trata só de pessoas trabalhando de graça. Pelo contrário, ela é a economia que sustenta a Wikipedia (e antes disso a de programas gratuitos e de código aberto). [...] Esta economia do compartilhamento (*sharing economy*) não pretende substituir a economia comercial. Seu propósito não é forçar Madonna a cantar gratuitamente. Seu intuito, pelo contrário, é capacitar milhões de outras pessoas que também são criativas em todo o mundo, mas querem criar em um diferente tipo de comunidade.[165]

---

[162] Cf. Gavin Clarke, "Digg founder dismisses web 2.0 'me tooism'," *The Register*, 13 de setembro de 2006, disponível em http://www.theregister.co.uk/2006/09/13/digg_web_2_0_kevin_rose. Acessado em agosto de 2007. A declaração gerou respostas, como um texto de Jason Calacanis ironizando Rose por ser dono de uma empresa avaliada em 60 milhões de dólares feita pelo trabalho compartilhado dos sócios do Digg que ele recusa pagar. Cf. Jason McCabe Calacanis, "Kevin Rose: The Users shouldn't be paid... but I'll take $60M," *Calacanis*, 4 de agosto de 2006, disponível em http://www.calacanis.com/2006/08/04/kevin-rose-the-users-shouldnt-be-paid-but-ill-take-60m/. Acessado em agosto de 2007.

[163] Cf. "How Digg Works," Digg, disponível em http://digg.com/how, acessado em agosto de 2007. A tradução é nossa.

[164] O termo *share* se refere tanto à "unidade de contagem de ações" de empresas quanto a "compartilhar" (em tradução literal).

[165] A tradução é nossa. No original: *The "sharing economy" is different from a traditional commercial economy. It is not simply people working for free. Instead, this is the economy that supports Wikipedia (and free and open*

A economia do compartilhamento (*sharing economy*) se constitui inicialmente de bens e informações compartilhados sem a geração de retorno monetário imediato para quem os produz, mas pode ser a chave para o que Andy Raskin, da CNN, chama de "indústria multibilionária,"[166] referindo-se aos negócios derivados da visibilidade gerada pelo compartilhamento da produção. Como os dois compositores citados nesta matéria, que deixam qualquer um ouvir ou modificar suas canções, mas não as licenciam gratuitamente para uso comercial, ganhando dinheiro por esse uso.

Portanto, a relação entre os proprietários de um *site* colaborativo e seus participantes seria completamente diferente daquela entre produtor e consumidor. Os usuários seriam parceiros e teriam direitos de sócios. Há, inclusive, empreendimentos que teriam dificuldade em operar sem a participação ativa dos usuários, como o Skype, que compartilha banda de rede para a transmissão das ligações, compondo o que Yochai Benkler chama de "redes capitalizadas pelos usuários".[167]

Como experiência empresarial e cooperativa, o Digg surgiu como um exemplo da *sabedoria das multidões*. Mas diante das ameaças da AACS, a alta cúpula do site (representada por Jay Adelson, chefe-executivo da empresa) resolveu retomar a prerrogativa dos velhos donos de empresas: rapidamente pôs-se a apagar as publicações que continham a seqüência hexadecimal "proibida" e a fechar as contas dos usuários recalcitrantes. Tal

---

source software before that). [...] This sharing economy is not meant to displace the commercial economy. Its purpose is not to force Madonna to sing for free. Its aim instead is to enable the millions of other people around the world who are also creative, but who want to create in a different kind of community.

[166] Cf. Andy Raskin, *Giving it Away (for Fun and Profit) Creative Commons encourages artists to share and distribute their work for free. And that could be the key to a new multibillion-dollar industry*, CNN Money, 1 de maio de 2004, disponível em http://money.cnn.com/magazines/business2/business2_archive/2004/05/01/368240/index.htm, acessado em agosto de 2007.

[167] Yochai Benkler em entrevista para a revista *BusinessWeek*. Excertos: *No one has built a network for Skype — all the million or 2 million people online are contributing resources; The way in which it's financed has changed. It's user-capitalized networks*. Cf. Yochai Benkler, "The Sharing Economy", *Business Week*, 20 de junho de 2005, disponível em http://www.businessweek.com/magazine/content/05_25/b3938902.htm, acessado em agosto de 2007.

atitude parecia confirmar as vozes que se levantavam contra o alarde com que os conceitos de "*Web 2.0*" e "*sharing economy*" vinham sendo tratados.[168] A reação da multidão, o chamado "Digg-bombing", ultrapassou o limite do esperado. Para além da influência e do controle das velhas empresas que atuam com base no segredo da tecnologia (e na tecnologia do segredo,[169] já que o artifício do desenvolvimento técnico se orienta, essencialmente, pela afirmação da propriedade intelectual), uma multidão de vozes optou pelo barulho da cooperação e da ridicularização, insistindo na publicação de piadas, ironias e histórias que continham o código.[170] Diante das "centenas de histórias" e "milhares de comentários" dos "internautas-parceiros", o Digg teve que voltar atrás em sua decisão e ficar "ao lado dos *diggers*". A decisão foi apresentada em um *post* do próprio fundador do Digg, Kevin Rose, no *blog* da empresa.[171]

---

[168] O jornal *The Register*, por exemplo, chama o estado atual da *Web* de "bolha 2.0". Cf. Andrew Orlowski, "Six Things you need to know about Bubble 2.0," *The Register*, 7 de outubro de 2005, disponível em http://www.theregister.co.uk/2005/10/07/six_things_about_the_bubble/, acessado em agosto de 2007).

[169] O *segredo da tecnologia* equivaleria ao conhecimento – restrito a poucos – que permite a dominação integral das tecnologias, enquanto que a *tecnologia do segredo* estaria mais relacionada aos artifícios criados para impedir que esse conhecimento seja disseminado para a maioria das pessoas.

[170] Em uma das publicações mantidas pelo Digg, um usuário criou uma história absolutamente trivial incluindo toda a seqüência hexadecimal. *09 days after I quit my job, I was so bored sitting at home that I tried to hit the F9 key 11 times within 02 seconds. Right now I live in apartment 9D at 74 Eyland Ave, Flanders, New Jersey. The thing I miss most about work is getting my favorite vending machine snack, E3, potato chips. My neighbor in 5B said his favorite is D8, cheese and crackers. He's like 41 years older than me, which makes him 56 I guess. His girlfriend's favorite vending machine snack is C5, pretzels. She's older than he is, 63 or so I think. That isn't much older than 56. It's not like she's 88 or something. We all used to work for Pepsi C0* (Grifos nossos). Cf. Goosehaslanded, "How many ways can we represent 09F911029D74E35BD84156C5635688C0," *Digg*, 1 de maio de 2007, disponível em http://digg.com/programming/How_many_ways_can_we_represent_09F911029D74E35BD84156C5635688C0, acessado em agosto de 2007).

[171] Nas palavras de Rose: *[...] after seeing hundreds of stories and reading thousands of comments, you've made it clear. You'd rather see Digg go down fighting than bow down to a bigger company. We hear you, and effective*

Paralelamente, em outros espaços, as pessoas utilizavam músicas, camisetas,[172] *links* e outros recursos para disseminar a seqüência hexadecimal no ciberespaço – mostrando o quão frágil pode ser o controle da informação hoje em dia. Afinal, quem poderia ter a posse de uma mera seqüência de números e letras? A resposta é simples: no dia 14 de maio de 2007, o *site* de pesquisa Google registrava aproximadamente 1.400.000 resultados para a busca do código "09 F9 11 02 9D 74 E3 5B D8 41 56 C5 63 56 88 C0" –, sem contar os conteúdos disponíveis no YouTube e no Orkut, que não são apresentados em buscadores da *web*. Sendo assim, como argumentar que o uso da seqüência agride direitos autorais?

Você sabe com quem está falando?

O episódio, envolvendo o consórcio do sistema AACS, o Digg e os ativistas que decidiram divulgar o código hexadecimal, representou uma reconfiguração no âmbito do controle da informação. Durante os anos 1990, eram fortes as suspeitas de que tudo o que estávamos vivenciando em termos de possibilidades de participação democrática no ciberespaço poderia ser uma alternativa à "ideologia do mercado livre" e à "ideologia mais insidiosa do controle centralizado".[173] Mas agora o impasse gerado demons-

---

immediately we won't delete stories or comments containing the code and will deal with whatever the consequences might be. If we lose, then what the hell, at least we died trying. Cf. Kevin Rose, "Dig This: 09-F9-11-02-9D-74-E3-5B-D8-41-56-C5-63-56-88-C0," *Digg The Blog*, 1 de maio de 2007, disponível em http://blog.digg.com/?p=74, acessado em agosto de 2007.

[172] Destaque tanto para a música "Oh nine, eff nine" entoada por Keith Burgon para o YouTube, disponível em http://www.youtube.com/watch?v=L9HaNbsIfp0, acessado em agosto de 2007, quanto para as camisetas com dizeres como "partilhar é cuidar!" (sharing is caring!), exibindo a cifra do código, ver http://info.abril.uol.com.br/aberto/infonews/052007/03052007-15.shl, acessado em agosto de 2007.

[173] Em 1995, Jan Fernback e Brad Thompson reconheceram algumas "vantagens" proporcionadas pela comunicação mediada por computador, embora deixando claro que "[...] os resultados esperáveis do desenvolvimento das comunidades virtuais através da CMC serão os da manutenção da dominação de uma cultura hegemônica. Realmente, não se pode assumir que as atuais elites políticas e técnicas quereriam ceder sua posição de dominância ou conhecimento semeando as sementes de sua própria destruição" ([...] *the*

trou que o *limite do segredo* pode ser a capacidade de cooperação em rede e de manipulação da informação facilmente acessível – apesar do excesso.[174] Esses são os elementos hoje capazes de redefinir o que deve ou não ser de domínio público. E o mais importante é verificar o *embate* travado para avançar (ou evitar) o deslocamento em relação à "posse" e ao "controle" desses dois fatores.

Quando a política do segredo sofre baixas, as relações entre as forças disponíveis no ambiente democrático podem ganhar novos contornos – mesmo que isso só dure até a execução de mandados judiciais que defendam a posse privada da informação.[175] Ainda que o impasse da AACS fosse revertido em favor da empresa numa eventual batalha judicial, a repercussão do caso no site Digg indicou que existe uma multidão pouco tolerante a iniciativas que mantêm a informação sob censura e a atitudes de "baixar a guarda" diante de ameaças tão doutrinárias quanto infantis.

Quando o Digg optou por retirar do *site* as mensagens com o código, assumiu a postura de subjugar o que a cooperação auto-regulada – recurso que tanto defende e que ajudou a construir a marca da empresa[176] – é capaz

---

likely result of the development of virtual communities through CMC will be that a hegemonic culture will maintain its dominance. Certainly, it cannot be assumed that the current political and technical elites would willingly cede their position of dominance or knowingly sow the seeds of their own destruction). Cf. Jan Fernback e Brad Thompson, "Virtual Communities: Abort, Retry, Failure?," Rheingold, 1995, disponível em http://www.rheingold.com/texts/techpolitix/VCcivil.html, acessado em agosto de 2007.

[174] Sobre a questão do excesso no ciberespaço, Cf. Paulo Vaz, "As esperanças democráticas e a evolução da Internet," *Revista Famecos*, 24: 125-139, julho de 2004, disponível em http://revcom2.portcom.intercom.org.br/index.php/famecos/article/view/391/320, acessado em agosto de 2007.

[175] Entre 14 e 15 de maio de 2007, o Google já registrava um decréscimo de quase 10% no número de ocorrências para a pesquisa do código pela opção Web (o número caiu de 1.400.000 para 1.280.000), provavelmente por conta da ameaça da AACS de recorrer a vias judiciais, caso os responsáveis pelos sites não retirassem da rede a seqüência hexadecimal.

[176] Em 2006, o Digg foi citado pela revista *Time* como um dos "7 Cool Sites You'll Want to Bookmark". *At this so-called social news users, rather than a computer algorithm, determine how important or interesting the stories are, and Digg posts them on its home page accordingly. The articles are tagged with the number*

de promover. As respostas dos *diggers* (ou *Digg user*, participantes ativos do Digg) a Jay Adelson e à AACS transformaram-se na pergunta: "Sabe com quem você(s) está(ão) falando?" Contrariando o efeito pejorativo a que essa pergunta normalmente está associada (prepotência, arrogância e sentimento de superioridade de alguém em uma relação pública), a ação dos *diggers* está baseada na idéia de que o "jogo" do controle da informação tem muitos jogadores à altura.

A resposta-pergunta dos *diggers* remete a outra questão relevante. A ação individual não pode mais ser desprezada porque não é mais diluída no meio da massa; na verdade, ela pode desencadear um movimento em rede – tão rápido quanto maior for a quantidade de "nós" a ela conectados e quanto mais diferenciadas forem as experiências (culturais, sociais, econômicas, políticas, subjetivas) desses "nós". A ação individual nas redes telemáticas concentra um poder (mesmo que seja o poder de ridicularizar e contradizer) que rapidamente gera reflexos na multidão;[177] seu alcance e capacidade de influência podem ser comparados ao alcance e à influência antes reservados a grandes empresas e Estados. Foi assim com a divulgação do funesto código em *blogs* e redes sociais. De fato, "o poder circula" – e de forma mais rápida e eficaz entre os nós das redes telemáticas:

> O poder deve ser analisado como algo que circula, ou melhor, como algo que só funciona em cadeia. Nunca está localizado aqui ou ali, nunca está nas mãos de alguns, nunca é apropriado como uma riqueza ou um bem. O poder funciona e se exerce em rede. Nas suas malhas os indivíduos não só circulam, mas estão sempre em posição de exercer este poder e de sofrer sua ação; nunca são o alvo inerte ou consen-

---

of 'digs', or positive votes, from readers. Cf. Maryanne Murray Buechner, "*7 Cool Sites You'll Want Bookmark*," *Time*, 13 de agosto de 2006, disponível em http://www.time.com/time/magazine/article/0,9171,1226153,00.html, acessado em agosto de 2007. Em março de 2007, Digg ocupava o 77º no *ranking* de audiência da Internet, medido pelo sítio Alexa. Cf. Gustavo Villas Boas, "Digg encara a concorrência dentro e fora da Internet," *Folha On-line*, 4 de março de 2004, disponível em http://www1.folha.uol.com.br/folha/informatica/ult124u21743.shtml, acessado em agosto de 2007.

[177] Para as distinções entre multidão, massa e povo, Cf. Antonio Negri e Michael Hardt, *Multidão*, 2004, p. 139-142.

tido do poder, são sempre centros de transmissão. Em outros termos, o poder não se aplica aos indivíduos, passa por eles. (...) O poder passa através do indivíduo que ele constituiu (Foucault, 1982: 183).

O caso em questão poderia significar *uma* "consciência das multidões[178]"? Talvez seja prematuro afirmar isso, uma vez que os elementos que mobilizam a multidão podem ser tantos quanto o seu número de integrantes. Mas podemos dizer que, independentemente das consciências individuais e das ideologias passíveis de serem convocadas em situações como essas, o interesse da multidão prevaleceu em detrimento dos interesses dos responsáveis por uma empresa ou classe – seja o Digg, seja a AACS, seja o DMCA. E para defender esses interesses, a cooperação – descentralizada, sem comandante e sem ordem – foi o caminho de guerra percorrido.

Quando falamos em "interesses" não estamos nos referindo apenas à intenção de garantir a liberdade do uso do código para gravar e assistir a vídeos, mas também ao interesse de endossar a idéia de que todo o arsenal da AACS (DMCA e correlatos) é tão vulnerável que pode se tornar alvo de histórias triviais. Não se pode, portanto, deixar de ver a positivação do conceito de interesse dentro do embate AACS *versus* cidadãos em rede – ou, se quisermos colocar em outros termos, o embate Império *versus* Multidão.

Sendo assim, a luta pelo interesse se associa à ação defensiva, isto é, à postura defensiva da violência democrática. Como nos dizem Michael Hardt e Antonio Negri (2004: 426), a "forma adequada de resistência muda historicamente e deve ser inventada para cada nova situação". E já que "a existência de novas pressões e possibilidade de democracia merece como resposta dos poderes soberanos a guerra", os autores apresentam três princípios do uso democrático da violência: 1) a democracia deve usar a violência apenas como instrumento para perseguir objetivos políticos; 2) esta violência só deve ser usada como defesa, ou seja, deve-se pensar nessa estratégia a partir da noção de "emprego republicano da violência" ("a desobediência à autoridade e até mesmo o emprego da violência contra a tirania são, neste sentido, uma forma de resistência, ou um

---

[178] Estamos aqui contrapondo os termos "sabedoria das multidões" e "consciência das multidões".

uso defensivo da violência"[179]); 3) o uso democrático da violência tem a ver com a própria organização democrática, ou seja, o processo deve ser horizontal e comum da multidão, de maneira contrária às "guerras movidas por poderes soberanos" que "sempre exigiram a suspensão das liberdades e da democracia"[180]. Os autores enfatizam que, a esses três princípios, "a utilização democrática da violência deve acrescentar também uma crítica das armas, vale dizer uma reflexão sobre quais armas hoje são eficazes e apropriadas".[181]

O caso AACS *versus* cidadãos em rede não deve ser percebido como um exemplo que atende perfeitamente a cada um desses princípios, mas não podemos deixar de ver que a própria repercussão que o fato teve, sobretudo em termos de interpretação em outros *blogs*, portais e redes sociais de notícias, pôde contribuir para a construção de um imaginário de ação coletiva defensiva. As interpretações formuladas sobre o caso e as próprias reações do Digg garantiram aos internautas uma experiência de participação na multidão que tornou capaz e efetivo o "boicote" à determinação da AACS.

Nesse sentido, ressaltamos que o que pôs essa multidão em funcionamento não foi a agregação de indivíduos em torno de uma identidade, como, por exemplo, o pertencimento a um povo, um partido ou uma massa de fãs. Na verdade, a ação coletiva se baseou no que as singularidades tinham em comum – o interesse em produzir e compartilhar os bens culturais para além das formas autorizadas na decisão do DMCA, da AACS ou do Digg –, o que permitiu o autogoverno da multidão. Usando a informação como contra-informação, a multidão dos *diggers* desenvolveu armas que têm modos de gerenciamento e efeitos diferentes das armas utilizadas pela indústria do *copyright* e de outros representantes do Império. Segundo Negri e Hardt (2004: 433):

---

[179] Hardt e Negri deixam claro que o princípio da violência defensiva é bastante confuso. Entretanto, ele não deve ser confundido com a "teoria da guerra justa". "O conceito de guerra justa é utilizado, isto sim, para justificar uma agressão em termos morais. (...) Uma 'guerra justa' é na verdade uma agressão militar que se julga justificada em bases morais, e portanto nada tem a ver com a postura defensiva da violência democrática. O princípio do emprego defensivo da violência só pode fazer sentido se o separarmos de todas essas mistificações que vestem o lobo com a pele de cordeiro". Cf. Op cit. p. 429-432.

[180] Nesse sentido, os autores afirmam: "Não pode haver separação entre os meios e os fins" (Op. cit., p. 432).

[181] Idem.

O fato é que uma arma adequada para o projeto da multidão não pode ter uma relação simétrica ou assimétrica com as armas do poder. Isto seria ao mesmo tempo contraproducente e suicida. (...) Precisamos criar armas que não sejam apenas destrutivas, mas sejam elas próprias formas e poder constituinte.

Por isso, houve quem comparasse toda essa movimentação na *web* com a carta impressa que Lutero pregou na porta da igreja de Wittenburgo, desencadeando a Reforma Protestante.[182] Ela marcou a entrada em cena do poder da imprensa na sociedade e o poder da consciência individual na formação da opinião do cidadão em um espaço público. Poder este que gerou mais tarde a mídia de massa e os formadores de opinião da massa. A imprensa, que representava o público do espaço homônimo, usurpou o lugar de seu representado e passou a produzi-lo e vendê-lo como sua propriedade – seus leitores. As grandes mídias de massa ampliaram a escala dessa produção e posse, negociando as audiências em amplitudes inimagináveis.

A guerra para a divulgação da chave que abre a criptografia do HD-DVD e do Blu-Ray marca a afirmação dos que se envolvem com as redes interativas de comunicação distribuída e as práticas das mídias digitas como uma multidão de cidadãos globais. Estes cidadãos parecem estar fartos de serem tratados como meros usuários, consumidores ou os ridículos "internautas" cantados em verso e prosa pela mídia proprietária de massas, suspirosa de uma nova audiência negociável. Essa mesma mídia que diante da revolta dos *diggers* bradava que isso era o governo da malta, comparando os revoltosos a um bando de linchadores.[183] Mas o mercado da economia do compartilhamento (*sharing economy*) teve de engolir como sócios

---

[182] Cf. Grant Robertson, "HD-DVD key fiasco is an example of 21st century digital revolt," *Download Squad*, 1 de maio de 2007, disponível em http://www.downloadsquad.com/2007/05/01/hd-dvd-key-fiasco-is-an-example-of-21st-century-digital-revolt, acessado em agosto de 2007.

[183] Cf. Catherine Holahan, "Digg's Mobs Rules," Business Week, 3 de maio de 2007, disponível em http://www.businessweek.com/technology/content/may2007/tc20070503_266204.htm?chan=technology_technology+index+page_top+stories, acessado em agosto de 2007. Ver também Chris Williams, "Digg buried by users in piracy face-down," *The Register*, 2 de maio de 2007, disponível em http://www.theregister.co.uk/2007/05/02/digg_buried/, acessado em agosto de 2007.

estes novos parceiros, que preferem embutir as mediações sociais nos códigos das interfaces a deixá-los entregues à mediação dos risonhos caras-de-pau da mídia de massa. Estes incômodos associados estão sempre prontos para sacudir a sociedade e fazer o mercado estremecer quando o espírito burguês ameaça a empresa com os gestos do segredo e da propriedade.

Referências bibliográficas

ADAMIC, Lada, BUYUKKOKTEN, Orkut & ADAR, Eytan. "A social network caught in the web". *First Monday*, *8*(6). Disponível em http://www.firstmonday.org/issues/issue8_6/adamic/index.html. Acessado em agosto de 2007.

AMOROSO, Fred. "Macrovision's response to Steve Jobs open letter". *Macrovision News*, 15 de fevereiro de 2007. Disponível em http://www.macrovision.com/company/news/drm/response_letter.shtml. Acessado em agosto de 2007.

ANDERSON, Chris. *A cauda longa: do mercado de massa para o mercado de nicho*. Rio de Janeiro: Campus, 2006.

_____. "The Long Tail". *Wired Magazine*, *12*(10):170-177. Disponível em http://www.wired.com/wired/archive/12.10/tail.html. Acessado em agosto de 2007.

ANTOUN, Henrique. "Cooperação, Colaboração e Mercado na Cibercultura". *E-Compós*, *7*. Disponível em http://www.compos.org.br/e-compos/adm/documentos/ecompos07_dezembro2006_henriqueantoun.pdf. Acessado em agosto de 2007.

_____. "Mobilidade e Governabilidade nas Redes Interativas de Comunicação Distribuída". *Razón y Palabra*, *49*:41-59. Disponível em http://www.cem.itesm.mx/dacs/publicaciones/logos/anteriores/n49/bienal/Mesa02/MobilidadeeGovernabilidadenasRedes.pdf. Acessado em agosto de 2007.

_____. "O Poder da Comunicação e o Jogo das Parcerias na Cibercultura". *Fronteiras: Estudos Midiáticos*, *6*(2):67-86. Disponível em http://www.unisinos.br/publicacoes_cientificas/images/stories/pdfs_fronteiras/vol6n2/10_art_05_67a86.pdf. Acessado em agosto de 2007.

_____. "Democracia, Multidão e Guerra no Ciberspaço". *In*: A. PARENTE (org.) *Tramas da Rede: Novas dimensões filosóficas, estéticas e políticas da comunicação*. Porto Alegre: Sulina, 2006a, p. 209-237.

_____. "Jornalismo e Ativismo na Hipermídia: em que se pode reconhecer a nova mídia". Revista da *Famecos*, *16*:135-147. Disponível em http://revcom.portcom.intercom.org.br/index.php/famecos/article/view/274/208.pdf. Acessado em agosto de 2007.

ARMOND, Paul de. "Black Flag Over Seattle". *Albion Monitor*, 72. Disponível em http://www.monitor.net/monitor/seattlewto/index.html. Acessado em agosto de 2007.

ARQUILLA, John & RONFELDT, David. "Networks, Netwars and the Fight for the Future". *First Monday*, 6(10). Disponível em http://www.firstmonday.org/issues/issue6_10/ronfeldt/index.html. Acessado em agosto de 2007.

ASSIS, Diego. "Marisa Monte não canta no seu iPod". *O Estado de São Paulo*, 3 de abril de 2006. Disponível em http://www.link.estadao.com.br/index.cfm?id_conteudo=6950. Acessado em agosto de 2007.

AXELROD, Robert. *The Evolution of Cooperation*. Nova York: Basic Books, 1985.

BARABÁSI, Albert-Laszlo. *Linked: The New Science of Networks*. Cambridge: Perseus, 2002.

BARBER, Benjamin. 1992. "Jihad vs. McWorld". *The Atlantic Monthly*, 269(3):53-65. Disponível em http://www.theatlantic.com/politics/foreign/barberf.htm. Acessado em agosto de 2007.

BENKLER, Yochai. *The Wealth of Networks: How social productions transforms markets and freedom*. New Haven: Yale University, 2006.

_____. "The Sharing Economy". *Business Week*, 20 de Junho de 2005. Disponível em: http://www.businessweek.com/magazine/content/05_25/b3938902.htm. Acessado em agosto de 2007.

BERNERS-LEE, Tim & CAILLIAU, Robert. "World Wide Web: proposal for a hyper text project". *World Wide Web Consortium*, 1990.

BLOCK, Ryan. "Macrovision, the original DRM company, replies in open letter to Jobs". *Engadget*, 16 de fevereiro de 2007. Disponível em http://www.engadget.com/2007/02/16/macrovision-the-original-drm-company-replies-in-open-letter-to. Acessado em agosto de 2007.

BOAS, Gustavo Villas. "Digg encara a concorrência dentro e fora da Internet". *Folha On-line*, 4 de março de 2004. Disponível em http://www1.folha.uol.com.br/folha/informatica/ult124u21743.shtml. Acessado em agosto de 2007.

BOLTER, Jay David & GRUSIN, Richard. *Remediation: understanding new media*. Cambridge: MIT, 1999.

BRUNO, Fernanda. "Dispositivos de vigilância no ciberespaço: duplos digitais e identidades simuladas". *Revista Fronteira, 8*(2):152-159. Disponível em http://www.unisinos.br/publicacoes_cientificas/images/stories/pdfs_filosofia/vol8n2/art08_bruno.pdf, Acessado em agosto de 2007.

BUECHNER, Maryanne Murray. "7 Cool Sites You'll Want Bookmark". *Time*, 13 de agosto de 2006. Disponível em http://www.time.com/time/magazine/article/0,9171,1226153,00.html. Acessado em agosto de 2007.

CALACANIS, Jason. "Kevin Rose: The Users shouldn't be paid... but I'll take $60M*". *Calacanis*, 4 de agosto de 2006. Disponível em http://www.calacanis.com/2006/08/04/kevin-rose-the-users-shouldnt-be-paid-but-ill-take-60m/. Acessado em agosto de 2007.

CAPRA, Fritjof. *The Web of Life*. Nova York: Anchor Books, 1996.

CASTELLS, Manuel. *A sociedade em red*e. São Paulo: Paz e Terra, 1999.

CAVALCANTI, Marcos; NEPOMUCENO, Carlos. *O conhecimento em rede: como implantar projetos de inteligência coletiva*. Rio de Janeiro: Campus, 2007.

CLEAVER, Harry. "The Chiapas Uprising and the Future of Class Struggle in the New World Order". *Common Sense 2*(15):5-17. Disponível em http://www.eco.utexas.edu/facstaff/Cleaver/chiapasuprising.html. Acessado em agosto de 2007.

COLE, Jeffrey; SUMAN, Michael. (orgs.) *The UCLA Internet Report: Surveying the digital future*. Los Angeles, University of California. Disponível em http://www.digitalcenter.org/pdf/InternetReportYearThree.pdf. Acessado em agosto de 2007.

DELEUZE, Gilles. *Conversaçõe*s. Rio de Janeiro: Editora 34, 1992.

_____. *Foucault*. São Paulo: Brasiliense, 1988.

DELEUZE, Gilles; GUATTARI, Félix. *Mille Plateaux*. Paris: Minuit, 1980.

DYER-WITHEFORD, Nick. *Cyber-Marx: Cycles and Circuits of Struggle in High-Technology Capitalism*. Chicago: Illinois, 1999.

ENGELBART, Douglas C. "A Conceptual Framework for the Augmentation of Man's Intellect". In: HOWERTON; WEEKS (eds.), *Vistas in Information Handling*, Washington: Spartan, 1963, p. 1-29.

EVANS, Philip; WURSTER, Thomas. "Strategy and the New Economics of Information". In: MAGRETTA, Joan (ed.), *Managing in the New Economy*; Boston: Harvard Business School, 1997, p. 3-24.

FERNBACK, Jan; THOMPSON, Brad. "Virtual Communities: abort, retry, failure?" USA: Rheingold, 1995. Disponível em http://www.well.com/user/hlr/texts/VCcivil.html. Acessado em agosto de 2007.

FISHER, Ken. "MPAA: DRM 'helps honest users". *Ars Technica*, 10 de fevereiro de 2006. Disponível em http://arstechnica.com/news.ars/post/20060210-6153.html. Acessado em agosto de 2007.

FOUCAULT, Michel. *A hermenêutica do sujeito*. São Paulo: Martins Fontes, 2004.

_____. *Em defesa da sociedade*. São Paulo: Martins Fontes, 2002.

_____. *Microfísica do Poder*. Rio de Janeiro: Graal, 1982.

_____. *História da sexualidade I: a vontade de saber*. Rio de Janeiro: Graal, 1977.

_____. *Vigiar e punir: a história da violência nas prisões*. Rio de Janeiro: Vozes, 1977.

FRAUENFELDER, Mark. "Outsmarting the Tragedy of the Commons". *The Feature*. Disponível em http://www.thefeaturearchives.com/topic/Regulation/Outsmarting_the_Tragedy_of_the_Commons.html. Acessado em agosto de 2007.

FRIED, Ina. "Will iTunes make Apple shine". *CNET News*, 16 de outubro de 2003. Disponível em http://news.com.com/2100-1041-5092559.html. Acessado em agosto de 2007.

FUKUYAMA, Francis. *Trust: human nature and the reconstitution of social order*. Nova York: Free, 1999.

GALLOWAY, Alexander. *Protocol: how control exists after decentralization*. Cambridge: MIT, 2004.

GARFINKEL, Simson. *Database Nation: the death of privacy in the 21st century*. Sebastopol: O'Reilly, 2000.

CLARKE, Gavin. "Digg founder dismisses web 2.0 'me tooism'". *The Register*, 13 de setembro de 2006. Disponível em http://www.theregister.co.uk/2006/09/13/digg_web_2_0_kevin_rose. Acessado em agosto de 2007.

GEIST, Michael. "DMCA architect acknowledges need for a new approach". *Michael Géist Blog*, 23 de março de 2007. Disponível em http://www.michaelgeist.ca/content/view/1826/125/. Acessado em agosto de 2007.

GILLIES, James; CAILLIAU, Robert. *How the web was born*. Nova York: Oxford University, 2000.

GOFFMAN, Erving. *The Presentation of Self in Everyday Life*. Garden City: Doubleday, 1959.

GRAEBER, David. "The New Anarchists". *New Left Review*, 3(13):61-73. Disponível em http://www.newleftreview.org/A2368. Acessado em agosto de 2007.

HARDIN, Garrett. "The Tragedy of the Commons". *Science*, *162*:1243-1248. Disponível em http://dieoff.org/page95.htm. Acessado em agosto de 2007.

HENWOOD, Doug. *After the new economy*. Nova York: The New Press, 2003.

HERRNSTEIN, Richard; MURRAY, Charles. *The Bell Curve: Intelligence and Class Structure in American Life*. Nova York: Free Press, 1994.

HIMANEN, Pekka. *The hacker ethic and the spirit of the information age*. Nova York: Random House, 2001.

HOLAHAN, Catherine. "Digg's Mobs Rules". *Business Week*, 3 de maio de 2007. Disponível em http://www.businessweek.com/technology/content/may2007/tc20070503_266204.htm?chan=technology_technology+index+page_top+stories. Acessado em agosto de 2007.

JOBS, Steve. "Thoughts on Music". *Apple Hot News*, 6 de fevereiro de 2007. Disponível em http://www.apple.com/hotnews/thoughtsonmusic. Acessado em agosto de 2007.

JOHNSON, Steve. *Emergence: the connected lives of ants, brains, cities, and software*. Nova York: Scribner, 2001.

_____. *Interface Culture: How new technology transforms the way we create and communicate*. Nova York: Harper Collins, 1997.

JORDAN, Tim. *Cyberpower: the culture and politics of cyberspace and the Internet*. Londres: Routledge, 1999.

KATZ, James E.; ASPDEN, Philiph. *Cyberspace and Social Community Development: Internet use and its community integration correlates*. Nova York: Center for Research on Information Society, 1997.

KELLY, Kevin. *New rules for the new economy*. Londres: Penguin, 1998.

_____. *Out of Control: the Rise of Neo-Biological Civilization*. Nova York: Addison-Wesley, 1994.

KERCKHOVE, Derrick de. *Connected Intelligence: the arrival of the web society*. Toronto: Somerville, 1997.

_____. *A Pele da Cultura (Uma Investigação Sobre a Nova Realidade Eletrônica)*. Lisboa: Relógio d'Água, 1997a.

KIRSNER, Scott. "The Legend of Bob Metcalfe". *Wired*, 6(11). Disponível em http://www.wired.com/wired/archive/6.11/metcalfe.html. Acessado em agosto de 2007.

KOLLOCK, Peter. "Social Dilemmas: The Anatomy of Cooperation". *Annual Review of Sociology*, 24:183-214. Disponível em http://www.sscnet.ucla.edu/soc/faculty/kollock/classes/cooperation/resources/Kollock1998-Social Dilemmas.pdf. Acessado em agosto de 2007.

KRAUT, Robert; LUNDMARK, Vicki; PATTERSON, Michael; KIESLER, Sara; MUKOPADHYAY, Tridas; SCHERLIS, William. "Internet Paradox: a social technology that reduces social involvement and psychological wellbeing?" *American Psychologist*, 53(9):1017-1031. Disponível em http://www.dkrc.org/bib/dkrc/paper/kraut98internetparadox.shtml. Acessado em agosto de 2007.

LAZZARATO, Maurício; NEGRI, Antonio. *Trabalho Imaterial: formas de vida e produção de subjetividade*. Rio de Janeiro: DP&A, 2001.

LESSIG, Lawrence. *Code 2.0*. Nova York: Basic Books, 2006.

_____. "CC Values". *Creative Commons Blog*, 25 de outubro de 2006. Disponível em http://creativecommons.org/weblog/entry/6118. Acessado em agosto de 2007.

_____. *Free Culture: how big media uses technology and the law to lock down culture and control creativity*. NovaYork: Penguin, 2004.

_____. *The Future of Ideas: the fate of the commons in a connected world*. Nova York: Random House, 2001.

_____. *Code and others laws of cyberspace*. Nova York: Basic, 1999.

LEVINE, Rick; LOCKE, Christopher; SEARLS, Doc; WEINBERGER, David. *The Cluetrain Manifesto: The end of business as usual*. Nova York: Perseus, 2000.

LÉVY, Pierre. *As tecnologias da inteligência*. São Paulo: Editora 34, 1993.

LEVY, Steven. *Crypto*. Londres: Penguin, 2001.

_____. *Hackers – heroes of the computer revolution*. Londres: Penguin, 1994.

LIU, Hugo; MAES, Pattie; DAVENPORT, Glorianna. "Unraveling the Taste Fabric of Social Networks". *International Journal of Semantic Web and Information Systems*, 2(1):42-71. Disponível em http://web.media.mit.edu/~hugo/publications/drafts/IJSWIS2006-tastefabrics.pdf. Acessado em agosto de 2007.

LOHMANN, Fred von. "FairPlay: Another Anticompetitive Use of DRM". *Eff Deep Links*, 25 de maio de 2004. Disponível em http://www.eff.org/deeplinks/archives/001557.php. Acessado em agosto de 2007.

MAES, Pattie (ed.). *Designing autonomous agents*. Cambridge: MIT, 1994.

MARX, Karl. *Grundrisse: foundations of the critique of political economy (rough draft)*. Londres: Penguin, 1973.

_____. "O Processo de Produção do Capital". In: MARX, K. *O Capital: crítica da economia política*. São Paulo: Nova Cultural, 1988, p. 142-164.

MCCULLAGH, Declan. "Lexmark invokes DMCA in toner suits". *CNET News*, 8 de janeiro de 2003. Disponível em http://news.com.com/2100-1023-979791.html. Acessado em agosto de 2007.

MINAR, Nelson; HEDLUND, Marc. "A Network of Peers: peer-to-peer model through the history of the Internet". In: ORAM, Andy (ed.). *Peer-to-Peer: harnessing the power of disruptive technologies*. Sebastopol: O'Reilly, 2001, p. 3-20.

NEGRI, Antonio; HARDT, Michael. *Multitude: war and democracy in the Age of Empire*. Nova York: Penguin, 2004.

_____. *Império*. Rio de Janeiro: Record, 2001.

ORLOWSKI, Andrew. "Six Things you need to know about Bubble 2.0". *The Register*, 7 de outubro de 2005. Disponível em http://www.theregister.co.uk/2005/10/07/six_things_about_the_bubble/. Acessado em agosto de 2007.

POSTER, Mark. *The second media age*. Cambridge: Polity Press, 1995.

PRIMO, Alex. *Interação Mediada por Computador*. Porto Alegre: Sulina, 2007.

PUTNAM, Robert D. "The Strange Disappearance of Civic America". *The American Prospect*, 7(24):34-48. Disponível em http://www.prospect.org/print/V7/24/putnam-r.html. Acessado em agosto de 2007.

RAND, "Transcendental Destination: where will the information revolution lead?" *RAND Review, Fall*. Disponível em http://www.rand.org/publications/randreview/issues/rr.12.00/transcendental.html. Acessado em agosto de 2007.

RASKIN, Andy. "Giving it Away (for Fun and Profit) Creative Commons encourages artists to share and distribute their work for free. And that could be the key to a new multibillion-dollar industry". *CNN Money*, 1 de maio de 2004. Disponível em http://money.cnn.com/magazines/business2/business2_archive/2004/05/01/368240/index.htm. Acessado em agosto de 2007.

RAYMOND, Eric et al. *The Cathedral & The Bazaar*. Sebastopol: O'Reilly, 2000.

_____. "The Cathedral and the Bazaar". First Monday, *3*(3). Disponível em http://www.firstmonday.org/issues/issue3_3/raymond/index.html. Acessado em agosto de 2007.

REED, David. "Digital Strategy: Weapons of Math Destruction". *Context Magazine*, 2(1). Disponível em http://www.contextmag.com/setFrameRedirect.asp?src=/archives/199903/DigitalStrategy.asp. Acessado em agosto de 2007.

_____. "That Sneaky Exponential – Beyond Metcalfe's Law to the Power of Community Building". *Context Magazine*, 2(1). Disponível em http://www.contextmag.com/setFrameRedirect.asp?src=/archives/199903/DigitalStrategy.asp. Acessado em agosto de 2007.

RHEINGOLD, Howard. *Smart Mobs: The Next Social Revolution*, Cambridge: Perseus, 2002.

_____. *The Virtual Community: homesteading on the electronic frontier*. Nova York: Harper Collins, 1993.

_____. "Electronic Democracy". *Whole Earth Review*, *71*:4-13, 1991.

ROBERTSON, Grant. "HD-DVD key fiasco is an example of 21st century digital revolt". *Download Squad*, 1 de maio de 2007. Disponível em http://www.downloadsquad.com/2007/05/01/hd-dvd-key-fiasco-is-an-example-of-21st-century-digital-revolt. Acessado em agosto de 2007.

ROSE, Kevin. "Dig This: 09-F9-11-02-9D-74-E3-5B-D8-41-56-C5-63-56-88-C0". *Digg The Blog*, 1 de maio de 2007. Disponível em http://blog.digg.com/?p=74. Acessado em agosto de 2007.

SALTZER, Jerome H.; REED, David P.; CLARK, David D. "End-to-end arguments in system design". *ACM Transactions on Computer Systems*, 2(4):277-288. Disponível em http://web.mit.edu/Saltzer/www/publications/endtoend/endtoend.pdf. Acessado em agosto de 2007.

_____.1998. Comment on Active Networking and End-to-end Arguments. *IEEE Communications Magazine*, *12*(3):69-71. Disponível em: http://web.mit.edu/Saltzer/www/publications/endtoend/ANe2ecomment.html (19 de Agosto de 2007).

SHAPIRO, Andrew L. *The Control Revolution*. Nova York: Public Affairs, 1999.

SHAPIRO, Carl; VARIAN, Hal. *Information Rules: a strategic guide to the network economy*. Boston: Harvard Business School, 1999.

SMITH, Marc. "Some Social Implications of Ubiquitous Wireless Networks". *Mobile Computing and Communications Review*, *4*(2):25-36. Disponível em http://www.research.microsoft.com/~masmith/SocialImplicationsofUbiquitousWirelessNetworks-Final.doc. Acessado em agosto de 2007.

STARHAWK, Dec. "Como bloqueamos a OMC". *Lugar Comum – Estudos de Mídia, Cultura e Democracia*, 4(11):9-14, 2000.

STROGATZ, Steven. *Sync: the emerging science of spontaneous order*. Nova York: Hyperion, 2003.

TIMIRAOS, Nick. "Free, Legal and Ignored". *The Wall Street Journal Online*, 06 de junho de 2006. Disponível em http://online.wsj.com/public/article/SB115214899486099107-vuoIhGUthiYcFwsQK0DjegSRPwQ_20070706.html?mod=blogs. Acessado em agosto de 2007.

TORVALDS, Linus. *Just for fun*. Nova York: Harper, 2001.

TRIPPI, Joe. *The Revolution Will Not Be Televised: democracy, the internet, and the overthrow of everything*. Nova York: Harper Collins, 2004.

VAIDHYANATHAN, Siva. *The Anarchist in the Library: How the clash between freedom and control is hacking the real world and crashing the system*. Nova York: Perseus, 2004.

_____. *Copyrights and Copywrongs: The Rise of Intellectual Property and How It Threatens Creativity*. Nova York: New York University, 2003.

VAZ, Paulo. "As esperanças democráticas e a evolução da Internet". *Revista da Famecos*, *24*:125-139. Disponível em http://revcom2.portcom.intercom.org.br/index.php/famecos/article/view/391/320. Acessado em agosto de 2007.

_____. "Mediação e Tecnologia". *Revista da Famecos*, *16*:45-58. Disponível em http://revcom2.portcom.intercom.org.br/index.php/famecos/article/view/267/201. Acessado em agosto de 2007.

_____. "Agentes na Rede". *Lugar Comum – Estudos de Mídia, Cultura e Democracia*, *3*(7):115-132. Disponível em http://www.comunica.unisinos.br/tics/textos/1999/1999_pv.pdf. Acessado em agosto de 2007.

VEGH, Sandor. "The media portrayal of hacking, hackers, and hacktivism before and after September 11". *First Monday*, *10*(2). Disponível em http://www.firstmonday.org/issues/issue10_2/vegh/index.html. Acessado em agosto de 2007.

WATTS, Duncan J. *Six Degrees: The Science of a Connected Age*. Nova York: W.W. Norton & Company, 2003.

WEINBERGER, David. *Small Pieces Loosely Joined: A unified theory of the web*. Nova York: Perseus, 2002.

WHINE, Michael. "Cyberspace: a new medium for communication, command and control by extremists". *Studies in Conflict and Terrorism*, *22*(3): 231-245, 1999.

WILLIAMS, Chris. "Digg buried by users in piracy face-down". *The Register*, 2 de maio de 2007. Disponível em http://www.theregister.co.uk/2007/05/02/digg_buried/. Acessado em agosto de 2007.

WRAY, Stefan. "Electronic Civil Disobedience and the World Wide Web of Hacktivism". *Switch*, *10*. Disponível em: http://switch.sjsu.edu/web/v4n2/stefan. Acessado em agosto de 2007.

Second Life:
vida e subjetividade em modo digital[*]

Maria Inês Accioly[**]
Fernanda Bruno[***]

Introdução

A arquitetura das redes digitais de comunicação avança na direção – já anunciada pela Web 2.0[184] – de integrar ferramentas de software, sofisticar padrões de interatividade e intensificar efeitos de realidade e presença. Um dos produtos mais identificados com esses propósitos é o *Second Life* (SL)[185], ambiente virtual interativo e tridimensional aberto à criação dos usuários,

---

[*] Este artigo é um resultado da pesquisa "Visibilidade, vigilância e subjetividade nas novas tecnologias de informação e de comunicação", apoiada pelo CNPq.

[**] Mestre em Comunicação pela Universidade Federal do Rio de Janeiro, tendo se graduado em Comunicação Social pela Universidade Federal Fluminense. Atualmente, é doutoranda do Programa de Pós-graduação em Comunicação da UFRJ.

[***] Doutora em Comunicação pela Universidade Federal do Rio de Janeiro. Atualmente, é professora do Instituto de Psicologia e do Programa de Pós-graduação em Comunicação da mesma universidade. É pesquisadora do CiberIdea (Núcleo de Pesquisa em Tecnologia, Cultura e Subjetividade) da ECO/UFRJ.

[184] O termo Web 2.0 é utilizado para descrever a segunda geração da World Wide Web, caracterizada pela tendência que reforça o conceito de troca de informações e colaboração dos internautas em sites e serviços virtuais. A idéia é que o ambiente *on-line* se torne mais dinâmico e que os usuários colaborem para a produção e organização de conteúdo.

[185] www.secondlife.com

que, a despeito de eventuais controvérsias sobre seu sucesso comercial – há quem especule sobre a possibilidade de ser mais uma bolha digital a estourar em breve –, indiscutivelmente é um dos pioneiros na disseminação desse novo conceito.

Lançado em 2003 pela empresa norte-americana Linden Lab, o *Second Life* ganhou visibilidade mundial no início de 2006, quando atingiu cem mil "residentes". Desde então, sua "população" cresce em ritmo exponencial: segundo informações da empresa, em agosto de 2007 já havia mais de 8,5 milhões de usuários movimentando diariamente US$ 1,3 milhão. No "novo mundo", como Linden Lab o define nas páginas de apresentação do site, há quase todos os tipos de ambientes que encontramos na vida real: cidades, moradias, lojas, escolas, clubes, museus, igrejas, empresas etc. Grandes marcas como Coca-cola, IBM, Nokia, Philips, Sony, Reebok e Petrobras estão ali presentes. Em julho de 2007, três meses após o lançamento oficial do *Second Life Brasil*, o Brasil já era o terceiro país com maior representação no "novo mundo" (36 mil usuários ativos), atrás apenas dos Estados Unidos e da Alemanha.

O *Second Life* foi concebido como um simulador da vida real – um modelo no ciberespaço onde os "residentes" criam laços sociais, afetivos e profissionais, divertem-se, constroem e consomem objetos virtuais, empreendem pesquisas e negócios, tudo isso com efeitos de realidade potencializados pelo paradigma da interatividade por "avatares" (representação dos usuários por imagens interativas em tempo real). Nesse ambiente, a visibilidade de Linden Lab é mínima: além de prover as ferramentas de software para que os "residentes" criem, eles mesmos, o mundo que irão "habitar", incluindo a disponibilização de códigos-fonte até um certo nível de programação, a empresa intervém apenas para fazer valer um código de conduta básico estabelecido para os usuários[186]. Vigora, assim, um código de conduta proscritivo, "tudo o que não é proibido é permitido" – de modo que o usuário se sinta

---

[186] O código de conduta social no *Second Life* (*Big Six*) classifica os "crimes" em seis categorias: intolerância (raça, gênero, religião etc); assédio (com palavras ou atos); assalto; abertura não-autorizada de informações da vida real do residente; indecência (em público) e perturbação da paz. (http://secondlife.com/corporate/cs.php)

maximamente livre para criar sua vida e seu mundo conforme desejar. "*Your world, your imagination*", diz o slogan do *Second Life*.

Desde o seu lançamento, vem se discutindo a sua especificidade ou a sua "novidade" em relação a outros ambientes da cibercultura (Masi e Lechner, 2006; Rose, 2007). O traço diferencial do *Second Life* não parece residir em um elemento específico, mas na sua capacidade de criar convergência entre diversos serviços, dispositivos e ambientes já disponíveis na cibercultura: *games*, salas de bate-papo, redes de relacionamento, motores de busca, *blogs*, foto e videologs, webjornalismo, e-commerce, e-business etc. Nesse sentido, trata-se de uma simulação da própria cibercultura, na medida em que o "mundo" ali modelizado incorpora serviços, práticas sociais e aspectos tanto da vida "*off-line*" quanto da vida "*on-line*".

Além dessas características mais estruturais, o SL se apresenta simultaneamente como *game* e rede de relacionamento, propondo, portanto, uma hibridação entre ficção e realidade. No seu atual estágio, o SL vem se afirmando como um lugar em que visibilidade e sociabilidade, consumo e entretenimento encontram-se intimamente articulados. Vale notar ainda que, em todos os contextos, a associação entre inventividade e negócio é direta: os usuários adquirem direitos de propriedade intelectual sobre todas as suas criações "*in world*".

Claro que tais aspectos são apenas alguns traços gerais do SL e qualquer descrição ou análise deste "metaverso"[187] é inevitavelmente imprecisa e insuficiente, pois se trata de um ambiente em permanente construção, bastante diversificado e ainda pouco definido. Neste artigo, procuraremos analisar de que maneira o SL evidencia e potencializa alguns aspectos da subjetividade contemporânea, especialmente seu caráter modular e performativo, atualizando o imperativo participativo na construção de um "mundo" em que entretenimento, consumo e sociabilidade se encontram cada vez mais misturados, assim como jogo e vida ordinária. Notaremos, ainda, como neste contexto a identidade é cada vez mais experimentada e concebida segundo o modelo do jogo e como as formas contemporâneas de controle da subjetividade ganham aí especial visibilidade.

---

[187] Metaverso é um neologismo criado por Neal Stephenson no romance *Snow Crash* (1992), apropriado recentemente pela cibercultura. Designa um "universo paralelo" ou "universo virtual tridimensional".

Subjetividade contemporânea: performance e modularidade

Embora o jogo seja um elemento tradicional da cultura – com funções de socialização e pedagogia, entre outras – a indistinção entre jogo e vida ordinária não o é. Segundo Johan Huizinga ([1939]2004), a prática do jogo sempre esteve cercada de regras, rituais e demarcações de espaço e tempo, e se caracteriza pela tensão e a incerteza. Seja em atividades de entretenimento ou nas suas formas mais sérias, associadas, por exemplo, à religião e à política, era próprio dos jogos ter hora e lugar, começo, meio e fim, o lugar da cena e o lado de fora. Tais limites vêm perdendo a nitidez na cultura contemporânea.

Se realçarmos as distinções entre a subjetividade contemporânea e a tipicamente moderna, observamos que é recorrente a idéia de jogo identitário na atualidade, em contraste com a relativa estabilidade das identidades modernas. E não é somente na cibercultura que isto se manifesta: a dinâmica do jogo permeia de forma generalizada, na atualidade, a linguagem das mídias – principalmente da televisão, mas também do cinema.

Em diversos programas televisivos do gênero *reality show* – como *Big Brother* e *No Limite* – o formato de jogo é explícito: as estratégias individuais dos participantes são continuamente avaliadas e julgadas e as regras e provas se assemelham, muitas vezes, às técnicas de aprendizado, treinamento e recrutamento profissional, entre outras atividades. No cinema, são cada vez menos raros os filmes que resultam da elaboração de dispositivos que põem "em jogo" uma série de regras para os personagens, o diretor e/ou as condições de filmagem (Martins, 2007; Migliorin, 2005). Já as superproduções cinematográficas seguem uma linha de hibridação dos filmes com *games*, a exemplo de *Star Wars* e *Harry Potter*.

A dinâmica contemporânea do jogo identitário pressupõe, em primeiro lugar, que a identidade é o resultado sempre provisório de um conjunto de provas, desafios, iniciativas, investimentos e medidas de capacitação dos próprios recursos técnicos, cognitivos e afetivos que os indivíduos se impõem. Além disso, reflete uma subjetividade investida na performance, na exterioridade, na eficiência e na superação permanente dos limites individuais.

Paralelamente, a radicalização da cultura do consumo intensifica a já conhecida tendência ao embaralhamento de fronteiras entre as esferas do trabalho, do lazer e do consumo. Nos ambientes virtuais, e em particular no SL, diversão, sociabilidade e consumo fazem parte de um mesmo jogo e partilham uma lógica comum em que o indivíduo é instado a ser cada vez mais interativo e participativo nas suas práticas hedonistas, sociais e de consumo, como veremos adiante. Esse agenciamento de entretenimento, sociabilidade e consumo gera, por sua vez, uma cultura de hibridação de fluxos de subjetivação que na modernidade eram mais polarizados: experiência privada e vida pública; socialização e individualização; motivação participativa e estratégia competitiva. Tal hibridação vai de par com os novos modelos subjetivos que tendem a tomar como índice de realização – e meta a conquistar – a comunhão de modos de vida outrora concorrentes: sucesso nos negócios e crescimento pessoal e emocional; gestão da imagem de si e autenticidade; dedicação ao trabalho e diversão (Rose, 1998).

Como nos mostra Huizinga ([1939]2004), o jogo é um espaço em que tradicionalmente esses modos concorrentes se confrontam e de alguma forma se resolvem. No entanto, parece específico da cultura contemporânea um certo afrouxamento das tensões implicadas nesse confronto, ao menos no nível da produção de subjetividade. Uma explicação possível para isto seria precisamente a categoria do jogo identitário, com seus múltiplos arranjos sempre provisórios de um "eu" a partir de proto-identidades modulares e de metas performativas.

A idéia de jogo identitário circunscreve, desse modo, boa parte das especificidades atribuídas à subjetividade contemporânea: flexibilidade, fluidez, modularidade, hedonismo, experimentação contínua, valorização da performance e da visibilidade em detrimento da interioridade, ampliação da responsabilidade dos indivíduos por sua trajetória e destino, ênfase na produção e no consumo interativos, incitação à participação e à autonomia em setores outrora marcados por estruturas hierarquizadas e centralizadas, como o trabalho, os meios de comunicação etc.

Conforme explicitamos, nos deteremos em dois desses aspectos: a valorização da performance e a modularidade da identidade. A valorização da performance em nossa cultura tem uma trajetória longa e complexa, que ultrapassa os limites deste artigo. Resumiremos ao máximo esta trajetória, considerando o desenvolvimento, desde os anos 1960, de uma dinâmica de emancipação constituída tanto pelas múltiplas reivindicações identitárias no plano político-social (mulheres, homossexuais etc.) quanto pela incitação à ação, à iniciativa pessoal e à autonomia que, a partir dos anos 1980, estende o modelo de superação de si da competição esportiva e do empreendedorismo empresarial aos modos de vida individuais (Ehrenberg 1999b, 2000). Este duplo movimento põe em crise os modelos disciplinares de gestão de si, dando progressivamente lugar a um pluralismo normativo e a uma incitação à autonomia em que o indivíduo é cada vez mais proprietário de si mesmo.

"*Tout se passe comme si chaque individu avait as propre personnalité pour totem*", anunciava Claude Levi-Strauss nos anos 1960 (apud Ehrenberg, 2000: 146). Emancipado das interdições que o impediam de escolher a própria vida, o indivíduo se vê atrelado ao imperativo oposto – o da autonomia, da iniciativa, da conquista, da superação e da escolha continuada. O empreendedorismo na vida privada e pública torna-se regra e a performance torna-se um modelo de ação, sucesso e estilo das existências individuais. Afirma-se, assim, "*un individu-trajectoire à la conquête de son identité personnelle et de sa réussite sociale, sommé de se dépasser dans une aventure entrepreneuriale*" (Ehrenberg, 2000: 11).

O culto da performance é visível em inúmeros setores da sociedade contemporânea, em que vige o princípio de superação de uma série de limites na escalada pela conquista de si: na educação, a formação e a reciclagem permanentes indicam uma trajetória ilimitada de aprendizado; no trabalho, os indivíduos são motivados a inovar, criar, se colocar desafios e superar obstáculos; na saúde, a noção de bem-estar estende-se aos domínios físico, mental e social, apoiada em recursos técnicos e científicos para prever enfermidades futuras e expandir cada vez mais a expectativa de vida dos indivíduos; nas práticas de cuidado com o corpo e com a beleza, artifícios cosméticos e tecnológicos veiculam a promessa de um corpo cada vez mais belo e perfeito; no âmbito da vida psíquica, psicomoduladores de diversos tipos assistem os indivíduos na superação de estados psíquicos improdutivos ou inconvenientes: cansaço, desânimo, estresse, depressão, angústia, ansiedade, transtorno e déficit de atenção etc; nas práticas de consumo, a obtenção de bens ou distinção social é acrescida da ambição de conquistar e expressar autenticidade (Freire Filho, 2007) e de ampliar o espectro experiencial (Lipovetsky, 2003).

Há muitos outros exemplos, mas nos limitaremos a acrescentar aqueles com repercussão no campo das mídias e dos jogos. Variados tipos de *talk shows* e *reality shows* convidam os indivíduos a superar os limites da intimidade, da timidez e da privacidade, expondo suas vidas e seus dramas pessoais ao público televisivo. Há ainda programas que colocam seus participantes em situações de provas e obstáculos a superar, premiando a boa performance dos "vencedores" e expondo cenas de alto constrangimento e humilhação dos "perdedores"[188]. Em todos os casos, a superação dos limites individuais e a exibição de uma boa performance afirmam-se como o modelo de sucesso pessoal, profissional, amoroso, estético, sexual etc. No campo dos jogos, os videogames já encarnam há algum tempo o culto da performance com seus crescentes níveis de dificuldade. Em certos jogos *on-line* como os MMORPG (*Massive Multiplayer Online Role-Playing Game*[189]), a performance de resultados conjuga-se à de criação dos personagens e de seus atributos no jogo. No caso do *Second Life*, a valorização da performance é ainda ampliada, não tanto por uma exigência de resultados, mas pela incitação à iniciativa individual e à participação, uma vez que "tudo" o que se experimenta nesse metaverso – do tipo de corpo que se tem, e lugares que se freqüentam, aos prazeres que se experimentam – é de autoria, escolha e/ou propriedade dos usuários.

Desde a década de 1990, com a difusão das novas mídias digitais e o crescimento da internet, a valorização da performance e da autonomia ganha novo fôlego com a possibilidade de os indivíduos passarem a produzir e distribuir informação e conteúdos diversos – música, literatura, vídeo, recortes da vida pessoal etc. Cada um se torna a sua própria mídia e pode, em princípio, produzir e difundir sua produção sem passar pelo crivo de

---

[188] Cenas desse tipo são exibidas, por exemplo, no *reality show Hell's Kitchen*, um dos líderes de audiência do canal GNT, onde um dos maiores *chefs* de cozinha da Inglaterra, famoso por seu temperamento agressivo, tripudia sobre os esforços dos participantes para preparar bons pratos.

[189] MMORPG é um jogo de computador e/ou videogame que permite a milhares de jogadores criarem personagens em um mundo virtual dinâmico, interagindo simultaneamente por meio de redes digitais.

centros e instâncias de decisão e controle da informação e da comunicação. Há bem pouco tempo, não mais que cinco anos, mais um impulso à iniciativa e à performance digital vem sendo anunciado como um novo modelo de produção de conteúdos em que participação e colaboração são elementos centrais. Este impulso é em grande parte identificado com os ambientes da Web 2.0 e uma evidência da sua força foi a eleição de "Você" como a personalidade do ano de 2006 pela revista *Time*. "Você", isto é, todos e cada um de nós, conquistou o título que no mesmo ano se cogitou conferir aos presidentes do Irã e da China, entre outras personalidades ilustres. Conforme a *Time*, a conquista foi merecida: "*for seizing the reins of the global media, for founding and framing the new digital democracy, for working for nothing and beating the pros at their own game, Time's Person of the Year for 2006 is you*" (Grossman, 2006). Ora, O SL é, como veremos, uma expressão clara desta valorização da performance em modo digital ou em formato 2.0; afinal, trata-se de um mundo feito por "você"[190].

A cultura da performance articula-se a uma perspectiva modular da identidade e da individualidade. Diferentemente dos moldes disciplinares, que incitavam os indivíduos à adequação à norma, as sociedades contemporâneas incitam as subjetividades e identidades a se modularem continuamente, a transformarem e superarem a si mesmas, tal como nos fluxos mutantes e incertos da economia, da moda, do consumo, da tecnologia etc. No lugar de qualidades intrínsecas e estáveis de uma personalidade única, as subjetividades e identidades são designadas por seus elementos, capacidades, potencialidades (Deleuze, 1992; Rose, 1999). Juntamente com uma variação no tempo, dispensa-se um respeito mais rigoroso a qualquer estabilidade ou unidade no espaço. Isto é, a identidade modular deve ser divisível, componível e decomponível em partes que se rearranjam, como evidenciam a medicina genômica e as tecnologias de manipulação genética (Rabinow, 2002), os transplantes de órgãos, os múltiplos e por vezes contraditórios perfis construídos pelo mesmo usuário nas redes sociais como Orkut[191] e MySpace[192], ou as

---

[190] A própria revista *Time*, entretanto, apontou o SL como um dos cinco piores sites na Internet, por ser lento para carregar e difícil de navegar (*Times*, 2007).

[191] www.orkut.com

[192] www.myspace.com

"peças" que compõem a montagem dos avatares no *Second Life*, tal como mostraremos adiante. As identidades modulares são ainda especialmente adaptadas aos ambientes numéricos e à lógica digital.

Como se sabe, a cultura contemporânea é fortemente marcada pelo processo tecnológico de convergência digital. Uma ampla gama de dispositivos eletrônicos de comunicação, trabalho e entretenimento da atualidade permite a troca de textos, imagens, sons etc. que podem ser manipulados com certa facilidade. Por meio de ferramentas de modularização e edição, torna-se possível não só a apropriação e o consumo individualizados desses conteúdos – "customização", nos termos do marketing –, como também a participação do usuário como produtor. Essa forma de interatividade parece bem próxima à idéia de jogo, na medida em que pressupõe certas regras (as possibilidades e limites dos códigos e dos programas), mas também abre espaço para a incerteza mencionada por Huizinga, sob a forma da novidade e da criação.

No âmbito das subjetividades e identidades, os ambientes digitais têm por característica a possibilidade de fragmentar a informação em unidades independentes e comutáveis, o que permite arranjos diversos. Deste modo, são favoráveis à concepção modular da identidade, constituída por módulos discretos e independentes, montados de maneira a compor um conjunto sempre provisório.

Na atual geração de ambientes virtuais interativos abertos, que inclui o *Second Life*, a plasticidade dos modelos e o convite a que os usuários construam eles mesmos o "mundo" que irão virtualmente habitar transmitem uma idéia de liberdade extremamente sedutora, sobretudo para quem procura entretenimento. Não se pode, contudo, esquecer que, mesmo nesses dispositivos oferecidos como inteiramente abertos à criação, certas escolhas permanecem restritas aos códigos de base, inacessíveis ao usuário[193].

---

[193] Porém, a tendência atual dos produtos da cultura digital parece ser a de imitar com perfeição cada vez maior o modo analógico. É esta perspectiva que se coloca, por exemplo, quando o cientista da computação David Gelernter afirma que as pessoas querem navegar na Internet da mesma forma como circulam pelo mundo (Roush, 2007: 17).

Subjetividade no *Second Life*: vida e jogo

Na Wikipédia o *Second Life* é definido como um MMOSG (*Massive Multiplayer Online Social Game*), em contraste com os já conhecidos MMORPG (*Massive Multiplayer Online Role-Playing Game*). A substituição da expressão *Role-Playing* por *Social* reforça o posicionamento do SL como um ambiente no ciberespaço onde a indistinção entre jogo e relacionamento social é uma proposta explícita. Esta hibridação lhe abre um leque virtualmente ilimitado de aplicações e combinações flexíveis entre ferramentas de sociabilidade, entretenimento e consumo, de acordo com as preferências individuais dos usuários, mobilizando dimensões da subjetividade contemporânea já presentes em outros domínios da cultura, como mostramos no tópico anterior, mas aqui capitalizados no formato participativo da Web 2.0.

A promessa de Linden Lab endereçada à subjetividade contemporânea realça o entrelaçamento dessas instâncias enunciando a grande vantagem dos simuladores em geral: a de prover "experiência" de baixo custo e sem risco, com finalidades que variam da criação e aprendizado (ensino experimental, pesquisa tecnológica, sondagens de marketing), treinamento e performance (sociabilidade, capacitação profissional), ao entretenimento (*games*, festas, espaços de convivência, eventos culturais). Um atributo adicional do SL, reconhecido por Linden Lab como decisivo para o seu sucesso, é a possibilidade da obtenção de ganhos reais de capital através do empreendedorismo e da propriedade intelectual.

Ampla autonomia individual, customização do consumo e dos padrões de interatividade, total liberdade para o jogo identitário – garantida inclusive pela não obrigatoriedade de identificação do usuário com dados da vida real – fazem do Second Life um ambiente capaz de "realizar" grandes fantasias do indivíduo contemporâneo, sem lhe cobrar por isso nenhum preço além de *linden dolars* (a moeda oficial do SL[194]).

---

[194] O Linden Dolar é intercambiável de forma explícita com dinheiro real. Ao contrário dos *games* convencionais, em que a moeda do jogo é ganha, via de regra, no cumprimento de tarefas e missões, linden dólares podem ser comprados com dólares norte-americanos ou obtidos em transações comerciais dentro do SL. As conversões são efetuadas pelo LindeX, estabelecimento de câmbio controlado por Linden Lab.

Relatos de "residentes" do *Second Life* publicados na mídia reiteram o fascínio provocado pela idéia de simular a vida social sem as limitações, os inconvenientes e os ônus que freqüentemente pagamos por nossas escolhas. Fala-se em "começar uma vida nova", "reencantar o cotidiano", "uma segunda chance", "a verdadeira vida sem os riscos nem os erros", "um modo de superar limitações do mundo real", "melhor que a vida real em muitos sentidos" (Masi e Lechner, 2007).

A busca de uma (segunda) vida prazerosa realmente parece ser constante e generalizada entre os residentes do SL. Na lista exibida no menu de navegação do "novo mundo" onde constam os 20 lugares mais populares[195] – aqueles com maior tráfego de residentes e/ou onde eles despendem mais tempo – estão, principalmente, ilhas ou estabelecimentos virtuais que oferecem entretenimento de graça como dança, festas, shows, *games*, sexo, praia, piscina, além de acessórios *"for free"* (gratuitos).

Além do princípio da equivalência entre vida e jogo, a valorização da performance como vetor de subjetivação relevante no *Second Life* se faz notar pela ampla liberdade de criação (o sistema disponibiliza ferramentas amigáveis de programação de software para que os residentes dêem visibilidade aos produtos da sua imaginação), e encontra-se intimamente articulada a uma lógica do capital (o privado predomina largamente sobre o público e a regulação básica das interações sociais se dá por meio de acordo entre oferta e procura).

Longe de ser um modelo de simulação fechado, como os *games* convencionais, o *Second Life* permite ao usuário criar praticamente tudo, desde a aparência do seu avatar e o ambiente que o cerca até novas animações e funcionalidades, seja com finalidade puramente lúdica ou para estabelecer negócios. Uma chinesa ficou milionária construindo e vendendo "imóveis"; um neozelandês criou dentro do SL o *game* de sucesso Tringo; um norte-americano construiu uma "cama erótica" e processou na Justiça outro residente que teria plagiado seu invento. Os elos entre performance e modularidade são aí visíveis, bem como os seus nexos com a lógica do capital e do consumo.

---

[195] Esta lista é atualizada permanentemente e fica disponível para os residentes do SL. Os comentários se referem à lista extraída em 25.07.07.

No *Second Life*, essa lógica extrapola os limites daquilo que costumamos entender como objeto de negócio. Por exemplo, residentes que desejam personalizar e dar uma aparência mais "real" a seus avatares podem adquirir texturas de pele e cabelo, órgãos sexuais e outros itens "corporais" oferecidos por *designers* mais hábeis. Existem promoções e ofertas *"for free"*, mas tudo que se pretende agregar ou modificar num avatar "básico", escolhido no cardápio de tipos quando se ingressa no SL, deve ser comprado ou então desenhado pelo usuário com as ferramentas de software disponíveis, passando a integrar seu "inventário" de bens.

A representação do usuário dentro do ambiente digital por meio dos avatares, embora seja um elemento comum a outros produtos da cibercultura, ganha no *Second Life* uma especial relevância como vetor de subjetivação, mais uma vez em função da indistinção entre vida e jogo. As simulações de presença e encontro se dão ali, freqüentemente, em situações bem próximas às da vida ordinária.

Em contraste radical com os MUDs[196] dos anos 90, onde ambientes e personagens eram construções inteiramente verbais e a consciência da ficção coletiva estava sempre presente, os dispositivos atuais de realidade virtual não só oferecem tudo isso em imagens tridimensionais e animadas, como entrelaçam esses conteúdos ficcionais com elementos capturados da vida real. Cidades como Munique, Manchester e Amsterdã foram reproduzidas em detalhes no *Second Life*. Mesmo entre as paisagens e cenários fictícios há muitos que são hiper-realistas. E Linden Lab quer ir ainda mais longe, projetando para um futuro próximo um cibermundo povoado por avatares com resolução fotográfica comunicando-se por voz.

O objetivo é reproduzir da maneira mais realista possível as interações sociais do mundo físico. Numa entrevista à imprensa, a vice-presidente do Linden Lab explorou essa potencialidade referindo-se ao *Second Life* como um ambiente no qual as pessoas interagem "face a face" (Portonet, 2007).

---

[196] O MUD (sigla de *Multi-User Dungeon*, *Dimension*, ou por vezes *Domain*) surgiu na década de 1990 nos Estados Unidos. É um RPG executado em BBS ou em servidor na internet, em que os jogadores criam personagens para si e interagem por comandos de texto descrevendo ações, objetos, ambientes e outros personagens.

E, de fato, ao menos entre os usuários que privilegiam o SL como rede de relacionamento, são comuns expressões do tipo "estive em tal festa" ou "encontrei fulano" para relatar suas atividades virtuais.

Por outro lado, as interações "físicas" entre avatares obedecem a uma lógica estritamente digital e modular. Todas as ações "corporais" possíveis são modelizadas e incluídas num menu, que pode ser ampliado conforme a destreza do usuário no manejo das ferramentas de programação. De qualquer forma, é inevitável que essas relações sejam algorítmicas, isto é, fragmentadas e organizadas em séries lógicas. Um exemplo: no intuito de "humanizar" as relações sociais dentro do SL alguns usuários criaram o movimento *Free Hugs* (Abraços Liberados). Porém, como o sistema protege os avatares contra contatos indesejados, o abraço deve ser precedido por um convite via IM (Instant Message) ao destinatário, que pode recusá-lo. Neste caso, nada feito.

No processo de escolha do avatar também observamos a pregnância da perspectiva digital, aí sob a forma da reprodução de padrões. Geralmente os usuários interessados no SL como rede de relacionamento modelam avatares à sua imagem e semelhança, salvo pequenos retoques para "melhorar a aparência". Já os mais identificados com o espírito *role playing* preferem seguir modelos de quadrinhos, apresentando-se como monstros, heróis ou animais. É interessante notar que qualquer desvio nesses padrões requer habilidades extras no uso das ferramentas de *design* do SL. Até a simples decisão de criar um avatar muito gordo é de difícil implementação prática, pois a ultrapassagem de certos limites nas proporções causa deformações na imagem.

Nota-se, assim, que o *Second Life* é um ambiente de reprodução e de estímulo à exteriorização das principais características da subjetividade contemporânea: valorização da performance e das identidades modulares, hedonismo, experimentação etc. No tópico a seguir, procuraremos analisar de que forma essa subjetividade se conecta com instrumentos e práticas de controle.

Controle, jogo e subjetividade na cibercultura

Segundo Huizinga ([1939] 2004), o jogo tem estreita ligação com a política, sobretudo quando entendido como competição entre forças, seja no plano da luta física, do conhecimento ou da astúcia. Disputas partidárias, litígios jurídicos, guerras e outras situações envolvendo política e governo mostram que a dimensão do jogo é bem mais ampla que a do mero entretenimento. "A guerra tem origem naquela esfera primitiva de permanente e acirrada competição onde intimamente se confundem o jogo e o combate, a justiça, o destino e a sorte" (Idem: 113), afirma o autor.

As esferas do jogo e da política, portanto, necessariamente se intersectam, mas de maneiras diferentes conforme o contexto histórico e cultural. Na contemporaneidade, eles parecem privilegiar a gestão da liberdade e as redes, afinando-se com as mais recentes estratégias de controle (Deleuze, 1992; Rose, 2000). O Estado perde a primazia em proveito de organizações autônomas, governamentais ou não, como o ciberespaço e seus "metaversos", e o controle se exerce segundo um complexo jogo de reciprocidades. Nesse contexto, o cidadão é antes um "ator" entre outros do que um elemento passivo e obediente ao poder constituído.

As formas contemporâneas de controle e poder investem na capitalização das iniciativas individuais, na incitação do desejo, no apelo à participação, na performance e na obtenção de "resultados". A dimensão visível do jogo, aqui, é menos a do confronto de forças que a da mobilização de equipes; e o resultado visível é menos a vitória do mais forte que o produto da negociação. Segundo Rose (2000), uma das principais características da política contemporânea é a pulverização do controle em redes não hierarquizadas, que a partir da inclusão social e do consumo possibilitam a composição de perfis identitários com indicações de preferências, tendências, vulnerabilidades e carências dos indivíduos. A conduta dos cidadãos é continuamente modulada por uma lógica imanente ao conjunto de práticas sociais, "de acordo com princípios de otimização dos impulsos benignos e minimização dos malignos" (Idem: 325). O controle é exercido em regime de parceria pelos diversos agentes sociais, obedecendo a uma ética de compartilhamento de responsabilidades e riscos, de autocontrole e autogestão.

O *Second Life* pode ser visto como um jogo que ao mesmo tempo atualiza e expressa aspectos mais amplos das estratégias de poder e controle na produção de subjetividade contemporânea. Eis o que pretendemos brevemente apontar nesse último tópico. Conforme já indicamos, os indivíduos hoje são cada vez mais incitados pelas instituições e pelos diversos dispositivos midiáticos à exibição de uma performance em que a superação de si e a autonomia nas realizações pessoais e profissionais tornam-se a norma ou a regra a seguir. Rose (1999) observa que as tecnologias e estratégias de controle na atualidade não operam por disciplina e moralização, e sim através da instrumentalização de uma forma particular de liberdade. O autor sugere que as atuais formas de poder e governo nas sociedades pós-industriais e pós-Estado de bem-estar dependem cada vez mais da mobilização das capacidades pessoais e subjetivas dos indivíduos, entendidos como "livres para escolher" (Rose, 1998:13). Tal regime de poder e controle envolve a conjunção de princípios do liberalismo e da democracia como norteadores da racionalidade política, juntamente com a consolidação e o crescimento de saberes e práticas psicológicas que propõem a autonomia e a auto-realização profissional e afetiva como modelos de gestão de si (idem).

> Seja uma pessoa inteira, seja quem você quer ser, seja você mesmo: o indivíduo deve ser, como já foi, um empresário de si mesmo, buscando maximizar seus próprios poderes, sua própria felicidade, sua própria qualidade de vida, paralelamente reforçando sua autonomia e assim instrumentalizando sua escolha autônoma a serviço do seu estilo de vida.*

Tal proposição encontra claras ressonâncias no apelo mais amplo do *Second Life* expresso em seu slogan – *"Your world. Your imagination"*. O convite à participação e à construção colaborativa desse mundo implica uma capitalização da iniciativa e das capacidades cognitivas e sociais dos indivíduos, conjugada a um convite à auto-realização num mundo ainda mais adaptado às aspirações da subjetividade contemporânea, posto que

---

Traduzido de: *"Become whole, become what you want, become yourself: the individual is to become, as it were, an entrepreneur of itself, seeking to maximize its own powers, its own happiness, its own quality of life, though enhancing its autonomy and then instrumentalizing is autonomous choice in the service of its life-style"* (Idem, p. 158).

está "à altura da sua imaginação" e dos seus desejos, sem boa parte dos riscos e ônus da vida *off-line*. Os depoimentos de que o *Second Life* seria a chance de uma vida melhor devem ser entendidos antes como a regra da autonomia e da auto-realização elevada à máxima potência do que como uma fuga ou subversão das regras da vida "real". Soma-se a isso o fato de que no *Second Life* há uma certa equivalência entre viver, se divertir, ter prazer, se relacionar com os outros, produzir e consumir. Esta equivalência é evidenciada no procedimento de outorga de propriedade intelectual sobre tudo o que ali se cria, bem como no consumo de "itens" outrora não categorizados na forma de bens de consumo, como a cor dos olhos ou a textura da pele.

Curiosamente, as dificuldades que a publicidade e o marketing vêm encontrando para vender produtos no *Second Life* mostram que ali vigora o estágio mais avançado do consumo, em que este é identificado a experiências mais do que a coisas, a entretenimento e sensações mais do que à obtenção de signos de distinção social. As estratégias publicitárias mais bem-sucedidas têm sido, portanto, aquelas que criam uma "ambiência" agradável e prazerosa associada a bens de consumo ou serviços, mais do que aquelas que tentam vender diretamente produtos específicos[197]. No SL consomem-se prioritariamente experiências ou, noutros termos, experiência e consumo se equivalem.

Rose e Miller (1997) têm uma instigante tese sobre a articulação contemporânea entre controle e consumo que busca dar conta da dimensão política da economia de mercado sem recair no reducionismo que caracterizou a principal vertente da crítica cultural dos anos 1960, inspirada na Escola de Frankfurt. O controle do consumo não se daria, assim, pela criação de falsas necessidades ou manipulação dos desejos de um consumidor passivo, mas, sim, pela "elaboração de delicadas afiliações entre as escolhas ativas de potenciais consumidores e as qualidades, prazeres e satisfações representadas no produto" (idem: 42). Os autores concebem o consumo contemporâneo no contexto de uma "economia política da subjetivação", com a seguinte dinâmica:

---

[197] Por exemplo, uma imobiliária de São Paulo inaugurou dentro do SL uma "ilha" onde mal se percebe que o negócio é vender apartamentos. O que atrai os visitantes é a beleza do cenário, com árvores, fauna marinha, lugar para festas e esportes radicais (*Superinteressante*, 2007).

As tecnologias de consumo, aliadas a outras distintas formas narrativas como novelas, estabelecem não apenas o que se pode chamar um "habitat público de imagens" para identificação, mas toda uma pluralidade de pedagogias da vida ordinária, que modelam, por meio de meticulosos ainda que banais detalhes, os hábitos de conduta que capacitam o indivíduo para uma vida pessoalmente prazerosa e socialmente aceitável (idem: 43).

As formas de controle da subjetividade contemporânea são extremamente complexas e heterogêneas, e muitas apresentam uma inquietante similaridade com as cotidianas e aparentemente inofensivas dinâmicas da sociabilidade, da comunicação e do entretenimento.

Como muitos outros fenômenos da cultura tecnológica e mediatizada, o *Second Life* é também atravessado pelos circuitos do controle e poder que permeiam a sociedade contemporânea, mas certamente não se reduz a eles. Mostramos como a instrumentalização da liberdade e a capitalização da subjetividade segundo o impulso participativo da Web 2.0 são particularmente visíveis neste ambiente, refletindo, assim, estratégias mais amplas do controle contemporâneo, conforme nos mostra Lianos:

> O controle forma, assim, um dos componentes da liberdade pós-industrial. Ele se exprime nas regras de produção e utilização de sistemas, processos e objetos que são desejáveis como meios consagrados à construção autônoma da biografia individual e da ação coletiva" (2001:18).

Sem dúvida alguma, o *Second Life* também comporta outros processos, fenômenos e experiências que escapam à lógica do controle das subjetividades contemporâneas. A opção por apontar esta lógica derivou de uma escolha de foco e não da "natureza" do objeto em questão, o qual, como dissemos, é extremamente diversificado e ainda está em construção. Felizmente, tanto na vida quanto no jogo, sejam eles quais forem, nada está decidido de antemão.

Referências bibliográficas

BBC Brasil. Reportagem denuncia pedofilia no universo virtual Second Life / Comentários. Publicado na edição *on line*. 09 maio 2007. Disponível em: www.bbcbrasil.com.

BURGOS, Pedro. Publicidade tenta entrar no SL de novo. Blog de Pedro Burgos. Edição eletrônica da revista *Superinteressante*. 03 ago. 2007. Disponível em: http://super.abril.com.br/super2/blogs.

DELEUZE, Gilles. *Conversações*. São Paulo: Ed.34, 1992.

EHRENBERG, Alain. *Le culte de la performance*. Paris: Hachette Littérature-Pluriel, 1999a.

_____. *L'individu Incertain*. Paris: Hachette Littérature-Pluriel, 1999b.

_____. *La fatigue d'être soi*. Paris: Odile Jacob, 2000.

FREIRE FILHO, João. Poder de compra: pós-feminismo e consumismo nas páginas da revista Capricho. In: MÉDOLA, Ana Sílvia Davi; ARAÚJO, Denize Correa; BRUNO, Fernanda (orgs.). *Imagem, visibilidade e cultura midiática*, p. 113-140. Livro da XV Compós. Porto Alegre: Sulina, 2007.

GROSSMAN, Lev. Time's person of the year: You. *Time*. vol. 168, n° 26, 25 dez. 2006.

HUIZINGA, Johan. *Homo Ludens* – O jogo como elemento da cultura. São Paulo: Perspectiva, 2004 [1939].

LIANOS, Michalis. *Le nouveau controle social*. Paris: L'Harmattan, 2001.

LIPOVETSKY, Gilles. La société d'hyperconsommation. *Le Debat*, n°.124, p. 74-98, mar/abr 2003.

MARTINS, Andréa França. Ser imagem para o outro. In: MÉDOLA, Ana Sílvia Davi; ARAÚJO, Denize Correa; BRUNO, Fernanda (orgs.). *Imagem, visibilidade e cultura midiática*. Livro da XV Compós. Porto Alegre: Sulina, 2007.

MASI, Bruno; LECHNER, Marie. Second Life, un monde où refaire sa vie. Edição eletrônica do *Ecrans.fr*. 01 jul. 2006. Disponível em: www.ecrans.fr.

MIGLIORIN, Cezar. Filme-Dispositivo: Rua de Mão Dupla, de Cao Guimarães. Estudos Socine de Cinema Ano VI, p. 143-150. São Paulo: Nojosa Edições, 2005.

PORTONET. Second Life: Um ambiente sem restrições. Entrevista publicada na edição eletrônica do *Portonet Jornalismo*, jornal da Universidade do Porto, 2007. Disponível em: http//jpn.icicom.up.pt.

RABINOW, Paul. *Antropologia da Razão*. Rio de Janeiro: Relume Dumará, 2002.

ROSE, Frank. How Madison Avenue is wasting millions on a deserted Second Life. *Wired Magazine*, 15 ago. 2007. Disponível em: www.wired.com.

ROSE, Nikolas. *Inventing ourselves*. Cambridge: Cambridge University Press, 1998.

_____.*Powers of freedom*. Cambridge: Cambridge University Press, 1999.

_____.Government and Control. In: *Brit.J.Criminol*, vol.40, p. 321-339, 2000.

ROSE, Nikolas; MILLER, Peter. Mobilising the consumer: assembling the subject of consumption. In: *Theory, Culture and Society*, vol.14, n°1, p.1-36, 1997.

ROUSH, Wade. Second Earth – The World Wide Web will soon be absorbed into the World Wide Sim: an environment combining elements of Second Life and Google Earth. *Technology Review*. MIT, julho/agosto, 2007. Disponível em: www.technologyreview.com.

STEPHENSON, Neal. *Snow Crash*. New York: Bantam Books, 1992.

Time. 5 Worst Websites. Edição eletrônica. 15 jun. 2007. Disponível em: www.time.com.

Características deste livro:
Formato: 14 x 21 cm
Mancha: 10,5 x 17,0 cm
Tipologia: Times New Roman 10/13,5
Papel: Ofsete 75g/m² (miolo)
Cartão Supremo 250g/m² (capa)
Impressão: Sermograf
1ª edição: 2007

Para saber mais sobre nossos títulos e autores,
visite o nosso site:
www.mauad.com.br